La cabeza del cordero

Francisco Ayala

Francisco Ayala

La cabeza del cordero

edited by
KEITH ELLIS
University of Toronto

PRENTICE-HALL, INC., *Englewood Cliffs, New Jersey*

PRENTICE-HALL INTERNATIONAL, INC., _London_
PRENTICE-HALL OF AUSTRALIA, PTY. LTD., _Sydney_
PRENTICE-HALL OF CANADA, LTD., _Toronto_
PRENTICE-HALL OF INDIA PRIVATE LTD., _New Delhi_
PRENTICE-HALL OF JAPAN, INC., _Tokyo_

Library of Congress Catalog Card No.: 68-10017

Current printing (last digit)
10   9   8   7   6   5   4   3   2   1

Printed in the United States of America

Preface

This edition of *La cabeza del cordero* contains the stories published in the original edition of 1949, and thus does not include "La vida por la opinión," which was added to the second edition of 1962. The stories appear in their original, unabridged form. Short idioms are explained in the vocabulary; longer ones and important allusions, in the footnotes. Each narrative is followed by a series of questions and grammatical exercises designed to guide the student in his analysis and interpretation of the text. This edition has been prepared for second-year college and advanced high-school classes.

I am indebted to the author, Francisco Ayala, for permission to use the material reproduced and for his suggestions concerning the preparation of the manuscript. I also wish to thank Lynherst Peña, Graciela Coulson, Vicki Lawrason, Peter Bell, as well as Professors Kurt Levy, Julio Rodríguez, and Evelyn Rugg for their help.

Finally, I must thank Dr. Edmundo García-Girón of Prentice-Hall for his editorial assistance.

K.E.

LA PRIMERA EDICIÓN DE *La cabeza del cordero* se publicó en Buenos Aires el año de 1949, y su texto era el mismo que aquí se reproduce ahora. Llevaba un Proemio del autor donde, un decenio justo después de terminada la guerra civil española que constituye su tema fundamental, se pretendían aclarar algunas intenciones del libro y se hacía un examen de conciencia literaria e intelectual que aspiraba a tener alcance bastante amplio.

Una segunda edición, publicada también, en Buenos Aires el año 1961, presentaba dos principales diferencias con la anterior: a su texto se había añadido una novelita más, titulada "La vida por la opinión", que cierto crítico caracterizó ingeniosamente como "*coda* que, en contra de los cánones musicales, es un *scherzo*"; y un estudio del profesor Keith Ellis sobre "El enfoque literario de la guerra civil española: Malraux y Ayala". Ya por aquellas fechas preparaba Ellis el texto de su libro *El arte narrativo de Francisco Ayala,* que se publicaría en 1964. En ese estudio previo se aplicaba a examinar, en contraste con la obra de Malraux y de paso también con la de Hemingway, la actitud básica del autor de *La cabeza del cordero* frente a la contienda bélica que sirve de fondo a sus narraciones. Con referencia específica a una de ellas, escribe: "El hecho de que nada sugiera la preferencia del autor por uno de los bandos en lucha da a "El tajo" una dimensión que *L'Espoir* no tiene. La guerra en "El tajo" es algo que no sólo envuelve diferencias

Prefacio
del autor

políticas y militares; pues arranca de factores más profundos en la natu-
raleza humana y, por lo tanto, más difíciles de asir que las divisiones
políticas. En la consideración de esos factores, y de su relación con el
orden de la sociedad civil, radicará la adscripción concreta del escritor
a uno de los campos en lucha."

Posteriormente, en un volúmen antológico que la editorial Gredos de
Madrid imprimió bajo el título de *Mis mejores páginas* y donde la referida
obra aparece representada por un pasaje de "La cabeza del cordero"
seleccionado con precaución, sugería yo en tono humorístico que algo
muy bueno o muy malo debía de contener ese libro cuando todavía no
se le había permitido llegar a las manos de su natural destinatario, el
lector español. Y situación tal continúa hasta la fecha: aún hoy sigue
impidiéndosele en España un acceso directo al público. De hecho, una
obra publicada por primera vez veinte años atrás, y en la que acontecimientos ocurridos hace no menos de treinta, documentados ya en todas
las historias de la guerra civil, se encuentran presentados de manera
objetiva, tangencial y moderadísima, no ha tenido todavía una edición
española, antes de ahora porque lo impidió la censura, y luego, en estos
días mismos, porque los medios de presión más sinuosa que la sustituyen
han disuadido a los editores, poco inclinados siempre a correr ningún
riesgo, por remoto que sea, de incluirla entre mis obras completas, que
iban a publicarse en Madrid. Supongo que los lectores norteamericanos
para cuyo uso se ha preparado la presente edición hallarán en dicha circunstancia bastante de qué admirarse y aun scandalizarse. Yo, por mí,
de nada me asombro.

Francisco Ayala
Junio de 1967

Contents

La cabeza del cordero

It is becoming increasingly clear that Francisco Ayala is one of the outstanding writers of Spanish fiction of our century. A man of multiple talents—he is also a distinguished sociologist, essayist, literary critic, and professor of literature—in recent years he has been devoting the major part of his writing to prose fiction.

Ayala was born in Granada in 1906. He studied law at the University of Madrid, where he earned his Doctorate in 1931. He pursued an academic career and won a chair of Political Law at the University of Madrid when he was only twenty-eight. But at this age he was already well established in his literary career. His first novel, *Tragicomedia de un hombre sin espíritu* (1925), written when he was eighteen, was recognized in Madrid literary circles as the work of an important new writer. After the publication of his second novel, *Historia de un amanecer* (1926), he contributed regularly to the *Revista de Occidente* as one of the major talents of avant-gardist writing. His novels *El boxeador y un ángel* (1929) and *Cazador en el alba* (1930) reflect his surrealistic tendency.

The Spanish Civil War (1936–1939) in many respects occupies a place of central importance in Ayala's career. He was on a lecture tour in Argentina when the war broke out. Upon the fall of the Republican government, which he had served in a diplomatic capacity in several countries, he chose exile in Argentina. In his subsequent works, beginning with *El hechizado* (1944), he shows a complete break from his novelistic style of 1929 and 1930. The treatment of his subjects becomes more mature; satire and irony are prominent; the mastery of language promised in the earlier works is

Introduction

1

now realized; and a range of literary techniques rarely displayed by any contemporary Spanish writer is so used that each one seems inevitable for the meaning of the work in which it is employed. Two books published in 1949, *Los usurpadores* and *La cabeza del cordero,* confirm the excellence of Ayala's art. *Los usurpadores* contains stories set in a wide range of historical periods and dealing with the nature of power, the attraction it has for man, and the suffering its exercise inevitably brings.

In the stories of *Historia de macacos* (1955) the narrative skills of Ayala are employed to reveal human society continuously beset by wretchedness, by the dominance of what is mean in the human spirit. Condemnation and a strong desire for change are implied in the insistent satire with which Ayala treats the situations illustrating these conditions. In his novel *Muertes de perro* (1958) and its sequel, *El fondo del vaso* (1962), the same concern for the human condition is shown within the setting of a Latin American dictatorship. The quality of these two novels and of his latest works, *El as de Bastos* (1963) and *El rapto* (1965), shows very clearly Ayala's continuing mastery of the art of the novel. Although his total work like that of most writers, reveals a predominant world view, the enormous scope of his inventive imagination allows each work to be a fresh, unique experience.

In *La cabeza del cordero* the theme of estrangement is developed through the presentation of a crisis in Spanish civilization: the Civil War. The stories have this important event as their historical center, but they have little to do with military combat. The overwhelming emphasis is given to examining deteriorating relationships among people, to the way in which human passions can build small differences into hostile, intransigent division. By giving an intimate portrayal of his characters, by making them believable men in convincing situations, and by presenting these situations fittingly in the language of ordinary speech, Ayala has managed to give universality to his interpretation of the war. He seeks out the repeated, seemingly eternal causes and effects of human conflict.

"El mensaje," the first story in the book, is set in a period before 1936, but the characters are shown to possess a potential for participation in civil conflict. The action of "El tajo" occurs during and just after the war. Although "El regreso" and "La cabeza del cordero" are set in a period that follows the struggle, the war plays an important part in them since it has left a permanent mark on the consciousness of the protagonists, who recall it from time to time. The war thus appears in a series of flashbacks.

The opening passage of "El mensaje" is rich with indications of the impending action. It suggests immediately that a conflict will emerge between the cousins for which there will be no substantial basis. More subtly, it shows that the narrator, who considers himself superior to his cousin, is not really so, since he manifests the same blind passion when he enters into a dispute with him. Further, since he is the narrator and will consequently tell the story without being fully aware of the part he plays in it, the irony will deepen—and thus, the implications of the story will become more important. From the rhetorical style of the introductory passage the reader is led to expect a wordy controversy. All this happens in a story which is skillfully interwoven with humor, sarcasm, irony, and anticlimax.

In "El tajo" the experience of war is reflected in the attitudes of the characters. In order to trace the trend toward polarization within society and thus provide the background necessary to the action of the story, the author uses extended flashbacks that make the division of the story into four parts appropriate. Parts II and III contain the youthful reminiscences of the protagonist, Pedro Santolalla. In Part I he is a soldier on the Fascist side of the struggle, whereas in Part IV, at the end of the war, he attempts to atone for needlessly killing a Republican soldier, an act which has weighed heavily on his conscience. Only in Part I is the war presented in terms of military conflict, and even here the military action is minimal.

"El regreso" and "La cabeza del cordero," perhaps the most easily understood stories in the book, need little introduction. The narrator-protagonist in each forms a similar part of the structure of each story. Both are ordinary men who, primarily concerned with narrating their experiences after the Civil War, from time to time make references to the conflict. The references are made naturally and without any strain on the aesthetic demands of the stories. The war is made to seem a formidable experience that has left its permanent marks on their consciousness. The outstanding characteristic of both protagonists is their impulsiveness. Their decisions are sudden, their moods change quickly; and, in both stories, there is an abruptness in the change of tone.

Some years after the war, the protagonist of "El regreso" makes the sudden decision to risk returning to Spain, where he finds that his best friend Abeledo, with a group of Fascists, had gone to his house to arrest him while he was fighting for the Republicans in another part of the country. When his anguished, self-revealing search finally discloses that Abeledo died during the Civil War, he returns quickly to Buenos Aires.

In "La cabeza del cordero" the Spanish protagonist, on arriving in

Morocco, is confronted with what he finds to be the unpleasant reality of being related to an Arab family. His account of the desperate situation of the Spanish branch of the family during the Civil War and his own opportunistic role in this war is an intensification of the viciousness and misery conveyed in his Arab relative's description of the hardships suffered through many centuries by the Moroccan branch of the family.

Thus in each of the stories of *La cabeza del cordero* there is presented a compelling picture of human conflict, of its miserable causes and its disastrous effects.

A HISTORICAL NOTE ON THE SPANISH CIVIL WAR (1936–1939)

When Primo de Rivera was forced to step down as dictator of Spain in 1930, the Republicans and Socialists won the chance to show their decisive political strength in Spain. Their great victory in the municipal elections of 1931 enabled them to declare the country a Republic; and King Alfonso XIII went into exile with his family.

Niceto Alcalá Zamora became the first president of the Republic in an atmosphere of great enthusiasm; and a new constitution permitted advances in democratic government. But dissatisfaction in the military, resistance from the Church, economic difficulties, and the separatist ambitions of Catalonia brought problems to the government and nurtured divisive tendencies in the country.

A coalition of Leftist parties, The Frente Popular, won the elections in 1936; and Alcalá Zamora was replaced as president by Manuel Azaña. At the same time the growing violence of Rightist groups like the Falange Española threatened the survival of democratic government. Before long a part of the army was in rebellion against the government. On July 17, 1936, Francisco Franco flew to Morocco from the Canaries, where he had been sent by the Republican government to serve as Captain General, to take charge of the army's main depot. Within a few days Spain was divided into two camps. Franco soon became leader of the Rightists; and a civil war rapidly developed in which hundreds of thousands of opposing combatants and civilians were to lose their lives. While the governments of other democratic countries held back support from the Republican government, the Rightists with valuable military backing from the Fascist governments of Germany, Italy, and Portugal made steady gains. On March 26, 1939, Madrid, the last of the Republican strongholds, fell to the forces of Franco; and on April 1 he declared the war at an end. A period of harsh reprisals against the losers followed.

In *La cabeza del cordero,* as in general usage, the terms "nacionalista," "azul," and "fascista" refer to the Rightists or Nationalists. The terms "republicano" and "rojo" refer to the Republicans or Loyalists.

The following works may be consulted for a further analysis of *La cabeza del cordero* and for an appraisal of Ayala's total work:

Keith Ellis, *El arte narrativo de Francisco Ayala.* Madrid: Editorial Gredos, 1964.

José Ramón Marra-López, "Francisco Ayala: Una consciencia lúcida," *Narrativa española fuera de España.* Madrid: Ediciones Guadarrama, 1963, pp. 217–283.

Hugo Rodríguez-Alcalá, "En torno a Francisco Ayala," *Ensayos de norte a sur.* México: Ediciones de Andrea, 1960, pp. 45–60.

See also Ayala's preface and my essay in *La cabeza del cordero.* Buenos Aires: Fabril, 1962. Concerning the Spanish Civil War see Hugh Thomas' *The Spanish Civil War.* New York: Harper & Row, Publishers, 1961; and Gabriel Jackson's *The Spanish Republic and the Civil War, 1931–39.* Princeton: Princeton University Press, 1965.

Other Fictional Works by Francisco Ayala

El as de Bastos. Buenos Aires: Sur, 1963.

El boxeador y un ángel. Madrid: Cuadernos Literarios, 1929.

Cazador en el alba. Madrid, Ediciones Ulises, 1930.

El fondo del vaso. Buenos Aires, Editorial Sudamericana, 1962.

El hechizado. Buenos Aires: Emecé, 1944.

Historia de macacos. Madrid: Revista de Occidente, 1955.

Historia de un amanecer. Madrid: Editorial Castilla, 1926.

Muertes de perro. Buenos Aires: Editorial Sudamericana, 1958. (English translation, *Death as a Way of Life,* New York: Macmillan, 1964).

De raptos, violaciones y otras inconveniencias. Madrid: Alfaguara, 1966.

Tragicomedia de un hombre sin espíritu. Madrid: Industrial Gráfica, 1925.

Los usurpadores. Buenos Aires: Editorial Sudamericana, 1949.

For an anthology see Ayala's

Mis páginas mejores. Madrid: Editorial Gredos, 1965.

El mensaje

[handwritten: ironía - nadie sabe lo que quiere decir]

[handwritten: Falta de comunicación]

La verdad sea dicha: cada vez entiendo menos a la gente.[1] Ahí está mi primo Severiano: ocho años largos hacía que no nos veíamos—nada menos que ocho años—; llego a su casa, y aquella única noche que, al cabo de tantísimo tiempo, íbamos a pasar juntos, la emplea el muy majadero —¿en qué?— ¡pues en contarme la historia del manuscrito!, una historia sin pies ni cabeza[2] que hubiera debido hacerme dormir y roncar, pero que terminó por desvelarme. Y es que estos pueblerinos atiborran de estopa el vacío de su existencia rutinaria, convirtiendo en acontecimiento cualquier nimiedad, sin el menor sentido de las proporciones. La visita de su primo, con quien él se había criado, y en cuya vida y milagros tanta cosa de interés hubiera podido hallar, no era nada a sus ojos, parece, en comparación de la bobada increíble que había tenido preocupado al pueblo entero, y a Severiano en primer término, durante meses y años. Me convencí entonces de que ya no restaba nada de común entre nosotros: mi primo se había quedado empantanado ahí, resignado y conforme. ¡Quién lo hubiera dicho veinte años atrás, o veinticinco, cuando Severiano era todavía Severiano, cuando aún no estaba atrapado tan sin remedio en la ratonera de aquel almacén de herramientas agrícolas donde ha de consumir sus días —*aurea mediocritas!*—,[3] envejeciendo junto a sus

---

[1] **La verdad ... gente:** Let the truth be told: I understand people less and less.
[2] **una historia ... cabeza:** a nonsensical story.
[3] **aurea mediocritas!:** *Latin* the golden mean!

dos hermanas (hebras de plata: la plata de la vejez y el oro de la mediocridad), cuando soñaba con largos, fastuosos viajes, negocios colosales! . . . Sí; negocios, sí que los ha hecho entre tanto, aunque no colosales ni mucho menos; pero ¡lo que es viajes! . . .[4] No, no ha tenido que molestarse en
5 viajar: los negocios vinieron siempre a buscarlo ahí, a su ratonera, al almacén, sin que él necesitara mover un dedo. En cambio, los viajes se han quedado para mí ¡Menuda diversión: viajante!

—Parece mentira, hombre—me había dicho aquella noche—, tú que tanto viajas, parece mentira que en ocho años no se te haya ocurrido venir
10 a pasar unos días con nosotros. Y para colmo, llegas hoy, y te quieres ir mañana.

¡Que yo viajo mucho: vaya una razón![5]—Pues precisamente por eso—le contesté—eres tú quien debiera haberse movilizado . . . Haber ido a verme en Madrid, o en Barcelona . . . Te hubieras limpiado el moho de este
15 pueblo aburrido, y me hubieras proporcionado con ello el gustazo de enseñarte . . .

—No creas —me interrumpió él—, no creas que no lo he pensado a veces. Pensaba: le escribo al primo Roque una carta, o le pongo un telegrama diciendo "¡Allá voy!",[6] o hasta me presento sin previo aviso . . .
20 Más de una vez lo he pensado; pero ¿cómo? Date cuenta, Roquete (él siempre me ha obsequiado con este diminutivo, o más bien ridículo mote, que, desde niño, tanto me encocoraba), date cuenta: yo no puedo dejar abandonado el negocio. —Hizo una pausa importante—.[7] Mis hermanas, ¿qué te voy a decir?, ya las conoces. Agueda . . . —y ¡qué vieja, pensé
25 yo al oírsela mentar, qué avejentada está Agueda, con su color amarillo verdibilioso hasta en el blanco de los ojos!; esos ojos suyos, tan brillantes, brillando como lamparillas; y la cabeza . . . ¿por qué demonios[8] se aceitará la cabeza, con tantas canas como tiene? ¡canas grasientas!—; Agueda —prosiguió—, con sus eternas dolamas y sus rabieteos domésticos, que
30 algunos días ni ella misma se soporta. Y en cuanto a Juanita —otro diminutivo grotesco: ¡Juanita! ¡vaya por Dios!—,[9] ésa, siempre con sus novelones y sus novenas; pues ¡hombre, ya lo has visto! los años le han dado por hacerse beata.[10]

---

[4] **pero ¡lo . . . viajes!:** but traveling, that's a different story!
[5] **¡ . . . vaya una razón!:** what a reason!
[6] **¡Allá voy!:** I'm coming!
[7] **una pausa importante:** a meaningful pause.
[8] **¿por qué demonios . . . ?:** why the devil . . . ?
[9] **¡vaya por Dios!:** for God's sake!
[10] **los años . . . beata:** the years have given her the idea of becoming a religious devotee.

Tantos, tantos, la verdad es que no los tiene[11]—reflexioné—: Juanita era tan sólo un año y siete meses mayor que yo. Claro está que para las mujeres la medida del tiempo es otra; les cuenta más . . .[12] Pero, con todo . . . Bueno; Severiano continuaba explicándome cómo tampoco podía dejar el negocio en manos de los empleados. Eran de confianza, por supuesto; y para la cosa diaria se desempeñaban bien. Pero luego hay los cien mil imprevistos, encargos especiales, cuentas, las consultas, los viajantes que llegan (sí, los viajantes como yo; como el primo Roque; esos tipos odiosos e impertinentes que le traen a uno los negocios a su casa). Y seguía enumerando inconvenientes, dificultades, impedimentos.

— ¿Creerás —se quejaba— que si alguna vez me resfrío y decido quedarme en cama no cesan de incomodarme?: una cuestión tras otra, que si esto, que si aquello, hasta que yo, que tampoco tengo mucha paciencia, termino por levantarme . . . Pero ¡vaya si me hubiera gustado echar una cana al aire![13]

Una cana al aire, decía: y yo pensé: tiene la cabeza casi blanca, está canoso y arrugado, mucho más que yo, pese a que le llevo año y medio;[14] decía: — . . . una cana al aire; conocer, en fin, algo de mundo.

Viajes, conocer mundo, su viejo tema. Nunca ya lo vas a conocer; morirás en este agujero ¡infeliz!, aquí, en esta misma cama en que ahora estoy yo acostado. Buen favor te hizo el tío Ruperto cuando te asoció a su tienda de azadones y almocafres para que trabajases como un burro mientras él viviera, y luego dejarte el negocio. ¡Ahí, atado al pesebre! Dinero, cada vez más; pero . . . *aurea mediocritas!* Si tal era su protección al sobrino predilecto, ¡muchas gracias! ¡para él solito! Claro que mi vida ajetreada está lejos de ser tan brillante como acaso éste se figura. *Doublé!*[15] No, no es oro todo lo que reluce, y los alicientes que pudiera tener, el uso los ha gastado hasta el aborrecimiento. ¡Viajes! ¡Conocer mundo! Ya los huesos me duelen, ¡ay de mí!, con el traqueteo de los trenes, y los comedores de fonda me han arruinado el estómago. Son años y más años sin descanso, sin darme lo que se dice un respiro, y quien me envidie no sabe bien . . . Supieras tú,[16] Severianillo . . . Pero ¡no! ,no voy a lamentarme; no creas que voy a lamentarme; te pensarías en seguida que quería pedirte

---

[11] **Tantos . . . tiene:** The truth is she isn't all that old.
[12] **les cuenta más:** it means more to them.
[13] **¡vaya . . . aire!:** how I would have liked to take off!
[14] **pese a que . . . medio:** although I am a year and a half older than he.
[15] **Doublé!:** *French* There is another side to it.
[16] **Supieras tú:** If you only knew.

algo, que era una indirecta de mi parte. No ¡guárdate tu dinero! Además
¿por qué había de lamentarme? Cada cual, su suerte. Yo, por lo menos,
no soy un palurdo empedernido; conozco el mundo, conozco la vida.

—Es lástima —le repliqué—; nos hubiéramos divertido mucho juntos;
5 yo te hubiera enseñado los cabarets de Madrid, o de Barcelona. O los de
París. ¿Por qué no, los de París?

—¿Cómo? —saltó al oirme—. Pero ¿es que también viajas tú por el
extranjero?

Estábamos ambos acostados; esta conversación era de cama a cama
10 (él me había cedido la suya y se había tendido en un catre de tijera, armado
al otro lado de la alcoba) y, aunque ya habíamos apagado la luz y charlá-
bamos a oscuras, casi diría que vi en su voz la sorpresa de su cara, el
asombro, la admiración ... ¿No era cosa de reirse?[17] A mí me resultó
divertido. Y el caso es que yo no había dicho nada semejante; hablaba en
15 hipótesis, y ni siquiera sé cómo fue el ocurrírseme aludir a París en ese
momento.[18] ¡Qué absurdo! El había quedado atónito, y yo —se comprenderá—no iba a defraudarlo ahora. Resultaba divertido; y, total, ¿qué
importancia tenía? Seguí con la broma adelante.

—Pues ¡claro está, hombre! —le dije—. Los años pasan para todos.
20 La última vez que nos vimos tú no vendías todavía maquinaria, sino tan
sólo herramientas; ahora, tienes el almacén lleno de trilladoras mecánicas.
Entre tanto, yo también he tenido que ampliar mis asuntos, y con esa
ocasión, ¡es natural!, he salido al extranjero.

—Caramba, Roquete: ¡cómo no me habías dicho nada! Conque el
25 primo Roque viajando por extranjis ...

Estaba de veras impresionado el muy simplón: "¡Caramba, caramba!",
repetía. Aquello no le cabía en la cabeza.[19] —Pero, dime una cosa: ¿cómo
puedes entenderte por ahí, por esas tierras?

—Hombre, eso no es tan difícil. Hay mucha gente que sale al extranjero,
30 y nadie hasta ahora se ha perdido.

—Pero tú no sabías idiomas, que yo sepa.

—Nadie nace sabiendo sino el suyo, y aun éste tiene que aprenderlo.

—¿Me vas a decir que has aprendido idiomas?

—Y eso ¿qué tiene?[20] Es cuestión de ponerse a ello cuando la necesidad

---

[17] **¿No era cosa de reirse?**: Wasn't that something to laugh at?
[18] **y ni ... momento**: and I don't even know how I happened to refer to Paris at that time.
[19] **Aquello ... cabeza**: He couldn't get it into his head.
[20] **Y eso ¿qué tiene?**: And what is there to that?

lo exige. Mira: por ejemplo, el italiano tú lo entiendes casi sin estudiar una palabra; es igual en un todo al español, con sólo terminar[21] en *ini*. Acabas las palabras en *ini*, y ya te tienes hablando italiano. Si ni es idioma: es el español, hablado a lo marica. Inglés y alemán, eso ya sí, son palabras mayores.[22] Ahí sí, tienes que sudar . . . 5

Yo, desde luego, hablaba en broma, pero aquel tontaina de Severiano lo tomaba en serio y me cerraba cualquier salida; de manera que no hubo sino seguirle la corriente.[23] Y así fue como surgió la estúpida historia del manuscrito, que nos entretuvo la noche entera. Estaba yo un poco irritado ya, y quería cambiar de conversación; pero él volvía como una mosca, 10 zumbando, zumbando: "¡De modo que has aprendido idiomas!" Reflexionaba. Hasta que, después de un mediano silencio, agregó por fin:

—Pues mañana te voy a mostrar un papelito que nos ha dado muchos quebraderos de cabeza, justamente por no haber aquí nadie que supiera idiomas. 15

—¿Un papel? —pregunté con desgano, y hasta fingiendo un bostezo.

Pero él comenzaba ya su relato:

—Verás cómo fue la cosa. Estaba yo una mañana en el almacén recibiendo un envío de hoces (de esto hará como dos o tres años,[24] quizás un poco más: tres años y medio) cuando se me acercó Antonio (tú lo conoces: el dueño del hotel) y, después de algunas vueltas, me entrega un papelito doblado para ver si yo, que tantos catálogos y prospectos recibo —me dijo— podía leer lo que allí estaba escrito. Es cierto que recibo con relativa frecuencia catálogos de las máquinas; pero, por lo general, esos folletitos vienen escritos en dos idiomas, y las instrucciones están siempre 25 en español: esto es lo que a mí me interesa y lo que leo; si una cosa está en español y en inglés no voy a ser tan necio que me rompa la cabeza tratando de descifrar lo que viene en gringo, cuando puedo leerlo en cristiano. Pero ¿a qué[25] darle tantas explicaciones? Sin duda que, en caso de apuro, podría quizás enterarme haciendo un esfuerzo: muchas palabras 30 son iguales o muy parecidas a las nuestras; alguna vez que me entretuve en repasar esa jerigonza pude comprobarlo. Tanto que —entre paréntesis— he llegado a convencerme de que no hay idioma tan rico como el español; y por eso, todos los demás tienen que echar mano de nuestros vocablos:

---

[21] **con sólo terminar**: except that it ends.
[22] **son palabras mayores**: is a serious matter.
[23] **seguirle la corriente**: to humor him.
[24] **de esto . . . años**: about two or three years ago.
[25] **¿a qué . . . ?**: Why . . . ?

los disfrazan un poquito, a veces hasta los dejan tal cual, y ¡listo![26] Yo
no sé si ese saqueo debiera permitirse: ¡que hablen español, si quieren!;
pero . . . Bueno, en fin: éstas son explicaciones que yo no tenía por qué
dárselas al Antonio, y tampoco aquí vienen muy al caso.[27] Lo que importa
5 es que tomé el papelito, me puse los lentes, y . . . Amigo, aquello no era
cosa que se entendiera: nueve renglones manuscritos con buena letra, a
tinta azul . . . Pero ¿querrás creerlo? yo no pude entender una sola palabra. Recorrí las líneas, volví a repasarlas. Antonio esperaba sin decir
nada. "¿Qué es esto?" le pregunté. "Precisamente es lo que yo quisiera
10 saber. Apuesto a que no lo entiendes." Me miraba con socarronería; tú
sabes cómo es: para él no hay respeto, no hay distancias. El hecho de haber
sido compañeros de escuela . . . "Pero ¿de dónde has sacado este papel?",
le pregunté de nuevo. "Conque no lo entiendes." Entonces, con los mil
rodeos que acostumbra, me contó que varios días antes, ausente él de la
15 casa, había llegado a la fonda un forastero; había comido un par de huevos
fritos, guiso de carnero, dulce de membrillo, y luego se había encerrado
en la pieza que le dieron sin abrir el pico.[28] La mujer había sido quien le
alojó y sirvió. Regresado a su casa, Antonio quiso, según solía hacerlo,
echar un párrafo[29] con el nuevo huésped. Golpeó a la puerta y le preguntó
20 si necesitaba de algo. ¡Nada, gracias!, le contestó una voz extraña. "¿Extraña?", le interrumpí yo. "¿Por qué, extraña?" No supo qué decirme, y
yo me reí para mis adentros.[30] Tú sabes, Roque, lo curiosa que es la gente,
y más aún, esta gente: posaderos, fondistas y demás comparsa.[31] Les llega
un cliente y, no contentos con sacarle cuanto dinero pueden, le revuelven
25 el equipaje, le averiguan la procedencia y destino, investigan la finalidad
del viaje, dan vueltas y más vueltas, antes de entregárselas, a las cartas
que reciben. Imagina, pues, el mal humor de nuestro hombre al encontrarse
la puerta cerrada. El dice que golpeó para preguntar; pero dice también
que la puerta estaba atrancada por dentro con cerrojo: me dirás tú cómo
30 lo supo. Pues empuñando la falleba para hacer lo que suele: abrir la puerta,
meter la cabezota con un "¿Me da licencia?" y, después de haber paseado
la vista por todo el cuarto, preguntar entonces si al señor se le antoja algo.
Muy seca tendrá que ser la respuesta para que no encuentre modo de en-

---

[26] **los dejan . . . listo!**: they leave them as they are, and that's it!
[27] **y tampoco . . . caso**: nor are they very relevant.
[28] **sin abrir el pico**: without saying a word.
[29] **quiso . . . párrafo**: wanted, as he usually did, to chat.
[30] **para mis adentros**: to myself.
[31] **y demás comparsa**: and their like.

hebrar conversación: comienza a charlar desde el quicio de la puerta,[32] y termina sentado en la cama del huésped . . . ¡Una voz extraña! El caso es que a la mañana voló el pájaro sin que él hubiera conseguido echarle la vista encima. Cuando salía, como todas las madrugadas, para esperar en la estación el tren de las 6 y 35, dirigió una mirada a la habitación, donde no se oía ruido alguno; y cuando regresó de nuevo a la fonda acompañado de dos huéspedes que había podido reclutar, ya el otro no estaba: a poco de salir él, llamó, pidió la cuenta, pagó y se fue; esto le dijo al Antonio su mujer: de seguro, había tomado el ómnibus que sale, frente al bar de Bellido Gómez, a las siete menos cinco. Antonio entró en el cuarto, desarreglado todavía, y ahí topó con el famoso papelito que tanta guerra nos había de dar . . .[33] Pero ¿me estás escuchando, o te has dormido ya? —se interrumpió Severiano, extrañado de mi silencio. Y es lo cierto que yo estaba a punto ya de dormirme: en mi cansancio, veía la plaza, el bar de Bellido Gómez, y la iglesia al otro lado, muy confuso todo, casi desvanecido . . .

—No, hombre; te escucho —le respondí.

—Pues, como te iba diciendo, ahí apareció el célebre manuscrito. Había varios papeles blancos desparramados sobre la mesa y, entre ellos, medio oculto, ése, en el que se veían varias líneas, nueve, para ser exacto, de una escritura pareja, trazadas con la tinta azul-violeta que la patrona de la fonda había proporcionado al huésped. Habrás observado, primo —precisó Severiano—, que dije *se veían* y no, como suele decirse, *se leían;* porque es el caso que ¡ya podía uno darle vueltas!: era imposible sacar nada en limpio de lo escrito.[34] La letra era clara, igualita; pero ¡qué había de entender Antonio,[35] si yo mismo no entendía nada! Después de tener dos días el papel en su cartera se había decidido —como luego averigüé— a consultarlo con otro pasajero, un inspector de contribuciones que por entonces estaba en el pueblo. "¡Vea usted, don Diego, qué escritura endiablada! A ver qué le parece a usted." El tal don Diego —que, dicho sea de paso,[36] no es mal bicho—[37] parece que tomó el papelito con mucha prosopopeya, lo depositó sobre el hule de la mesa, lo sometió a detenido examen allí junto a la taza del café, y . . . ¡que si quieres![38] Al cabo de un

---

[32] **el quicio de la puerta:** the doorway.
[33] **que tanta . . . dar:** which was to cause us so much trouble.
[34] **era imposible . . . escrito:** it was impossible to make anything of what was written.
[35] **¡qué había . . . Antonio . . . !:** what could Antonio understand.
[36] **dicho sea de paso:** (let it be said in passing) by the way.
[37] **no es mal bicho:** is not a bad guy.
[38] **¡que si quieres!:** it was no use!

rato va y se lo devuelve: que eso estaba escrito en extranjero, y que él no tenía ahora tiempo de ponerlo en claro. "Ya, ya. Ya me lo figuraba yo", le respondió el Antonio retirándose con su papel, bajo una mirada iracunda del inspector. Bueno, eso no fue sino el comienzo de su peregri-
5 nación. Después recurrió a mi ayuda. Aunque se me llegó con mucho alarde de confianza, comprenderás que no tardé en percatarme de que acudía a mí, su amigo de la infancia, después de haberle desahuciado un extraño. Son pequeñeces humanas en las que yo ni siquiera me fijo;[39] pero tampoco la manera de abordarme resultó muy delicada: "Hombre, tú que
10 siempre andas con esos papelotes que te llegan de fuera, a ver si me sabes leer esto." :.. En fin: eché unas miradas al escrito, y le dije: "Déjamelo para que lo estudie despacio, pues la cosa parece que tiene sus bemoles."[40] ¡Vaya si los tenía![41] Con paciencia infinita, lo repasé, una vez a solas, pala- bra por palabra, letra por letra, de arriba abajo y de abajo arriba. ¡Nada,
15 nada! Ni una rendija de luz; oscuridad absoluta. ¿Concibes cosa seme- jante? Hasta tal punto llegó a intrigarme, que resolví tomar por mi cuenta el asunto, e investigarlo a toda costa, siquiera fuese por medios indirectos. Cuando cerré el almacén, me acerqué a la fonda en busca de Antonio ...
   —Pero, dime —interrumpí entonces a mi primo— ¿a ti qué te importaba
20 todo eso?
   —Pues ahí está —me contestó—; no me importaba un bledo.[42] Pero ya me había picado, no sé si la curiosidad o el amor propio, y me propuse averiguar. Ante todo le pedí a Antonio que volviera a contarme con todos sus detalles lo relativo al huésped. "Mira", me dijo después de repetirme
25 que el huésped había cenado huevos fritos y carnero (¡qué interesante cir- cunstancia! ¿no?: pues nunca la omitía) y que a la mañana había desapare- cido de improviso; "mira, yo creo que ese papel debe contener alguna explicación de su huida". "¿Cómo? Pero ¿es que se fue sin pagar?" Me extrañaba; conozco a mi gente; y según suponía yo: "No —me dijo—;
30 sin pagar no se fue; bueno hubiera estado eso.[43] A mí, hasta ahora nadie me ha llamado tonto. Pero se esfumó sin que tan siquiera pudiese yo verle la jeta, dejándome" (¡*dejándome*! ¡si se creería Antonio que el tonto soy yo!), "dejándome ese papel escrito ..." "Pero, dime —insistí—, ¿qué especie de pájaro era?: ¿un corredor de comercio, un misionero, qué?"

---

[39] **en las que ... fijo**: to which I don't even pay attention.
[40] **parece ... bemoles**: seems to have its complexities.
[41] **¡Vaya si los tenía!**: It certainly had them!
[42] **no me ... bledo**: I couldn't have cared less about it.
[43] **bueno hubiera estado eso**: *ironic* that would have been a good one!

"¿Y cómo he de saberlo yo, si no pude ni verlo? Llegó aquí el sábado a la noche, cuando yo había ido a completar los encargos para la semana, y se marchó el domingo tempranito, en el ómnibus seguramente, mientras yo estaba en la estación. Lo atendió mi mujer. Pero —comentó el Antonio— las mujeres son así: se fijan en lo que no debieran, y se les escapan las mejores. Tú, Severiano, tienes la gran suerte de estar soltero; no sabes lo que . . ." Todo este comentario me lo hacía en voz bien alta, con la intención aviesa de mortificar a su mujer que lo estaba oyendo desde la cocina (hablábamos en el patiecillo de atrás; tú te acuerdas de la fonda, ¿no?), hasta que por fin saltó ella: se asomó a la ventana, toda roja de ira, y le largó a gritos cuanto se le vino a la boca: entre improperios, le decía que si pensaba acaso que ella no tenía más que hacer sino espiar a los pasajeros; que, tanto hablar de la curiosidad femenina, y los hombres . . . Etcétera.

—No le faltaba razón a la pobre mujer —opiné yo entonces desde mi cama—; pero, de todas maneras, lo extraño es . . .

—Todo es extraño en este asunto, Roque —vibró, en la oscuridad, excitada, la voz de mi primo—. Figúrate que hube de terciar en la disputa entre marido y mujer, pues aquello se enredaba sin ton ni son,[44] y pasándome a la cocina, le pregunté cómo era el misterioso huésped que nadie sino ella había visto. Pero la buena señora estaba hecha una furia,[45] toda encendida, arrebatada como un basilisco y, echando chispas por los ojos, se negaba a dar ningún detalle.

Muy raro todo, en efecto —reflexionaba yo sin decir *esta boca es mía*.[46] Mientras mi primo Severiano me contaba eso, se me había ocurrido por un instante maliciar que tal vez entre el viajero y la patrona hubiera sucedido uno de aquellos episodios que, en fondas y pensiones, son el pan nuestro de cada día (pues a mí ¡qué me van a contar, después de tanto haber rodado por capitales de provincia, pueblos y poblachos, al cabo de años y años de viajante a comisión! Es una rutina más del oficio: pellizco, revolcón, y a otra cosa). Pero ¿acaso ello hubiera explicado nada? Al contrario, en tal supuesto la mujer se hubiera apresurado a dar, verdaderos o imaginarios —y ¿por qué, tampoco, imaginarios?—, los detalles que se le pedían, quedándose tan oronda. Además —rectifiqué para mí mismo— esa doña Tal[47] (que ya no me acuerdo cómo se llama) debe de estar demasiado

---

[44] **sin ton ni son:** without rhyme or reason.
[45] **estaba hecha una furia:** was furious.
[46] **sin decir . . . mía:** without saying a word.
[47] **Tal:** so and so.

vieja para semejantes trotes, ha de ser algo mayor que yo, lo que para una mujer ya es bastante, y además ... No —deseché—; eso era una tontería.

—... y hubo que dejarla en paz —continuaba entre tanto mi primo—:
5 no le daba la gana de decir nada. Me llevé, pues, el papelito, y seguí preocupado por averiguar lo que contenía. Aquí, ya lo sabes, es poca la gente con quien puedes consultar una cosa así. Se me ocurrió hablarles al cura y al boticario. Los boticarios, por su profesión, están acostumbrados a leer manuscritos enrevesados ... Claro que el de marras[48] no era lo que se
10 dice de escritura difícil; al contrario: letra por letra podía ser deletreado, con sus mayúsculas y minúsculas, sus puntos y sus comas. Sólo que tú no entendías, lo que se llama entender, ni una jota. Y eso fue lo que le pasó al farmacéutico pese a la fama que ellos tienen. Eso fue también lo que le pasó al cura, cuando, poco rato después, se reunió con nosotros en la rebo-
15 tica. "¿De qué le valen a usted todos sus latines —le dije yo (claro que por chanza; pero, al fin y al cabo, ¿no era muy cierto?)—, de qué le valen todos los latines al padre cura, si no es capaz de entender cuatro frases escritas en idioma extranjero?" ... Se molestó un poco; replicó que nada tenía que ver el latín con aquellas pamplinas, y que dejase en paz las cosas
20 santas. Pero ya no hubo otro tema en la tertulia, ni esa tarde, ni luego a la noche en el bar de Bellido, que es donde nos reunimos a tomar café, ni al día siguiente, ni en los que vinieron después. Comenzaron las conjeturas y, como puedes suponer, se multiplicaron los más inverosímiles disparates. Había buen margen para todo, pues, nadie —¿podrás creerlo?—, nadie
25 en el pueblo había visto al viajero dichoso ... Eso, al principio; que luego, como siempre ocurre, lo habían visto ya todos, todos empezaron a acordarse: el uno, le vio subir al ómnibus; el otro a punto de entrar en el hotel; quién, bajándose del tren en la estación; quién cuando ponía un telegrama en la oficina de correos. ¡Hasta el Antonio mismo declaró por último
30 haberlo visto! Te vas a reir: confesó que, antes de retirarse de la puerta atrancada de la pieza, echó una miradita por el ojo de la cerradura[49] y logró así divisar al tipo; que, desde luego —podía asegurarlo—, no era español: los zapatones que llevaba y los calcetines de lana de colores vivos son cosas que nadie usa; ningún español incurre en tales extravagancias, y
35 sólo los ingleses ... (La propia abundancia de su locuacidad nos aclaró en seguida lo que era por demás cierto: estaba describiéndonos el calzado de

---

[48] **el de marras:** the one referred to.
[49] **el ojo de la cerradura:** the keyhole.

un inglés que meses antes había pasado un par de días en el pueblo, ocupado en preguntar acerca de los molinos de viento, averiguar apellidos y tomar notas en un cuaderno.) El boticario le alabó entonces a Antonio su arte para conocer a los extranjeros por las patas, y él, ¡bueno es el hombre para aguantar soflamas!,[50] soltó una rociada de groserías sacando a relucir en seguida la dignidad de su oficio, tan decente como el que más —afirmaba—, pues mejor era dar de comer al hambriento, aunque fuera por su dinero, que extraérselo al harto[51] con purgantes y lavativas. Etcétera: ¡ya conoces el género! Poco faltó para que se liaran a golpes.[52] El tal Antonio es un perfecto borrico... Pero no quiero cansarte con tanta minucia: cuando te quieras dormir, me lo dices, y me callo.

—Por lo menos, sépase de una vez[53] si conseguiste averiguar lo que el papel decía —le respondí. ¡Qué pesada es esta gente cuando se pone a contar algo! Se pierden en digresiones, rodeos, detalles que no vienen al caso,[54] y jamás acaban.

—¿Averiguar? ¡Calla, hombre!... No; no averiguamos nada —me respondió—. Pero déjame que te cuente. Abreviaré. Como te iba diciendo, todos pretendían al final haber visto al misterioso personaje, pero nadie daba señas que coincidieran.[55] Hasta se hizo una investigación del telegrama expedido por él, y no apareció tal telegrama: los cuatro que ese día se despacharon eran todos de personas bien conocidas en el pueblo. "Pues entonces sería una carta", dice el sujeto que lo viera poner... y se queda tan fresco.[56] La gente larga las mentiras con una tranquilidad... La gente tiene mucha fantasía. Pues, ¿y las hipótesis? ¡Qué de[57] disparates! Y en este terreno fue nuestro buen boticario —preciso es confesarlo— quien batió el *record*. ¿Sabes lo que se le ocurrió?: que el dichoso papelito debía de ser alguna propaganda comunista, y que seguramente estaba escrito en ruso, por lo que era muy natural que nadie lo entendiera. ¿Te das cuenta de la chifladura? ¡Propaganda! Pero ¡qué propaganda, señor mío —como yo le dije—, una cosa que nadie puede entender!... Yo por mí estoy con-

---

[50] **'bueno ... soflamas!:** he isn't one to tolerate jibes!

[51] **sacando a relucir ... harto:** immediately pointing out the dignity of his work, as respectable as any —he affirmed— for it was better to give the hungry food to eat, even though it might be for money, than to extract it from the overfull.

[52] **Poco faltó ... golpes:** They almost came to blows.

[53] **sépase de una vez:** tell me (let it be known) once and for all.

[54] **que no vienen al caso:** that are irrelevant.

[55] **pero nadie ... coincidieran:** but their descriptions did not coincide.

[56] **y se ... fresco:** and he remains unconcerned.

[57] **¡qué de ...!:** how many... ! how much... !

vencido de que la única explicación verosímil es la siguiente: Se trata de un loco — ¿me estás escuchando?—; y ese papel no significa nada, ¡absolutamente nada! La razón es ésta: ¿quién, sino un loco, llega a un pueblo desconocido, se encierra en el cuarto de un hotel, escribe, y a la mañana
5 sale medio furtivamente, sin hablar con nadie, y dejándose una hojilla que nadie puede entender?

Severiano se quedó callado por un momento, como si esperase el efecto que su brillante interpretación producía en mí. Pues, hombre, ¡ahora vas a ver!

10 —Pero, vamos a cuentas,[58] Severiano —le dije con medida calma—; escucha: ¿no dices que primero estuvo cenando en el comedor de la fonda, y que le sirvió la patrona? ¿Qué tiene de particular,[59] si necesitaba escribir, el que[60] deseara no ser incomodado por la charla del hotelero? Eso, a cualquiera se le ocurre. Por otro lado, si estuvo escribiendo, es fácil[61]
15 que esa hojilla, un borrador probablemente, se le quedase olvidada entre los pliegos sobrantes. Y luego, no sé por qué supones que salió furtivamente. ¿No me has dicho tú mismo que pagó el gasto? Ninguna obligación tenía de satisfacer la curiosidad del señor hospedero, ni de presentarle sus respetos. A mí me parece que todo eso es bien razonable, corriente y
20 moliente . . .[62]

Se lo dije con mucha flema. Pero me había indignado un poco la explicación con que mi primo se daba por satisfecho. Era una solución demasiado cómoda, ¡caramba! ¿Que no entiendes una cosa?; pues ¡es que no tiene sentido! ¡y listo![63] ¡Qué propio de él ese modo perezoso, desganado;
25 ese encogerse de hombros! Con verdad dicen que genio y figura . . .[64] Este Severiano que ahora se revelaba de cuerpo entero[65] en esa explicación fácil era el mismo que, de muchacho, aceptaba siempre mis iniciativas, las secundaba de un modo flojo, y se reía cuando trataba yo de sacudirlo un poco, de avivarlo con el encargo de tareas difíciles; el mismo que luego
30 siguió con igual docilidad las directrices que le trazara el tío Ruperto; el mismo que se quedó ahí en el pueblo, muerto de ganas de ver mundo, pero aceptando una vida que le entregaban hecha . . .[66] ¡Muy cómodo

---

[58] **vamos a cuentas**: let's get to the point.
[59] **¿Que . . . tiene de particular?**: What's peculiar about it . . . ?
[60] **el que**: the fact that.
[61] **fácil**: likely.
[62] **corriente y moliente**: an everyday occurrence.
[63] **¡y listo!**: and that's it!
[64] **genio y figura (hasta la sepultura)**: people never change.
[65] **de cuerpo entero**: fully.
[66] **que le entregaban hecha**: that was all predetermined for him.

todo! Me dio rabia: por eso quise salir al paso de su teoría,[67] y dejársela pulverizada. Y más rabia todavía me dio cuando, en lugar de discutir mis objeciones, va y se sale por la tangente[68] —él, siempre el mismo— observando: "Pero eso que algunos me discuten de que un loco no tendría letra tan clara y pareja y perfilada, es una perfecta tontería. Hay quien no 5 puede imaginarse a los dementes si no es dando alaridos dentro de una camisa de fuerza. Además, la fábula de la propaganda soviética, francamente, me parece pueril."

—Pues a mí, tan descabellada no me parece, ¡qué quieres que te diga! —le repliqué—. No pienso, por supuesto, que pueda tratarse de ningún 10 escrito en ruso ni mucho menos. Pero . . . con todo . . . ¡Mira! No quiero por ahora adelantarte mi opinión. Prosigue tu historia; anda, termina.

La verdad es que se me había ocurrido una idea bastante aceptable y hasta, si se quiere, excelente; algo que a aquellos palurdos jamás se les hubiese venido al meollo,[69] y que había de dejarlos estupefactos cuando 15 vieran los resultados. Pues si era como yo pensaba, la cosa podía traer cola, hacerle hablar a todos los periódicos[70] durante días y semanas. Crecía mi entusiasmo al ver cómo, cuantas más vueltas daba en el magín a mi idea, más[71] se me iba perfeccionando, más se redondeaba. Y sin embargo, los ditirambos que pudieran dirigirse a mi perspicacia, "a la extraor- 20 dinaria lucidez mental de ese modesto viajante de comercio", serían en el fondo inmerecidos, pues la idea me había brotado de golpe, y ahora era como si creciera dentro de mi mente, sin darme otro trabajo que el de ir tomando nota, igual que se toma nota del pedido de uno de esos raros clientes a quienes no hay que sacarles con tirabuzón cada partida, y apun- 25 tando en mi memoria los sucesivos detalles que se agregaban para completar mi hipótesis y prestarle la armonía de la evidencia.

—Pero ¡si no me queda ya nada por contar! —había contestado Severiano—. Las opiniones se dividieron de mil maneras, hubo interminables discusiones, hubo hasta verdaderas riñas; muchos quedaron atravesados 30 y resentidos los unos con los otros, y al final nos hallamos como al comienzo: sin saber nada a punto fijo,[72] pues que todo habían sido suposiciones más o menos hueras.

[handwritten margin note: ya está la guerra civil]

---

[67] **salir al paso de su teoría**: to oppose his theory.

[68] **va . . . tangente**: he evades the issue.

[69] **a aquellos palurdos . . . meollo**: would never have occurred to those country bumpkins.

[70] **la cosa . . . periódicos**: the matter could have serious consequences, could make all the newspapers talk (**hacerle = hacerles**).

[71] **cuantas . . . más . . .** : the more I turned the idea over in my mind the more . . . .

[72] **a punto fijo**: precisely.

—Bueno, pero el papel ¿dónde está?

—El papel, yo lo tengo. Mejor dicho: lo tiene mi hermana Juanita, a quien se lo di a guardar en espera de que alguien pueda procurarnos un poco de luz.[73] Hasta ahora, nunca surgió la oportunidad; e incluso, te

5 diré, casi ni lo tenía ya presente.[74] Pero no bien[75] te oí referir que has aprendido idiomas ¡caramba!, en seguida se me vino a las mientes, y pensé, pienso: a lo mejor éste puede aclararnos... Mañana por la mañana te enseño el manuscrito y... vamos a ver. Por ahora, lo mejor será que nos durmamos. Ya es tarde, y tú debes de estar muy cansado.

10 Cansado sí que lo estaba; ¿no había de estarlo? Pero ya se me había pasado el sueño con tanta y tanta conversación, y mi idea acerca del papel y de su posible significado seguía trabajando ella sola en mi cabeza, como si le hubiesen dado cuerda; giraba y giraba sin sosiego alternando en sus vueltas el decaimiento con el entusiasmo... En una palabra: ya estaba

15 desvelado por completo. Y era justamente ahora cuando este bueno de mi señor primo sentía sueño y me mandaba, como se le manda a un niño, que me durmiera.

—Pues no, señor: no estoy cansado. Además, para un día que voy a pasar contigo después de tanto tiempo que no nos vemos, no es cosa de

20 echarse a dormir a pierna suelta.[76] De modo que... sigamos charlando un poco, señor dormilón: anda, cuéntame algún detalle más. Ya te he dicho que se me había ocurrido una interpretación bastante cabal de todo ese suceso. Estoy atando cabos: luego te la expondré. Por el momento, lo que sobre todo importa es la personalidad del viajero. En cuanto al papel,

25 ya lo estudiaremos por la mañana, y raro será que no confirme... Pero, mientras tanto, dime: ¿qué es lo que, en concreto, se sabe del hombre?

—Pues, en concreto ¡nada! Ya te digo que nadie lo ha visto, si apuramos los hechos. Y cuando en un momento dado todos quisieron hacerse los interesantes dando precisos detalles, nadie coincidía con nadie. ¿Te conté

30 lo del telegrama? Toda una historia, hasta con sus discusiones agrias. Y al final resulta que no había telegrama que valga. En cuanto al chofer del ómnibus, no pudo acordarse de nada a punto fijo; no había reparado; ningún pasajero le había llamado la atención; él no se preocupaba de los pasajeros sino para cobrarles el billete y hacerles cumplir las ordenanzas

35 según es debido.

---

[73] **alguien ... luz:** someone could enlighten us.
[74] **casi ni lo ... presente:** I had almost forgotten about it.
[75] **no bien:** as soon as.
[76] **dormir a pierna suelta:** sleep like a log.

—Vamos, sí; *señas particulares, ninguna*. Y ya está completa la ficha. La vestimenta, vulgar, de seguro. ¿Y los calcetines de colores y los zapatones de que hablaba el otro?

—Ahí, ella desmiente al marido; dice que es pura invención. E invención, lo del acento extranjero: que si no llega a ser por el maldito papelucho, a nadie se le hubiera ocurrido... Ella ¡claro! con tal de desmentir[79] al Antonio... ¡Cualquiera sabe![80]

La última observación de la hospedera me llenó, lo confieso, de súbito regocijo: confirmaba mi hipótesis. Tuve una verdadera invasión de júbilo; tanto, que no pude contenerme, y le dije a Severiano:

—Mira, primo; esa señora —y perdona que te lo diga— es la única persona que en todo este asunto ha mostrado sentido común, y que sabe discurrir. ¿Por qué? Pues porque eso está muy bien observado. ¡Claro está que no era un extranjero! Fantasías, fantasías, y nada más que fantasías. Así es como se forman las leyendas: ven un papel que no pueden descifrar y, en seguida, ¿qué va a ser?: un manuscrito en lengua extranjera. Por lo tanto, extranjera tiene que ser la mano que lo escribió. Y ya eso basta para pretender haber notado acento extraño, ropas fuera de lo usual, etcétera. Pero es el caso, señor mío, que no hay nada de todo ello: todo se encuentra construido sobre una base falsa: el manuscrito no está en lengua extranjera.

—Pues claro; ya lo decía yo: son las palabras sin sentido trazadas por la mano de un loco —me contestó Severiano. ¿Habríase visto? ¡Qué bruto! ¡Sí, sí, cada loco con su tema![81] !Qué bruto! ¡qué grandísimo terco!

—¡Ya, ya! ¡Palabras sin sentido! —Me eché a reír. En la oscuridad, a mí mismo me sonó mi risa a falsa. Estaba ya crispado, lo que es bastante comprensible, ¿no? —¡Palabras sin sentido! —repetí—. ¿No te das cuenta de que no hay loco capaz de inventarse de pe a pa[82] sus palabras, sin parecido ninguno con las verdaderas? Por lo que más quieras,[83] Severiano: un loco deforma, mezcla, combina; pero esas palabras completas, una junto a la otra, y desprovistas en apariencia de toda significación... No me vas a decir...

---

79 **con tal de desmentir:** just to make a liar of.
80 **¡Cualquiera sabe!:** Who knows!
81 **¿Habríase ... tema!:** Did you ever see such a thing? What a brute! Yes, yes everyone to his own obsession!
82 **de pe a pa:** from beginning to end.
83 **por lo que más quieras:** for heaven's sake!

—Bien. Está muy bien. Pero la mujer del Antonio, ésa
seguro que lo vio, puesto que le sirvió la cena y le dio a
cobró el hospedaje. ¿O me vas a decir que se obstina? ...

—No, hombre, no; al principio, es cierto que no quiso
por pura terquedad, enojada como estaba con el marido. Pe
fue a hablar seriamente, el cura mismo le hizo algunas cons
la pobre señora contó lo que sabía. Mas, después de haber he
mil y quinientas veces, estábamos donde antes: eran todo t

—¿Por ejemplo?

—Pues, por ejemplo: que estando ella arriba oyó palmadas
escalera; que acudió, y encontró allí a nuestro hombre con
en la mano, y un abrigo al brazo, pidiéndole alojamiento; q
subir y lo instaló en la habitación de la esquina; que le preguntó
si iba a cenar, contestó él que sí y, pasado un momento, bajó al
sentóse a la mesa, comenzó a leer unos papeles que llevaba co
ella le fue sirviendo la comida; ya lo sabes: sopa, huevos fritos, un
carnero y una buena tajada de carne de membrillo, todo lo cua
distraído en su lectura; que cuando hubo concluido se retiró de
a su cuarto pidiéndole pluma, tintero y unas hojas de papel...
último, que a la mañana temprano volvió a aparecer en la cocina,
la maletita en la mano y el abrigo al brazo preguntando cuánto d
desapareciendo no bien lo hubo pagado sin discutir ni regatear. E
todo.

—Pero, hombre, por favor: resulta irritante, demonio.[77] ¿Cóm
posible? ¿Nadie más había en la fonda? Y a la patrona ¿no le choc
laconismo del tipo, o algo en su aspecto, o... qué sé yo? Yo no pu
creer que, tal como son esas mujeres, no le preguntara...

—Pues, mira: otro personal, no lo había (es casualidad: no creas que
se haya comentado; pero se dan casualidades[78]); no lo había, no, ni
entrar el hombre, ni al salir de mañana. Y mientras comía, fue la propi
dueña quien sirvió y retiró los platos. Casualidad será, si tú quieres..

—De todas maneras, y aun siendo así... No sé; pero se diría que hay
aquí empeño en hacer todavía más misterioso el asunto de lo que en
realidad es. El tipo ¿cómo era?, ¿joven o viejo?, ¿alto o bajo?, ¿rubio
o moreno?

—Pues, al decir de ella, ni joven ni viejo, ni alto ni bajo, ni gordo ni
delgado, ni moreno ni rubio.

---

[77] **resulta irritante, demonio**: this is exasperating, darn it.
[78] **se dan casualidades**: things happen by chance.

—Entonces. . .

Mi primo estaba desconcertado; lo había desconcertado mi vehemencia. Hubiera podido tocarse con la mano su estupefacción, quieto, inmóvil, paralizado, acurrucado ahí, en lo oscuro, como un bicho tímido.

—Entonces. . . —repitió, confuso.

—Es muy fácil, hombre —condescendí—: es el huevo de Colón.[84]

—(Sólo que, claro está. . .)— ¿No lo adivinas?: se trata de escritura cifrada.

Ya estaba dicho: eso era tal cual:[85] escritura cifrada. Pero, por lo visto, no resultaba tan fácil para sus entendederas. Y después de todo, se explica: ¿qué podía entender Severiano de toda esa cuestión de cifras, códigos, y tal?; tendría sólo una vaga noción, y le costaba mucho trabajo darse cuenta. Yo me puse a instruirle. A mí, eso me era asunto familiar, por razón de los negocios, que a veces exigen. . . Mas, sea que él ya tiene los sesos endurecidos, sea que yo, con el cansancio y la nerviosidad, no atinaba a poner en claro la cuestión, tuve que terminar por proponerle: "¡Anda, a ver! Da luz, que yo no sé dónde está el conmutador, y en un momento voy a mostrarte con ejemplos. . ." Encendió, y yo me tiré de la cama. En seguida fui a buscar mi lápiz en el bolsillo de la chaqueta, y saqué también una libreta de notas.   Severiano me observaba sin decir palabra. Me acerqué a su cama, aquel catre en tenguerengue,[86] y tomé asiento en el borde, a su lado.

—Mira, fíjate —le dije—: es así; aquí están las letras del alfabeto. . . A, B, C, D, E, F, etcétera. Bueno: si a cada una de ellas se le asigna un valor numérico (por ejemplo, la A vale cinco; la B, ocho; la C, cuatro, etcétera) es claro que podrás escribir lo que te dé la gana con cifras, y no entenderá tu escritura sino quien ya conozca los valores convencionales que tú le has asignado a cada letra. Basta tener la clave. Veamos, por ejemplo, mi nombre: Roque Sánchez, ¿eh?

Y con toda paciencia pongo mi nombre en números, para que el muy bruto venga y me diga,[87] me dice: "Pero, ¿qué tiene eso que ver[88] con las palabras escritas en idioma extranjero?" Lo miré despacio, procurando no mostrarme exasperado: el pobre es bastante duro de mollera, pero ¿qué culpa tiene él? De todas maneras su torpeza me irritó a tal punto que ya me hice un lío, no di más pie con bola,[89] y me fue imposible llevar a

---

[84] **el huevo de Colón:** something that looks hard at first but turns out to be easy.

[85] **eso era tal cual:** that was it.

[86] **en tenguerengue:** unstable.

[87] **para que . . . diga:** only to have this ignoramus come and tell me.

[88] **¿qué tiene eso que ver . . . ?:** what does that have to do . . . ?

[89] **me hice . . . bola:** I got into a muddle, I couldn't make anything of it.

término⁹⁰ mi explicación. Quién sabe tampoco⁹¹ si él hubiera sido capaz de comprenderla. Renuncié a nuevos ejemplos, que por fuerza hubieran sido más complicados, y le dije:

—Bueno, esto es demasiado técnico para explicarlo en unos minutos.
5 Yo lo que te digo es que ese manuscrito está en cifra. Eso es lo que es: un texto cifrado.

—Será así como dices —me respondió—; pero entonces lo que yo no comprendo es para qué diablos iba a dejarnos ahí una cosa que nadie puede descifrar.
10 —¡Ah, ésa es otra canción!⁹²

Comencé a pasearme por la alcoba, de un lado a otro, sorteando la mesita del centro y la silla con la ropa, mientras él, sentado en su cama, seguía con interés mis movimientos y mis palabras. Yo trataba de persuadirlo ahora de la explicación más sencilla, que de seguro sería también
15 la verdadera: que el sujeto en cuestión, ¡cualquiera sabe para qué fines!, tuviera que enviar un mensaje cifrado, y ése haya sido el borrador, traspapelado allí sobre la mesa.

—Tal vez. Pero a mí eso no me convence. —(¡No me convence! —objetó—. ¡Qué aplomo! Diríase que él hubiera estado meditando la idea
20 con toda calma, para sentenciar a la postre: ¡No me convence!) —¿Cómo iba a dejarse olvidada —insistió —una cosa tan importante, tan importante, que exige ponerla en escritura secreta?

—Olvidada, no; perdida entre los demás papeles. Puede bien ocurrir. Puede ocurrirle, o bien a un novato que se atolondra, o bien a un veterano
25 ya muy avezado al peligro.

—¿Al peligro, dices? ¡Según eso, piensas tú que la cosa es de cuidado!⁹³
Por fin se había dado cuenta el muy lerdo.

—Podría serlo. ¡De mucho cuidado!

Me detuve. Caí en un preocupado silencio. A mi cabeza acudían
30 multitud de ideas, todavía un tanto confusas y mezcladas, pero... ¡multitud! Eso sí, todavía en nebulosa.⁹⁴ No era como al comienzo, que andaban solas, sin darme trabajo, y solas se colocaban en su orden. Ahora asomaban como por un agujerito, y se retiraban en seguida antes de que hubiera podido apresarlas. Sentía que asomaba una; iba a echarle mano,

---

⁹⁰ **llevar a término**: to carry out.
⁹¹ Do not translate **tampoco**.
⁹² **canción**: story.
⁹³ **de cuidado**: dangerous.
⁹⁴ **en nebulosa**: in a cloudy state.

y ya se había sumido otra vez. . . Severiano respetaba mi silencio, me observaba. Al cabo de un buen rato, aventuró:

—Y ¡por supuesto!, no sabiendo la equivalencia de cada letra. . .

—¿Qué? ¿La clave?

—Sí; no sabiendo la clave. . .

—Bien; te diré: hay especialistas que aciertan a descifrar claves secretas,
lo que, como podrás imaginar, no es nada sencillo. ¡Menudos tíos![95]
También los tipos se ganan unos sueldos formidables. Pero lo que quiero
decirte es que ello no es imposible ni mucho menos,[96] y yo por mí, estoy
deseando ponerle la vista encima al manuscrito. . . No vayas a pensarte
que yo entiendo de eso; no. En las operaciones mercantiles, en el mundo
de los negocios, que tantos puntos de contacto tiene con la diplomacia
y la guerra, también se emplea la cifra para comunicarse acerca de ciertas
operaciones de importancia; pero de eso a descifrar textos de clave desconocida hay mucha distancia. Sin embargo, primo, tengo verdadero
deseo de ver el manuscrito. Ya me has metido en curiosidad, hombre.
Y, digo yo, puesto que ambos estamos despiertos y sin sueño, dime, ¿por
qué no vas ahora mismo a buscarlo?

—¿Ahora?

—Sí hombre de Dios, ¡ahora! —¡Qué ser reacio, qué indolencia; si
hasta parecía asustado, como si le hubieran propuesto lo nunca visto,[97]
la cosa más insólita y descomunal! Levantarse de la cama ¡nada menos!,
e ir a la gaveta en busca del papelito y traerlo.

—¿Ahora? —repitió—, No; no puede ser ahora.

—Pero ¿por qué?

Se lo pregunté medio sorprendido, medio divertido, parándome junto
a su cama. Y allí mismo, cruzados los brazos, aguardé la respuesta.

—Porque no puede ser —cerró los ojos—. El papel, ¿sabes?, lo tiene
guardado mi hermana Juanita.

Yo insistí. Aquélla no era razón. No es que en realidad me importase
nada el maldito papel, ni que tuviera impaciencia alguna; pero me sentía
ya irritado y, al mismo tiempo, me divertía apretarle, ponerle en un brete,
sacudirle, sacarlo de su inmovilidad.

—No necesitas despertarla ni hacer ruido —aduje para persuadirle—.
Eso aparte de que a estas horas probablemente ya estará ella[98] rezando

---

[95] **¡Menudos tíos!:** What people!
[96] **ni mucho menos:** by no means.
[97] **lo nunca visto:** some unheard-of thing.
[98] **Eso aparte de que . . . ella:** Besides, at this time, she is probably.

sus devociones matinales. ¡Digo yo, no sé! Pero, sobre todo, que no tienes por qué hacer ruido. Vas, rebuscas donde ella acostumbre guardar sus papeles. . . Claro que, a lo mejor, lo tiene escondido entre las páginas de algún devocionario. . .

5 —Eso —me contestó en un tono grave que contrastaba con mi aire de zumba maligna y, lo confieso, un poco excesiva (un contraste que, como advertí en seguida, era reflejo del que hacía su figura envuelta, recostada, inmóvil, con mi agitación, ridícula sin duda y como burlesca, recorriendo la pieza en ropas menores)—, eso, Roque, no puede ser. Yo no podría
10 sustraerle así como tú sugieres el misterioso mensaje. Para Juanita no se trata de una cuestión baladí: le daría un disgusto muy serio el saber que andaba yo revolviendo en sus cosas y que le había sacado. . . ¡Dichoso manuscrito, y cuántos quebraderos de cabeza ha tenido que ocasionar!

15 Estas palabras, pronunciadas, como digo, en tono grave y hasta pesaroso, doliente casi, cambiaron el sesgo· de la conversación. Yo volví a meterme en la cama (estaba quedándome helado[99]) y me cubrí hasta medio cuerpo, dispuesto a escuchar con atención las confidencias de que aquellas frases parecían ser prólogo. En efecto, me contó en seguida las
20 discusiones, querellas casi, a que el mensaje cifrado diera lugar en su casa. Primero habían sido las protestas airadas de Agueda, molesta con las idas y venidas, cabildeos, trifulcas y quimeras suscitadas por el manuscrito; pues a la gente le había dado por invadir su casa —¡claro, él era el depositario, y él tenía que aguantar las pesadeces de todo el que quisiera verlo
25 y discutirlo!—; de manera que Agueda, con su intemperancia, su irritabilidad. . . Alguna vez, curiosa también ella aunque no quisiera confesarlo, había echado una mirada furtiva, por encima del hombro, al pasar por su lado, cuando él estaba examinando a solas aquella caligrafía. Y él, buscando propiciársela, había aprovechado estas raras ocasiones para invitarla:
30 "Mira, Agueda, mujer; a ver qué te parece a ti. . ." Pero ella no se dejaba implicar; se salía con un[100] "Déjame a mí de tonterías;[101] no tengo tiempo que perder en pamplinas semejantes"; y sólo una vez llegó a tomar el papel en sus manos, aun cuando para soltarlo en seguida sobre la mesa, despectivamente: "¡Bah!"

35 Mientras tanto —prosiguió Severiano su relato—, la otra, Juanita, había callado siempre, sin mezclarse en las discusiones, ajena por completo a ellas, según parecía, pero no perdiendo una sílaba de cuanto se hablaba

---

[99] **estaba quedándome helado:** I was freezing.
[100] **se salía con un:** came out with.
[101] **Déjame a mí de tonterías:** Leave me out of this nonsense.

a propósito . . . [102] hasta que una vez me sorprende con esta increíble pregunta: "Severiano, ¿cuándo piensas entregarme el mensaje?" Al principio, ¡la verdad!, no entendí bien lo que quería significarme; la miré con sorpresa, y me dispuse a no hacerle demasiado caso: desde que se ha convertido definitivamente en solterona y beata, alimenta su imaginación de fantasías estúpidas y gusta de emplear palabras tales como ésa de mensaje, misión, holocausto. . . Pero, ¡diantre!, ¡se refería al manuscrito! "¿Qué mensaje?" "¡Ese! ¿Cuándo me lo entregas?" Eché mano a la cartera donde lo tenía guardado, y se lo alargo. Entonces lo coge con premura, le pasa la vista con esa expresión ansiosa que ahora suele tomar (son los gestos teatrales de la iglesia, ¿sabes?; todo se contagia; y luego, tú sabes, ese vértigo de la edad, en fin. . .), me lanza una mirada inquieta y. . . desaparece; sí, desaparece llevándose el papel a su cuarto y dejándome a mí con dos palmos de narices.[103] Yo me quedé como quien ve visiones, sin saber ni qué decirle. ¿Qué va uno a decir ante cosa tal? Tú no puedes defenderte del absurdo. Para las cosas normales y corrientes, ya sabes bien lo que has de hacer: estás en tu mundo; pisas el suelo firme de la realidad; cada cosa es lo que es, y nada más: tiene su cuerpo, su volumen, su peso y su forma, su temperatura, su color, y se está ahí quieta hasta que a ti te da la gana de cambiarla de sitio. Pero de pronto comienzas a notar que ya no apoyas los pies sobre el suelo; quieres tocar algo, y donde creías hallar resistencia no la hallas, está frío lo que esperabas caliente, lo blando se te resiste, alargas la mano para agarrar una cosa, y resulta que se te ha escapado. Entonces, ya no sabes qué hacer. . . ¡Y no haces nada! Te quedas paralizado. Pues eso fue lo que me pasó a mí, y lo que me sigue pasando. Hay veces, te aseguro, en que no hay quién entienda a mi hermana; y yo me pregunto: "Pero ¿es ésta mi Juanita?" En resumidas cuentas: que se quedó con el papel, y ¡hasta ahora! Cuando volví a tenerla ante los ojos, le pregunté con cierta cautela: "Entonces, Juanita, ¿eso lo guardas tú?" "Eso ¿qué?" "¿Qué ha de ser? El papelito." Y me responde: "Pues ¡naturalmente!" ¿Qué te parece?: ¡naturalmente!. . . Dos o tres veces después le he hecho alguna alusión, le he preguntado, por ejemplo, que qué le pareció, y me mira ya con burla, ya con rabia, y no me contesta. Como no es cosa de armar un zipizape. . .[104]

—Ya, ya comprendo —le dije yo entonces a mi primo—; ya me doy cuenta de por qué no quieres ir ahora a buscarlo: le tienes miedo a

---

[102] **no perdiendo . . . a propósito**: without losing a syllable of everything that was being said.

[103] **dejándome . . . narices**: leaving me frustrated.

[104] **armar un zipizape**: to make a mess.

tu hermanita, y eso es todo. ¡Está bien, hombre! ¡Haberlo dicho![105]

—Miedo, no; consideración —replicó enrojeciendo, no sé si de bochorno o de cólera; pues algo debía conservar de su antiguo amor propio,
y la verdad es que yo me había excedido un tantico: no tenía ningún dere-
5 cho... Además ¿qué me importaba a mí de toda aquella necia historia
pueblerina? ¡Nada! Pero lo que pasa es que cuando ya uno se ha puesto
nervioso, cualquier majadería es capaz de dominarlo. En eso tenía razón
Severiano: el absurdo le hace perder a uno la cabeza, atrae, como una
sima. Yo sentía una impaciencia que a mí mismo me causaba estupor:
10 ansiaba de tal modo ver el mensaje, que estaba cierto de no poder descansar
más hasta después de haberlo tenido en las manos. Temía —así, ¡temía!—
tener que tomar el tren sin haberlo visto y hasta me había hecho el propósito de apoderarme de él, aunque fuera en el último instante, y llevár-
melo: ya se lo devolvería a mi primo por correo certificado, si tanto interés
15 tuviera en conservarlo. Pero ¿y si llegaba la hora del tren y, entre tantas
vueltas y revueltas, aún no había podido verlo? Resuelto estaba, si preciso
fuere, a perder el de las 6 y 35 e irme en el de las 11, a pesar de toda la incomodidad, inconvenientes y hasta, ¡quién sabe!, perjuicios que eso podía
acarrearme. Pues ese retraso de unas cuantas horas me hubiera podido
20 acarrear de veras un serio trastorno: estos pormenores yo no se los había
contado a mi primo Severiano (ni ¡qué iban a importarle a él!), pero
resulta que el gerente de Melero y Cía.[106] me tenía fijada cita en la Fabril
Manchega, S. A.,[107] para dilucidar la cuestión de las entregas descabaladas;
se trataba de sorprender a estos pájaros y llevar un ataque bien combinado,
25 fingiendo una coincidencia casual; él llegaría en su auto mientras que
yo, como viajante, pasaba mi acostumbrada visita; en fin, todo un lío; y
si yo le dejaba colgado... Pues, ¡a bien que no era soberbio y grosero
el individuo como para hacerle semejante jugarreta![108] Si precisamente
por comodidad suya había combinado yo el pasar esa noche sobrante en
30 casa de mi primo, a quien, por otra parte, deseaba tanto visitar... Pero
esa visita amenazaba complicarme la vida; pues, inexplicablemente, era ya
para mí una necesidad imprescindible la que sentía de ver el demonio de
manuscrito, y estaba dispuesto, incluso, a salir en el tren de las 11, pasara
lo que pasare.[109] Por suerte, no fue necesario.

---

[105] **¡Haberlo dicho!**: You might have said so!

[106] **Cía.** (*Compañía*): Company.

[107] **S.A.** (*Sociedad Anónima*): Incorporated.

[108] **Pues ¡a bien ... jugarreta**: Well, he being so presumptuous and rude no one
would dare to play such a mean trick on him!

[109] **pasara lo que pasare**: come what might.

—Perdona, hombre, Severiano; parece que a ti no se te puede dar una broma —le dije para paliar el mal efecto de mi destemplada ironía—. De todas maneras, Juana madrugará bastante[110] ¿no? A mí me parece que debiéramos estar levantados, no sea que se vaya temprano a misa[111] y nos quedemos. . .

—Descuida, Roque, descuida. Si[112] todavía es noche cerrada —me arguyó, apaciguado, el buenazo.

—Vamos, que apuesto a que está amaneciendo —sostuve.

—Qué va a estar:[113] ni mucho menos.

—Pero sí, hombre; si ya pasan carros. . .

Estaban pasando carros; se oía fuera el chirrido de los ejes, las pisadas de las mulas, algún restallido, alguna blasfemia.

—Esos carros salen mucho antes que el sol.

Entre tanto, yo me había levantado, me había acercado al balcón; abrí un postigo: noche cerrada. Pero, a pesar de ello, cada vez se alzaban más ruidos en el pueblo: canto de gallos, ladridos. . . ¿Pensaría acaso dormirse todavía Severiano, después de haberme impedido a mí que durmiera en toda la santa noche con su estúpida historia? Ahí estaba, sin rebullir; se había vuelto para la pared, y ni siquiera rebullía. Pues lo que es si esperaba que yo apagase la luz. . .[114] Fui a mirar mi reloj, que estaba en el bolsillo del chaleco, ahí colgado del respaldo de una silla con mi otra ropa: ¡Nada más que las cuatro y media! —Ya son las cinco menos veinticinco, Severiano —dije—. ¡Anda, holgazán, levántate, vamos!

Se levantó, bostezando. No se puede negar que es un buenazo, el pobre. Añadí: —Yo creo que tu hermana ya no puede tardar mucho en salir de su cuarto. —El me dirigió una sonrisa amable y triste—: —Sí —asintió—; a ver si por fin nos libramos del misterio.

¡Cómo se le notaban ahora los años, a Severiano, con el escaso pelo blancuzco todo revuelto, y aquellas ojeras! Me pareció viejo: un viejo. Fui a mirarme en el espejo del lavabo: ¡Hay que ver también los estragos que puede causar una noche en vela, y más, después de haber viajado todo el día! Y, ¡es que son ya muchos años de viajante, caramba! Pero luego se afeita uno, se lava, se peina, y ¡como nuevo! Comencé a enjabonarme la cara, mientras que él se desperezaba con los brazos en cruz. Pronto pudo

---

110 **madrugará bastante:** will get up quite early.
111 **no sea . . . misa:** so that she doesn't go away to mass.
112 Do not translate **Si**.
113 **Qué va a estar:** No, it isn't.
114 **Pues lo que . . . luz:** If he was waiting for me to put out the light.

verse cuánta razón tenía yo:[115] no bien salimos del cuarto —y Severiano tardó en arreglarse menos de lo que yo me hubiera temido— nos topamos con Juanita, que ya se disponía a largarse, y que se sobresaltó un poco al tropezar con nosotros en la puerta del comedor, a donde íbamos en busca de algo que tomar como desayuno. Me miró como si no me reconociera o no me recordara, y yo también le encontré a ella un no sé qué de raro,[116] un cierto ribete cómico y hasta disparatado en la solemnidad de su manto negro, en el gesto de su mano enguantada sosteniendo libro y rosario. Seguía siendo aquella Juanita, sí; pero disfrazada de vieja beata...

Su hermano la atajó:

—Mira, me alegro de que todavía no hayas salido (y ¡qué maneras de madrugar,[117] hija!). Escucha, ¿sabes lo que quisiéramos?

—Se dan los buenos días.[118]

—¿Sabes lo que quisiéramos?

—Sí, lo sé —respondió ella inesperadamente—. ¡Lo sé!

Se había parado de espaldas a la puerta,[119] un poco rígida, con los brazos caídos, y me pareció que su voz, demasiado presurosa, temblaba, de puro tensa,[120] en los descoloridos labios.

Miré a Severiano. También él estaba pálido:

—¿Que lo sabes? —preguntó en un parpadeo. Y con una sonrisa (¡qué fea, su forzada sonrisa jovial!)—: Imaginarás que vamos a pedirte el desayuno.

—Me vas a pedir el mensaje —le replicó ella sin vacilar. Y se quedó callada.

Severiano seguía parpadeando como si le hubiera entrado una mota en un ojo. Convencido de que él no rechistaría, y empeñado además en cerrarle la retirada.[121] —¿Cómo lo has podido adivinar, prima? —le pregunté yo. Juanita descompuso su boca en una mueca bufa; en seguida se quedó seria, vieja; luego exhaló un suspiro; luego tragó saliva... Creo que Severiano estaba aterrado al ver que su hermana no decía palabra.

Otra vez me sentí en el caso de intervenir: —Entonces, prima, ¿nos lo entregas?

Lo dije, quizás, algo cohibido. La actitud de Severiano, tan timorata,

---

[115] **Pronto pudo . . . yo:** It could soon be seen how right I was.
[116] **un no sé qué de raro:** somewhat strange.
[117] **¡qué maneras de madrugar!:** how early you get up!
[118] **Se dan los buenos días:** (sarcastic) It is customary to say good morning.
[119] **de espaldas a la puerta:** with her back to the door.
[120] **de puro tensa:** from being tense.
[121] **en cerrarle la retirada:** of cutting off his retreat.

se me había contagiado, y yo mismo me expresaba ahora con cierta cortedad. Lo que, por otra parte, no es de extrañar si se piensa que la conducta de Juana era más que sorprendente. Insistí aún: — ¿Nos lo entregas?

Juana revolvió los ojos al techo con gesto implorante y dirigiéndose, no a mí sino a su hermano, le reprochó con severa amargura:

—¡Que hayas hecho semejante cosa, hombre! ¡Semejante vileza! ¡Ah, sí!, ¡yo lo sabía! Estaba segura de que habrías de aprovechar la primera ocasión... De ti para mí,[122] cara a cara y sin testigos, no te atrevías a ello. Pero siempre que me tirabas indirectas, o que te quedabas mirándome con ganas de decir algo, y sobre todo cuando te sorprendía —porque te he sorprendido, aunque no lo creas, más de una vez— rondando en torno a mis papeles, yo ya sabía y estaba muy segura de que, no bien se te presentara, aprovecharías la oportunidad de hacerme tal extorsión. Y la oportunidad se te ha presentado; la oportunidad ha sido esta venida de Roque... Si no es que, tal vez, como pienso, no le llamaste en tu auxilio; pues ¡cosa más extraña, la llegada de éste ahora, de improviso, tras de tantos años sin acordarse del santo de nuestro nombre!...[123] Pero de nada te ha de servir.[124] ¡Ah, no! ¡Yo ya no soy la que era! ¡No, a otro perro con ese hueso.[125] No, no...

Se había erguido mientras soltaba esta retahila incomprensible, y las flacas mejillas se le habían teñido de un rubor falso; el peto bordado con cuentas de azabache subía y bajaba, agitado por la cólera, por la angustia... Y Severiano parecía anonadado frente a aquella explosión. Anonadado, pero —a lo que me pareció— no muy sorprendido. El que estaba estupefacto era yo; tanto, que no supe qué decir (sí, lo confieso, no supe qué decir; y para que a mí lleguen a faltarme las palabras...) Aquella furia continuaba y continuaba. Se iba excitando ella solita, sin que nadie le diera pábulo —Severiano, el infeliz, no había resollado siquiera; en cuanto a mí, ya digo, me había quedado como tonto, sin saber qué decir—, y poco a poco se iba subiendo a las nubes y se enredaba en una ristra de insensateces ensartadas la una en la otra sin descanso. Por último, y cuando ya se hubo despachado a su gusto, se quedó muda y hasta pareció que iba a romper en llanto: la barbilla le temblaba, se le empañaban los ojos y, en una actitud de dolorida dignidad, terminó barbotando algunas palabras: se la oyó decir, entre sollozos, que podíamos —si nos daba la

---

[122] **De ti para mí:** With only the two of us.
[123] **del santo de nuestro nombre:** our blessed name (*i.e.*, even our name).
[124] **Pero de nada ... servir:** But it will be of no use to you.
[125] **a otro ... hueso:** try someone else with that trick.

gana— registrarle todos sus papeles. Y rehaciéndose con nuevo furor, concluyó:

—Tomad, ahí tenéis la llave de la gaveta para que no necesitéis forzar el mueble: revolvedlo todo, destrozadlo todo, arruinadlo todo; no res-
5 petéis cosa alguna,¹²⁶ ¿para qué?

Tiró la llavecilla sobre la mesa del comedor, y salió para misa como alma que lleva el diablo.¹²⁷

—¿Has visto? —exclamó asombrado, avergonzado, mi primo cuando nos vimos solos. Y yo: —Pero ¿qué significa eso?

10 No significaba nada. Me convencí de que no había habido ningún mo-
tivo que yo ignorase; adquirí la seguridad de que Severiano no me había mentido ni ocultado cosa alguna: daba lástima verle, con aquella cara trasnochada y aquella mirada perruna, humillado y tristón. Sería difícil saber si él había llegado al convencimiento de que a su hermana se le
15 había ido la chaveta,¹²⁸ pero de lo que no me cabe duda es de que era el pobre una víctima de sus caprichos, de que lo tenía acoquinado.

—Pues mira, ¿sabes lo que te digo? —le interpelé cuando hubimos agotado los comentarios del caso, tales como: "¡Qué barbaridad!" "Eso es de lo que se ve y no se cree", y otros tales—; ¿sabes lo que te digo,
20 Severiano? Que ahora mismo vamos a registrarle la gaveta.

Me pareció que era deber mío hacerlo. En primer término, aquella mujer no estaba en sus cabales,¹²⁹ y quién sabe qué otra cosa —¡armas, incluso!— podría ocultar allí bajo llave: era —¿no es cierto?— un verdadero peligro. Además, ¿no nos lo había dicho ella misma?, ¿no nos
25 había autorizado, aunque fuera en un rapto de ira? Sin mí, Severiano jamás se atrevería a hacerlo. Y allí se quedaría el célebre papelito, *per saecula saeculorum*,¹³⁰ secuestrado bajo la custodia de aquella especie de dragón...
Mi primo recibió la propuesta con una mirada de asombro, pero no opuso resistencia alguna cuando le insistí: —¡Anda, vamos...!— Con él, no
30 hay sino mostrarse resuelto. Sólo me pidió, con una sombra de angustia:
—Cuidado, sin hacer ruido, no sea que¹³¹ se despierte Agueda.

Cogí la llave, y él, andando en puntillas, me condujo al cuarto de Juanita. El consabido cuarto de solterona, cerrado y todavía con olor de la

---

¹²⁶ **cosa alguna**: anything at all.
¹²⁷ **como alma ... diablo**: rapidly, like a soul possessed by the devil.
¹²⁸ **de que a su ... chaveta**: that his sister was out of her wits.
¹²⁹ **no estaba en sus cabales**: was out of her mind.
¹³⁰ **per saecula saeculorum**: *Latin* forever.
¹³¹ **no sea que**: lest.

noche. Abrí los postigos —ya amanecía— y, después de girar una mirada alrededor, me dirigí al pequeño pupitre, bajo una virgen del Perpetuo Socorro[132] en bajo relieve, de escayola pintada y dorada. Meto la llave en la cerradura (¡violación de secreto, señores!), abro, y ¡nada! Parecerá un chiste de mal gusto, una broma pesada: no había cosa alguna dentro del pupitre, nada en los cajoncillos laterales, nada en los compartimientos... ¡lo que se dice nada![133] Debo confesar que me sorprendí a mí mismo todo agitado, con el corazón en un hilo y apretada la garganta. Estaba parado ante el mueblecillo, y no sabía qué hacerme. Volví la vista hacia Severiano, y su expresión no decía nada: era la misma expresión triste e indiferente de antes. —¿Qué te parece esto? —le pregunto—. Y ¿qué quieres que te diga? —Había en su entonación una especie de renuncia, de abandono irónico; parecía burlarse de mí sutilmente; pero esta vez su flojedad no me produjo exasperación, tan desconcertado estaba yo. Me hallaba —lo confieso— anhelante, sobrecogido, desconcertado, en fin, cosa que se comprende bien con la nerviosidad de una noche en vela y la emoción de encontrarse uno de nuevo en su pueblo y entre los parientes con quienes uno se ha criado: todo eso altera la rutina de los hoteles, de las conversaciones siempre iguales que llenan los viajes de un comisionista... Le pregunté todavía a Severiano: "¿Qué hacemos, tú?" "¿Qué hemos de hacer?" Y no insistí ya en que registráramos todos los rincones de la pieza, no porque la idea no se me ocurriera (de buena gana la hubiera emprendido a coces con cuanto allí había:[134] sillas, ropas y cuadros), sino por consideración hacia mi primo, y hasta por aburrimiento. Mi irritación había degenerado ya en aburrimiento, en ganas de escapar.

Miré el reloj. —Todavía alcanzo bien el tren de las 6 y 35 —dije. —Sí; claro que alcanzas. (¿Conque tenemos ganas de que me vaya, eh?). "Alcanzas, y también tienes tiempo de tomar tranquilamente el desayuno", confirmó Severiano, añadiendo sin embargo: "Pero será mejor que vayamos a tomarlo en el bar de Bellido Gómez".

—No; el desayuno os lo puedo preparar en seguida.

Nos volvimos: era Agueda, parada junto al quicio de la puerta, con el pringoso pelo gris enrollado en trenzas.

—Gracias, prima, gracias; pero prefiero que nos despidamos ahora.

---

[132] **Perpetuo Socorro**: Perpetual Help.
[133] **lo que se dice nada!**: absolutely nothing.
[134] **de buena ... había**: I would have set about it, willingly kicking whatever there was there.

Desayunaremos en el bar y en seguida ¡al tren! Me hubiera causado un gran trastorno el perderlo,[135] como ya le dije a éste, creo.

Así se hizo todo. Severiano me acompañó, pasamos a desayunar en el bar, y luego me dejó en el tren. "¡A ver si vuelves pronto, Roquete; que no se vayan a pasar otros ocho o diez años antes de que te acuerdes de nosotros!" "¡Descuida!"

Y allá se quedó, como un pasmarote, haciendo adiós con la mano. ¿Qué se me daba a mí de toda aquella absurda historia del manuscrito?[136] Ni siquiera estoy seguro de que todo ello no fuera una pura quimera.

EJERCICIOS

A. Conteste en español a las siguientes preguntas:

1. *¿Dónde tiene lugar la acción del cuento?*

2. *¿Cuánto tiempo hacía que no se veían Roque y Severiano?*

3. *¿Cómo emplea Severiano la noche que Roque pasa con él?*

4. *¿Qué opinión tiene Roque de su primo?*

5. *¿Qué hacía Severiano durante la larga ausencia de Roque?*

6. *¿Cuánto tiempo quiere Roque pasar con sus parientes?*

7. *¿Cómo son las hermanas de Severiano?*

8. *¿Cómo llegó el manuscrito al pueblo?*

9. *¿Cómo reaccionan los habitantes ante el manuscrito?*

10. *¿Cuál es la actitud inicial de Roque hacia el manuscrito?*

11. *¿Cambia esta actitud durante el curso de la noche?*

12. *¿Qué efecto tiene sobre la familia de Severiano la discusión acerca del manuscrito?*

13. *¿Por qué no quiere Roque desayunar con sus parientes?*

14. *¿Cómo explica usted las palabras de despedida de Severiano?*

15. *¿Es cierto que el manuscrito existe?*

---

[135] **Me hubiera . . . perderlo:** It would upset me greatly to miss it.

[136] **¿Qué se me . . . manuscrito?:** What did all that absurd story of the manuscript matter to me?

B. *Conteste en español a las siguientes preguntas. Cuando le parezca apropiado amplíe su contestación:*

    1. ¿Quién es el narrador del cuento?

    2. Mientras habla de Severiano, ¿qué revela el narrador en las dos primeras frases acerca de su propio carácter?

    3. ¿Entiende bien el narrador su propio carácter?

    4. ¿Sirven bien las primeras frases para introducir la acción del resto del cuento? ¿Por qué?

    5. Además de la narración descriptiva ¿qué usa el narrador para desarrollar su cuento? ¿Cuándo empieza a usarlo, y qué efecto tiene?

    6. ¿Resulta disculpable la irritación de Roque? ¿Por qué?

    7. ¿Hay una semejanza fundamental entre Roque y su primo?

    8. Haga algunos comentarios acerca de la ironía en el cuento.

    9. Escriba brevemente sobre el humor en el cuento.

    10. Explique los diferentes sentidos del título del cuento.

C. *Forme Ud. frases de cada una de estas expresiones y traduzca las frases al inglés:*

    para colmo
    en primer término
    cada vez menos
    darse cuenta
    romperse la cabeza
    echar mano de
    sacar en limpio
    dar la gana
    por lo menos
    no bien

D. *Traduzca las palabras inglesas al español:*

    1. (*According to his cousin*) Severiano no es muy inteligente.

    2. La discusión no depende sólo (*on*) Severiano.

    3. ¿Qué opinión tiene Ud. (*of*) Roque?

    4. (*To me*) es muy obstinado.

    5. (*On arriving*) empezó a pensar mal de él.

E. *Cambie todos los verbos en las siguientes frases al pretérito:*

    1. El joven sigue con docilidad la historia que le cuenta su tío.

    2. Me acerco a su cama y tomo asiento en el borde.

3. ¿Quién sabe si él es capaz de entenderla?

4. Se dice que el está en Roma.

5. ¿Qué haces? ¿Por qué no lo pides?

F. Busque un sinónimo para cada una de las siguientes palabras tal como aparecen en el texto:

	página	renglón		página	renglón
gustazo	8	15	disparate	17	24
aviso	8	19	género	20	21
demonios	8	27	patrona	21	25
tema	9	19	marido	22	4
alcoba	10	11	regocijo	22	9
idiomas	10	31	terco	22	25
dueño	11	21	atinar a	23	15
comenzar	13	1	poner en claro	23	15
topar con	13	11	pieza	26	9
mujer	15	4	cautela	27	29

El tajo

Contra la guerra como actividad

Pedro Sirve como soldado en el lado nacionalista

I   ¿Adónde irá éste ahora, con la solanera?[1] —oyó que, a sus espaldas, bostezaba, perezosa, la voz del capitán.

El teniente Santolalla no contestó, no volvió la cara. Parado en el hueco de la puertecilla,[2] paseaba la vista por el campo, lo recorría hasta las lomas de enfrente, donde estaba apostado el enemigo, allá, en las alturas calladas; luego, bajándola de nuevo, descansó la mirada por un momento sobre la mancha fresca de la viña y, en seguida, poco a poco, negligente el paso, comenzó a alejarse del puesto de mando —aquella casita de adobes, una chavola casi, donde los oficiales de la compañía se pasaban jugando al tute las horas muertas—.[3]

Apenas se había separado de la puerta, le alcanzó todavía, recia, llana, la voz del capitán que, desde adentro, le gritaba:

—¡Tráete para acá algún racimo!

Santolalla no respondió; era siempre lo mismo. Tiempo y tiempo llevaban sesteando allí:[4] el frente de Aragón no se movía, no recibía refuerzos, ni órdenes; parecía olvidado. La guerra avanzaba por otras regiones; por allí, nada; en aquel sector, nunca hubo nada. Cada mañana se disparaban unos cuantos tiros de parte y parte[5] —especie de saludo al

---

[1] **¿Adónde irá . . . solanera?**: Where is this one going now, in the hot sunshine?
[2] **el hueco de la puertecilla**: the little doorway.
[3] **se pasaban . . . las horas muertas**: spent hours on end playing "tute" (Spanish card game).
[4] **Tiempo . . . allí**: They spent time after time napping there.
[5] **de parte y parte**: from both sides.

37

enemigo— y, sin ello, hubiera podido creerse que no había nadie del otro lado, en la soledad del campo tranquilo. Medio en broma, se hablaba en ocasiones de organizar un partido de fútbol con los rojos: azules contra rojos.[6] Ganas de charlar, por supuesto; no había demasiados temas y, 5 al final, también la baraja hastiaba... En la calma del mediodía, y por la noche, subrepticiamente, no faltaban quienes se alejasen de las líneas; algunos, a veces, se pasaban al enemigo, o se perdían, caían prisioneros; y ahora, en agosto, junto a otras precarias diversiones, los viñedos eran una tentación. Ahí mismo, en la hondonada, entre líneas, había una viña, 10 descuidada, sí, pero hermosa, cuyo costado se podía ver, como una mancha verde en la tierra reseca, desde el puesto de mando.

El teniente Santolalla descendió, caminando al sesgo, por largos vericuetos; se alejó —ya conocía el camino; lo hubiera hecho a ojos cerrados—;[7] anduvo: llegó en fin a la viña, y se internó despacio, por entre 15 las crecidas cepas. Distraído, canturreando, silboteando, avanzaba, la cabeza baja, pisando los pámpanos secos, los sarmientos, sobre la tierra dura, y arrancando, aquí una uva, más allá otra, entre las más granadas, cuando de pronto —"¡Hostia!"— muy cerca, ahí mismo, vio alzarse un bulto ante sus ojos. Era —¿cómo no lo había divisado antes?— un mili- 20 ciano que se incorporaba; por suerte, medio de espaldas y fusil en banderola.[8] Santolalla, en el sobresalto, tuvo el tiempo justo de sacar su pistola y apuntarla.[9] Se volvió el miliciano, y ya lo tenía encañonado.[10] Acertó a decir: "¡No, no!", con una mueca rara sobre la sorprendida placidez del semblante, y ya se doblaba, ambas manos en el vientre; ya 25 se desplomaba de bruces... En las alturas, varios tiros de fusil, disparados de una y otra banda, respondían ahora con alarma, ciegos en el bochorno del campo, a los dos chasquidos de su pistola en el hondón. Santolalla se arrimó al caído, le sacó del bolsillo la cartera, levantó el fusil que se le había descolgado del hombro y, sin prisa —ya los disparos raleaban—, 30 regresó hacia las posiciones. El capitán, el otro teniente, todos, lo estaban aguardando ante el puesto de mando, y lo saludaron con gran algazara al verlo regresar, sano y salvo, un poco pálido, en una mano el fusil capturado, y la cartera en la otra.

Luego, sentado en uno de los camastros, les contó lo sucedido; hablaba

---

[6] **azules contra rojos**: Nationalists against Republicans.

[7] **lo hubiera ... cerrados**: he would have done it with his eyes closed.

[8] **medio de espaldas ... banderola**: with his back half-turned and his rifle slung over his shoulder.

[9] **tuvo el tiempo ... apuntarla**: only had time to draw his pistol and aim it.

[10] **ya lo tenía encañonado**: he (Santolalla) was already firing at him.

despacio, con tensa lentitud. Había soltado la cartera sobre la mesa; había puesto el fusil contra un rincón. Los muchachos se aplicaron en seguida a examinar el arma, y el capitán, displicente, cogió la cartera; por encima de su hombro, el otro teniente curioseaba también los papeles del miliciano.

—Pues —dijo, a poco, el capitán dirigiéndose a Santolalla—; pues, ¡hombre!, parece que has cazado un gazapo de tu propia tierra. ¿No eras tú de Toledo? —Y le alargó el carnet, con filiación completa y retrato.

Santolalla lo miró, aprensivo: ¿Y este presumido sonriente, gorra sobre la oreja y unos tufos asomando por el otro lado, éste era la misma cara alelada —"¡no, no!"— que hacía un rato viera venírsele encima la muerte?

Era la cara de Anastasio López Rubielos, nacido en Toledo el 23 de diciembre de 1919 y afiliado al Sindicato de Oficios Varios de la U.G.T.[11] ¿Oficios varios? ¿Cuál sería el oficio de aquel comeúvas?

Algunos días, bastantes, estuvo el carnet sobre la mesa del puesto de mando. No había quien entrase, así fuera para dejar la diaria ración de pan a los oficiales, que no lo tomara en sus manos,[12] le daban ochenta vueltas en la distracción de la charla, y lo volvían a dejar ahí, hasta que otro ocioso viniera a hacer lo mismo. Por último, ya nadie se ocupó más del carnet. Y un día, el capitán lo depositó en poder del teniente Santolalla.

—Toma el retrato de tu paisano —le dijo—. Lo guardas como recuerdo, lo tiras, o haz lo que te dé la gana con él.[13]

Santolalla lo tomó por el borde entre sus dedos, vaciló un momento, y se resolvió por último a sepultarlo en su propia cartera. Y como también por aquellos días se había hecho desaparecer ya de la viña el cadáver, quedó en fin olvidado el asunto, con gran alivio de Santolalla. Había tenido que sufrir —él, tan reservado— muchas alusiones de mal gusto a cuenta de su hazaña, desde que el viento comenzó a traer, por ráfagas, olor a podrido desde abajo; pues la general simpatía, un tanto admirativa, del primer momento dejó paso en seguida a necias chirigotas, a través de las cuales él se veía reflejado como un tipo torpón, extravagante e infelizote, cuya aventura no podía dejar de tornar en cómico; y así, le formulaban toda clase de burlescos reproches por aquel hedor de que era causa; pero

---

[11] **U.G.T.** = **Unión General de Trabajadores** (which supports the Republican government against the Nationalists for whom Santolalla fights).

[12] **No había . . . manos:** No one would enter, even if it were only to leave the daily ration of bread for the officers, without picking it up.

[13] **haz lo . . . él:** do whatever you like with it.

como de veras llegara a hacerse insoportable, y a todos les tocara su parte, según los vientos, se concertó con el enemigo tregua para que un destacamento de milicianos pudiera retirar o inhumar sin riesgo el cuerpo de su compañero.

5 Cesó, pues, el hedor, Santolalla se guardó los documentos en su cartera, y ya no volvió a hablarse del caso.

Recuerdos ~~juveniles~~ *del P. Santolalla*

II   Esa fue su única aventura memorable en toda la guerra. Se le presentó en el otoño de 1938, cuando llevaba[14] Santolalla un año largo como primer teniente en aquel mismo sector del frente de Aragón —un
10 sector tranquilo, cubierto por unidades flojas, mal pertrechadas, sin combatividad ni mayor entusiasmo—. Y por entonces, ya la campaña se acercaba a su término; poco después llegaría para su compañía, con gran nerviosismo de todos, desde el capitán abajo, la orden de avanzar, sin que hubieran de encontrar a nadie por delante; ya no habría enemigo.
15 La guerra pasó, pues, para Santolalla sin pena ni gloria, salvo aquel incidente que a todos pareció nimio, e incluso —absurdamente— digno de chacota, y que pronto olvidaron.

El no lo olvidó; pensó olvidarlo, pero no pudo. A partir de ahí,[15] la vida del frente —aquella vida hueca, esperando, aburrida, de la que a ratos
20 se sentía harto— comenzó a hacérsele insufrible. Estaba harto ya, y hasta —en verdad— con un poco de bochorno. Al principio, recién incorporado, recibió este destino como una bendición: había tenido que presenciar durante los primeros meses, en Madrid, en Toledo, demasiados horrores; y cuando se vio de pronto en el sosiego campestre, y halló
25 que, contra lo que hubiera esperado, la disciplina de campaña era más laxa que la rutina cuartelera del servicio militar cumplido años antes, y no mucho mayor el riesgo, cuando se familiarizó con sus compañeros de armas y con sus obligaciones de oficial, sintiose como anegado en una especie de suave pereza. El capitán Molina —oficial de complemento,[16]
30 como él— no era mala persona; tampoco, el otro teniente; eran todos gente del montón, cada cual con sus trucos, cierto, con sus pesadeces y manías, pero ¡buenas personas! Probablemente, alguna influencia, alguna recomendación, había militado a favor de cada uno para promover la

---

14 **llevaba**: had spent.
15 **A partir de ahí**: From that time.
16 **oficial de complemento**: an officer from the reserve officer training corps.

buena suerte de tan cómodo destino; pero de eso —claro está— nadie
hablaba. Cumplían sus deberes, jugaban a la baraja, comentaban las noticias
y rumores de guerra, y se quejaban, en verano del calor, y del frío en invierno. Bromas vulgares, siempre las mismas, eran el habitual desahogo de
su alegría, de su malevolencia. . .   5

Procurando no disonar demasiado, Santolalla encontró la manera de
aislarse en medio de ellos; no consiguió evitar que lo considerasen como
un tipo raro, pero, con sus rarezas, consiguió abrirse un poco de soledad:
le gustaba andar por el campo, aunque hiciera sol, aunque hubiera nieve,
mientras los demás resobaban el naipe; tomaba a su cargo servicios ajenos, 10
recorría las líneas, vigilaba, respiraba aire fresco, fuera de aquel chamizo
maloliente, apestando a tabaco. Y así, en la apacible lentitud de esta existencia, se le antojaban lejanos, muy lejanos, los ajetreos y angustias de
meses antes en Madrid, aquel desbordamiento, aquel vértigo que él debió
observar mientras se desvivía por animar a su madre, consternada, allí,   15
en medio del hervidero de heroísmo y de infamia, con el temor de que no[17]
fueran a descubrir al yerno, falangista notorio, y a Isabel, la hija, escondida
con él, y de que, por otro lado, pudiera mientras tanto, en Toledo, pasarle
algo al obstinado e imprudente anciano. . . Pues el abuelo se había quedado; no había consentido en dejar la casa. Y —¿a quién, si no?— a él, al 20
nieto, el único joven de la familia, le tocó ir en su busca. "Aunque sea por
la fuerza, hijo, lo sacas de allí y te lo traes", le habían encargado. Pero ¡qué!
¡fácil es decirlo!: el abuelo, exaltado, viejo y terco, no consentía en apar-
tarse de la vista del Alcázar, dentro de cuyos muros hubiera querido y
—afirmaba— debido hallarse; y vanas fueron todas las exhortaciones para 25
que, de una vez, haciéndose cargo de su mucha edad, abandonara aquella
ciudad en desorden, donde ¿qué bicho viviente no conocía sus opiniones,
sus alardes, su condición de general en reserva?, y donde, por lo demás,
corría el riesgo común de los disparos sueltos en una lucha confusa, de calle
a calle y de casa a casa, en la que nadie sabía a punto fijo cuál era de los 30
suyos y cuál de los otros, y la furia, y el valor y el entusiasmo y la cólera
popular se mellaban los dientes, se quebraban las uñas contra la piedra
incólume de la fortaleza. Así se llegó, discutiendo abuelo y nieto, hasta
el final de la lucha: entraron los moros en Toledo, salieron los sitiados del
Alcázar, el viejo saltaba como una criatura, y él, Pedro Santolalla, despe- 35
chado y algo desentendido, sin tanto cuidado ya por atajar sus insensatas
chiquilladas, pudo presenciar ahora, atónito, el pillaje, la sarracina. . .

---

[17] Do not translate **no**.

Poco después se incorporaba al ejército y salía, como teniente de complemento, para el frente aragonés, en cuyo sosiego había de sentirse, por momentos, casi feliz.

No quería confesárselo; pero se daba buena cuenta de que, a pesar de
5 estar lejos de su familia —padre y madre, los pobres, en el Madrid asediado, bombardeado y hambriento; su hermana, a saber dónde,[18] y el abuelo, solo en casa, con sus años—, él, aquí, en este paisaje desconocido y entre gentes que nada le importaban, volvía a revivir la feliz despreocupación de la niñez, la atmósfera pura de aquellos tiempos en que, libre de toda
10 responsabilidad, y moviéndose dentro de un marco previsto, no demasiado rígido, pero muy firme, podía respirar a pleno pulmón, saborear cada minuto, disfrutar la novedad de cada mañana, disponer sin tasa ni medida[19] de sus días... Esta especie de renovadas vacaciones —quizás, eso sí, un tanto melancólicas—, cuyo descuido entretenía[20] en cortar acaso alguna
15 hierbecilla y quebrarla entre los dedos, o hacer que remontara su flexible tallo un bichito brillante hasta, llegado a la punta, regresar hacia abajo o levantar los élitros y desaparecer; en que, siguiendo con la vista el vuelo de una pareja de águilas, muy altas, por encima de las últimas montañas, se quedaba extasiado al punto de sobresaltarse si alguien, algún
20 compañero, un soldado, le llamaba la atención de improviso; estas curiosas vacaciones de guerra, traían a su mente ociosa recuerdos, episodios de la infancia, ligados al presente por quién sabe qué oculta afinidad, por un aroma, una bocanada de viento fresco y soleado, por el silencio amplio del mediodía; episodios de los que, por supuesto, no había vuelto a acordarse
25 durante los años todos en que, terminado su bachillerato en el Instituto de Toledo, pasó a cursar letras en la Universidad de Madrid, y a desvivirse con afanes de hombre, impaciencias y proyectos. Aquel fresco mundo remoto, de su casa en Toledo, del cigarral, que luego se acostumbrara a mirar de otra manera más distraída, regresaba ahora, a retazos:[21] se veía
30 a sí mismo —pero se veía, extrañamente, desde fuera, como la imagen recogida en una fotografía— niño de pantalón corto y blusa marinera corriendo tras de un aro por entre las macetas del patio, o yendo con su abuelo a tomar chocolate el domingo, o un helado, según la estación, al café del Zocodover, donde el mozo, servilleta al brazo, esperaba durante
35 mucho rato, en silencio, las órdenes del abuelito, y le llamaba luego

---

[18] **a saber dónde:** who knows where she was.
[19] **sin tasa ni medida:** in a carefree way.
[20] **cuyo descuido entretenía:** whose idleness he whiled away.
[21] **a retazos:** bit by bit.

"mi coronel" al darle gracias por la propina; o se veía, lleno de aburrimiento, leyéndole a su padre el periódico, sin apenas entender nada de
todo aquel galimatías, con tantos nombres impronunciables y palabras
desconocidas, mientras él se afeitaba y se lavaba la cara y se frotaba orejas
y cabeza con la toalla; se veía jugando con su perra Chispa, a la que había 5
enseñado a embestir como un toro para darle pases de muleta...[22] A
veces, le llegaba como el eco, muy atenuado, de sensaciones que debieron
de ser intensísimas, punzantes: el sol, sobre los párpados cerrados; la
delicia de aquellas flores, jacintos, ramitos flexibles de lilas, que visitaba
en el jardín con su madre, y a cuyo disfrute se invitaban el uno al otro con 10
leves gritos y exclamaciones de regocijo: "Ven, mamá, y mira: ¿te acuerdas que ayer, todavía, estaba cerrado este capullo?", y ella acudía, lo admiraba... Escenas como ésa, más o menos cabales, concurrían a su memoria. Era, por ejemplo, el abuelo que, después de haber plegado su
periódico dejándolo junto al plato y de haberse limpiado con la servilleta, 15
bajo el bigote, los finos labios irónicos, decía: "Pues tus queridos fran-
chutes (corrían por entonces los años de la Gran Guerra[23]) parece que no
levantan cabeza." Y hacía una pausa para echarle a su hijo, todo absorto
en la meticulosa tarea de pelar una naranja, miraditas llenas de malicia;
añadiendo luego: "Ayer se han superado a sí mismos en el arte de la re- 20
tirada estratégica"... Desde su sitio, él, Pedrito, observaba cómo su padre,
hostigado por el abuelo, perfeccionaba su obra, limpiaba de pellejos la
fruta con alarde calmoso, y se disponía —con leve temblorcillo en el
párpado, tras el cristal de los lentes— a separar entre las cuidadas uñas los
gajos rezumantes. No respondía nada; o preguntaba, displicente: "¿Sí?" 25
Y el abuelo, que lo había estado contemplando con pachorra, volvía a la
carga: "¿Has leído hoy el periódico?" No cejaba, hasta hacerle que saltara,
agresivo; y ahí venían las grandes parrafadas nerviosas, irritadas, sobre la
brutalidad germánica, la civilización en peligro, la humanidad, la cultura,
etcétera, con acompañamiento, en ocasiones, de puñetazos sobre la mesa. 30
"Siempre lo mismo", murmuraba, enervada, la madre, sin mirar ni a su
marido ni a su suegro, por miedo a que el fastidio le saliera a los ojos.[24]
Y los niños, Isabelita y él, presenciaban una vez más, intimidados, el
torneo de costumbre entre su padre y su abuelo: el padre, excitable, serio,
contenido; el abuelo, mordaz y seguro de sí, diciendo cosas que lo entu- 35
siasmaban a él, a él, sí, a Pedrito, que se sentía también germanófilo y que,

---

[22] **pases de muleta:** passes (in bullfighting).
[23] **Gran Guerra:** World War I (1914–1918).
[24] **por miedo... ojos:** for fear that her annoyance would show in her eyes.

a escondidas, por la calle y aun en el colegio mismo, ostentaba, prendido
al pecho, ese preciado botón con los colores de la bandera alemana que
tenía buen cuidado de guardarse en un bolsillo cada vez que de nuevo, el
montón de libros bajo el brazo, entraba por las puertas de casa. Sí; él era
5 germanófilo furibundo, como la mayoría de los otros chicos, y en la mesa
seguía con pasión los debates entre padre y abuelo, aplaudiendo en su
fuero interno la dialéctica burlona de éste y lamentando la obcecación
de aquél, a quien hubiera deseado ver convencido. Cada discusión re-
machaba más sus entusiasmos, en los que sólo, a veces, le hacía vacilar
10 su madre, cuando, al reñirle suavemente a solas por sus banderías y
"estupideces de mocoso" —su emblema había sido descubierto, o por
delación o por casualidad—, le hacía consideraciones templadas y llenas
de sentimiento sobre la actitud que corresponde a los niños en estas cuestiones, sin dejar de deslizar al paso alguna alusión a las chanzas del abuelo,
15 "a quien, como comprenderás, tu padre no puede faltarle al respeto, por
más que su edad le haga a veces ponerse cargante", y de decir también
alguna palabrita sobre las atrocidades cometidas por Alemania, rehenes
ejecutados, destrozos, de que los periódicos rebosaban. "¡Por nada del
mundo, hijo, se justifica eso!" La madre lo decía sin violencia, dulcemente;
20 y a él no dejaba de causarle alguna impresión. "¿Y tú? —preguntaba
más tarde a su hermana, entre despectivo y capcioso—. ¿Tú eres francófila, o germanófila?... Tú tienes que ser francófila; para las mujeres,
está bien ser francófilo." Isabelita no respondía; a ella la abrumaban las
discusiones domésticas. Tanto, que la madre —de casualidad pudo
25 escucharlo en una ocasión Pedrito— le pedía al padre, "por lo que más
quieras",[25] que evitara las frecuentes escenas, "precisamente a la hora de
las comidas, delante de los niños, de la criada; un espectáculo tan desagradable". "Pero ¿qué quieres que yo le haga? —había replicado él
entonces con tono de irritación—. Si no soy yo, caramba; si es él, que no
30 puede dejar de... ¿No le bastará para despotricar, con su tertulia de carca-
males? ¿Por qué no me deja en paz a mí? Ellos, como militares, admiran
a Alemania y a su cretino káiser; más les valdría conocer mejor su propio
oficio. Las hazañas del ejército alemán, sí, pero ¿y ellos? ¿qué?: ¡desastre
tras desastre: Cuba, Filipinas, Marruecos!" Se desahogó a su gusto, y él,
35 Santolalla niño, que lo oía por un azar, indebidamente, estaba con-
fundido... El padre —tal era su carácter— o se quedaba corto, o se pasaba
de la raya, se disparaba y excedía.[26] En cambio ella, la madre, tenía un

---

[25] **por lo que más quieras:** for heaven's sake.
[26] **o se quedaba ... excedía:** either stopped short, or went beyond the bounds, shot
his mouth off and went too far.

tacto, un sentido justo de la medida, de las conveniencias y del mundo, que, sin quererlo ni buscarlo, solía proporcionarle a él, inocente, una adecuada vía de acceso hacia la realidad, tan abrupta a veces, tan inabordable. ¿Cuántos años tendría: siete, cinco, cuando, cierto día, acudió, todo sublevado, hasta ella con la noticia de que a la lavandera de casa la había apaleado, borracho, en medio de un gran alboroto, su marido?; y la madre averiguó primero —contra la serenidad de sus preguntas rebotaba la excitación de las informaciones infantiles— cómo se había enterado, quién se lo había dicho, prometiéndole intervenir no bien acabara de peinarse.[27] Y mientras se clavaba con cuidadoso estudio las horquillas en el pelo, parada ante el espejo de la cómoda, desde donde espiaba de reojo las reacciones del pequeño, le hizo comprender por el tono y tenor de sus condenaciones que el caso, aunque lamentable, no era tan asombroso como él se imaginaba, ni extraordinario siquiera, sino más bien, por desgracia, demasiado habitual entre esa gente pobre e inculta. Si el hombre, después de cobrar sus jornales, ha bebido unas copas el sábado, y la pobre mujer se exaspera y quizás se propasa a insultarlo, no era raro que el vino y la ninguna educación le propinasen una respuesta de palos. "Pero, mamá, la pobre Rita. . ." El pensaba en la mujer maltratada; le tenía lástima y, sobre todo, le indignaba la conducta brutal del hombre, a quien sólo conocía de vista. ¡Pegarle! ¿No era increíble?. . . Había pasado a mirarla, y la había visto, como siempre, de espaldas, inclinada sobre la pileta; no se había atrevido a dirigirle la palabra. "Ahora voy a ver yo —dijo, por último, la madre—. ¿Está ahí?" "Abajo está lavando. Tendremos que separarlos, ¿no, mamá?". . . Cuando, poco después, tras de su madre, escuchó Santolalla a la pobre mujer quejarse de las magulladuras, y al mismo tiempo le oyó frases de disculpa, de resignación, convirtió de golpe en desprecio su ira vindicativa, y hasta consideró ya excesivo celo el de su madre llamando a capítulo al borrachín para hacerle reconvenciones e insinuarle amenazas.

En otra oportunidad. . . Pero ¡basta! Ahora, todo eso se lo representaba, diáfano y preciso, muy vívido, aunque allá en un mundo irreal, segregado por completo del joven que después había hecho su carrera, entablado amistades, preparado concursos y oposiciones, leído, discutido y anhelado, en medio de aquel remolino que, a través de la República, condujo a España hasta el vértigo de la guerra civil. Ahora, descansando aquí, al margen, en este sector quieto del frente aragonés, el teniente Pedro Santolalla prefería evocar así a su gente en un feliz pasado, antes que pensar en el

---

[27] **no bien acabara de peinarse:** as soon as she had finished combing her hair.

azaroso y desconocido presente que, cuando acudía a su pensamiento, era para henchirle el pecho en un suspiro o recorrerle el cuerpo con un repeluzno.[28] Mas ¿cómo evitar, tampoco, la idea de que mientras él estaba allí tan tranquilo, entregado a sus vanas fantasías, ellos, acaso?... La
5 ausencia acumula el temor de todos los males imaginables, proponiéndolos juntos al sufrimiento en conjeturas de multitud incompatible,[29] y Santolalla, incapaz de hacerles frente,[30] rechazaba este mal sabor siempre que le revenía, y procuraba volverse a recluir en sus recuerdos. De vez en cuando, venían a sacudirlo, a despertarlo, cartas del abuelo; las primeras,
10 si por un lado lo habían tranquilizado algo, por otro le trajeron nuevas preocupaciones. Una llegó anunciándole con más alborozo que detalles cómo Isabelita había escapado con el marido de la zona roja,[31] "debido a los buenos aunque onerosos servicios de una embajada", y que ya los tenía a su lado en Toledo; la hermana, en una apostilla, le prometía noticias, le
15 anticipaba cariños. El se alegró, sobre todo por el viejo, que en adelante estaría siquiera atendido y acompañado... Ya, de seguro —pensó—, se habría puesto en campaña para conseguirle al zanguango del cuñado un puesto conveniente... A esta idea, una oleada de confuso resentimiento contra el recio anciano, tan poseído de sí mismo, le montó a la cara con
20 rubores donde no hubieran sido discernibles la indignación y la vergüenza: veíalo de nuevo empecinado en medio de la refriega toledana, pugnando a cada instante por salirse a la calle, asomarse al balcón siquiera, de modo que él, aun con la ayuda de la fiel Rita, ahora ya vieja y medio baldada, apenas era capaz de retenerlo, cuando ¿qué hubiera podido hacer allí,
25 con sus sesenta y seis años, sino estorbar?, mientras que, en cambio, a él, al nietecito, con sus veintiocho, eso sí, lo haría destinar en seguida, con una unidad de relleno, a este apacible frente de Aragón... La terquedad del anciano había sido causa de que la familia quedara separada y, con ello, los padres —solos ellos dos— siguieran todavía a la fecha expuestos al
30 peligro de Madrid, donde, a no ser por[32] aquel estúpido capricho, estarían todos corriendo juntos la misma suerte, apoyándose unos a otros, como Dios manda: él les hubiera podido aliviar de algunas fatigas y,

---

[28] **o recorrerle ... repeluzno:** or to have shivers run over his body.
[29] **La ausencia ... incompatible:** Absence intensifies the fear of all imaginable evils, presenting them all at once to the suffering individual as an incompatible multitude of conjectures.
[30] **incapaz de hacerles frente:** unable to face them.
[31] **zona roja:** territory controlled by the Republicans.
[32] **a no ser por:** if it were not for.

cuando menos,[33] las calamidades inevitables, compartidas, no crecerían así, en esta ansia de la separación... "Será cuestión de pocos días —había sentenciado todavía el abuelo en la última confusión de la lucha, con la llegada a Toledo de la feroz columna africana y la liberación del Alcázar—. Ya es cuestión de muy pocos días; esperemos aquí." Pero pasaron los 5 días y las semanas y el ejército no entró en Madrid, y siguió la guerra meses y meses, y allá se quedaron solos, la madre, en su aflicción inocente; el padre, no menos ingenuo que ella, desamparado, sin maña, el pobre, ni expedición para nada...

En esto iba pensando, baja la cabeza, por entre los viñedos, aquel 10 mediodía de agosto en que le aconteció toparse con un miliciano, y —su única aventura durante la guerra toda—, antes de que él fuera a matarle, lo dejó en el sitio con dos balazos.

III   A partir de ahí, la guerra —lo que para el teniente Santolalla estaba siendo la guerra: aquella espera vacía, inútil, que al principio le 15 trajera[34] a la boca el sabor delicioso de remotas vacaciones y que, después, aun en sus horas más negras, había sabido conllevar hasta entonces como una más de tantas incomodidades que la vida tiene, como cualquier especie de enfermedad pasajera, una gripe, contra la que no hay sino esperar que buenamente pase— comenzó a hacérsele insufrible de todo punto[35]. Se 20 sentía sacudido de impaciencias, irritable; y si al regresar de su aventura le sostenía la emocionada satisfacción de haberle dado tan fácil remate, luego, los documentos del miliciano dejados sobre la mesa, el aburrido transcurso de los días siguientes, el curioseo constante, le producían un insidioso malestar, y, en fin, lo encocoraban las bromas que más tarde 25 empezaron a permitirse algunos a propósito del olor. La primera vez que el olor se notó, sutilmente, todo fueron conjeturas[36] sobre su posible origen: venía, se insinuaba, desaparecía; hasta que alguien recordó al miliciano muerto ahí abajo por mano del teniente Santolalla y, como si ello tuviese muchísima gracia, explotó una risotada general. 30

También fue en ese preciso momento y no antes cuando Pedro Santolalla vino a caer en la cuenta de por qué desde hacía rato, extrañamente, quería

---

[33] **cuando menos:** at least.
[34] **trajera** = había traído.
[35] **comenzó... punto:** was becoming completely unbearable.
[36] **todo fueron conjeturas:** there was nothing but conjecture.

insinuársele en la memoria el penoso y requeteolvidado final de su perra
Chispa; sí, eso era: el olor, el dichoso olor... Y al aceptar de lleno el
recuerdo que lo había estado rondando, volvió a inundarle ahora, sin
atenuaciones, todo el desamparo que en aquel entonces anegara su corazón
5 de niño. ¡Qué absurdo! ¿Cómo podía repercutir así en él, al cabo del
tiempo y en medio de tantas desgracias, incidente tan minúsculo como la
muerte de ese pobre animalito? Sin embargo, recordaba con preciso dolor
y en todas sus circunstancias la desaparición de Chispa. A la muy pícara
le había gustado siempre escabullirse y hacer correrías misteriosas, para
10 volver horas después a casa; pero en esta ocasión parecía haberse perdido:
no regresaba. En familia, se discutieron las escapatorias del chucho, dando
por seguro, al principio, su vuelta, y prometiéndole castigos, cerrojos,
cadena; desesperando luego con inquietud. El, sin decir nada, la había
buscado por todas partes, había hecho rodeos al ir para el colegio y a la
15 salida, por si la suerte quería ponerla al alcance de sus ojos; y su primera
pregunta al entrar, cada tarde, era, anhelante, si la Chispa no había vuelto... "¿Sabes que he visto a tu perro?", le notificó cierta mañana en la
escuela un compañero. (Con indiferencia afectada y secreta esperanza, se
había cuidado él de propalar allí el motivo de su cuita.) "He visto a tu
20 perro" —le dijo; y, al decírselo, lo observaba con ojo malicioso. "¿De
veras?" —profirió él, tratando de apaciguar la ansiedad de su pecho.
"¿Y dónde?" "Lo vi ayer tarde, ¿sabes?, en el callejón de San Andrés."
El callejón de San Andrés era una corta calleja entre tapias, cortada al
fondo por la cerca de un huerto. "Pero... —vaciló Santolalla, desani-
25 mado—, Yo iría a buscarlo; pero... ya no estará allí." "¿Quién sabe?
Puede que todavía esté allí", aventuró el otro con sonrisa reticente. "Sí
—añadió—; lo más fácil es que todavía no lo hayan recogido." "¿Cómo?",
saltó él, pálida la voz y la cara, mientras su compañero, después de una
pausa, aclaraba, tranquilo, calmoso, con ojos chispeantes: "Sí, hombre;
30 estaba muerto —y admitía, luego—: Pero ¡a lo mejor no era tu perro!
A mí, ¿sabes?, me pareció; pero a lo mejor no era." Lo era, sí. Pedro Santolalla había corrido hasta el callejón de San Andrés, y allí encontró a su
Chispa, horrible entre una nube de moscas; el hedor no le dejó acercarse.
"¿Era por fin tu perro?", le preguntó al día siguiente el otro muchacho.
35 Y agregó: "Pues, mira: yo sé quién lo ha matado." Y, con muchas vueltas[37] mentirosas, le contó una historia: a pedradas, lo habían acorralado
allí unos grandullones, y como, en el acoso, el pobre bicho tirase a uno de

---

[37] **vueltas**: *here* embellishments.

ellos una dentellada,[38] fue el bárbaro a proveerse de garrotes y, entre todos, a palo limpio . . .[39] "Pero chillaría mucho; los perros chillan muchísimo." "Me figuro yo cómo chillaría, en medio de aquella soledad." "Y tú, ¿tú cómo lo has sabido?" "Ah, eso no te lo puedo decir." "¿Es que lo viste, acaso?" Empezó con evasivas, con tonterías, y por último dijo que todo habían sido suposiciones suyas, al ver la perra deslomada; Santolalla no consiguió sacarle una palabra más. Llegó, pues, deshecho a su casa; no refirió nada; tenía un nudo en la garganta; el mundo entero le parecía desabrido, desolado —y en ese mismo estado de ánimo se encontraba ahora, de nuevo, recordando a su Chispa muerta bajo las ramas de un cerezo, en el fondo del callejón—. ¡Era el hedor! El hedor, sí; el maldito hedor. Solamente que ahora provenía de un cadáver mucho más grande, el cadáver de un hombre, y no hacía falta averiguar quién había sido el desalmado que lo mató.

—¿Para qué lo mató, mi teniente? —preguntaba, compungido, aquel bufón de Iribarne por hacerse el chistoso—. Usted, que tanto se enoja cada vez que a algún caballero oficial se le escapa una pluma . . .[40] —y se pinzaba la nariz con dos dedos—miren lo que vino a hacer . . . ¿Verdad, mi capitán, que el teniente Santolalla hubiera hecho mejor trayéndomelo a mí? Yo lo pongo de esclavo a engrasar las botas de los oficiales, y entonces iban a ver cómo no tenían ustedes queja de mí.

—Cállate, imbécil —le ordenaba Santolalla. Pero como el capitán se las reía, aquel necio volvía pronto a sus patochadas.

Enterraron, pues, y olvidaron al miliciano; pero, con esto, a Santolalla se le había estropeado el humor definitivamente. La guerra comenzó a parecerle una broma ya demasiado larga, y sus compañeros se le hacían insoportables, inaguantables de veras, con sus bostezos, sus "plumas"[41] —como decía ese majadero de Iribarne— y sus eternas chanzas. Había empezado a llover, a hacer frío, y aunque tuviera ganas, que no las tenía, ya no era posible salir del puesto de mando. ¿Qué hubiera ido a hacer fuera? Mientras los otros jugaban a las cartas, él se pasaba las horas muertas en su camastro, vuelto hacia la pared y —entre las manos, para evitar que le molestaran, una novela de Sherlock Holmes cien veces leída— barajaba, a solas consigo mismo, el tema de aquella guerra interminable, sin otra variación, para él, que el desdichado episodio del miliciano muerto en la

---

[38] **como, en el . . . dentellada:** as the poor beast snapped at one of them.
[39] **a palo limpio:** blows.
[40] **cada vez . . . pluma:** every time some gentleman official breaks wind.
[41] **con sus bostezos, sus "plumas":** with their yawning, their "wind".

viña. Se representaba irrisoriamente su única hazaña militar: "He matado
—pensaba— a un hombre, he hecho una baja al enemigo. Pero lo he matado, no combatiendo, sino como se mata a un conejo en el campo. Eso
ha sido, en puridad: he matado a un gazapo, como bien me dijo ése." Y
5 de nuevo escuchaba el timbre de voz de Molina, el capitán Molina, dicién-
dole después de haber examinado con aire burocrático (el empleado
de correos, bajo uniforme militar) los documentos de Anastasio López
Rubielos, natural de Toledo: " . . . parece que has cazado un gazapo de tu
propia tierra." Y por enésima vez volvía a reconstruir la escena allá abajo,
10 en la viña: el bulto que de improviso se yergue, y él que se lleva un repullo,
y mata al miliciano cuando el desgraciado tipo está diciendo: "¡No,
no . . ." "¿Que no? ¡Toma!" Dos balas a la barriga . . . En defensa de la
propia vida, por supuesto . . . Pero ¡qué defensa!; bien sabía que no era
así. Si el infeliz muchacho no había tenido tiempo siquiera de echar mano
15 al fusil; si lo había pillado desapercibido, y le miraba, paralizado, sosteniendo todavía entre los dedos el rabo del racimo de uvas que en seguida
rodaría por tierra . . . No; en verdad no hubiera tenido necesidad alguna
de matarlo: ¿no podía acaso haberle mandado levantar las manos y, así,
apoyada la pistola en sus riñones, traerlo hasta el puesto como prisionero?
20 ¡Claro que sí! Eso es lo que hubiera debido hacer; no dejarlo allí tendido
. . . ¿Por qué no lo hizo? En ningún instante había corrido efectivo riesgo,
pese a cuanto pretendiera sugerir luego a sus compañeros relatándoles el
suceso; en ningún instante. Por lo tanto, lo había matado a mansalva, lo
había asesinado, sencillamente, ni más ni menos que los moros aquellos
25 que, al entrar en Toledo, degollaban a los heridos en las camas del hospital.
Cuando eso era obra ajena, a él lo dejaba perplejo, estupefacto, lo dejaba
agarrotado de indignación; siendo propia, todavía encontraba disculpas,
y se decía: en defensa de la vida; se decía: quizás —¿cómo iba yo a saberlo?— el individuo no estaba solo; se decía: en todo caso, era un ene-
30 migo . . . Era un pobre chico —eso es lo que era—, tal vez un simple recluta que andaba por ahí casualmente, "divirtiéndose, como yo, en coger
uvas; una criatura tan inerme bajo el cañón de mi pistola como los heridos
que en el hospital de Toledo gritarían: ¡No, no! bajo las gumías de los
moros. Y yo disparé mi pistola, dos veces, lo derribé, lo dejé muerto, y
35 me volví tan satisfecho de mi heroicidad". Se veía a sí mismo contar lo
ocurrido afectando quitarle importancia —alarde y presunción, una manera como otra cualquiera de énfasis—, y ahora le daba asco[42] su actitud,

---

[42] **le da ba asco:** was revolting to him.

pues ... "Lo cierto es —se decía— que, con la sola víctima por testigo, he asesinado a un semejante, a un hombre ni mejor ni peor que yo; a un muchacho que, como yo, quería comerse un racimo de uvas; y por ese gran pecado le he impuesto la muerte." Casi era para él un consuelo pensar que había obrado, en el fondo, a impulsos del miedo; que su heroicidad había sido, literalmente, un acto de cobardía ... Y vuelta a lo mismo una vez y otra.[43]

En aquella torturada ociosidad, mientras estaba lloviendo afuera, se disputaban de nuevo su memoria episodios remotos que un día hirieran su imaginación infantil y que, como un poso revuelto, volvían ahora cuando los creía borrados, digeridos. Frases hechas como ésta: "herir la imaginación", o "escrito con sangre", o "la cicatriz del recuerdo", tenían en su caso un sentido bastante real, porque conservaban el dolor quemante del ultraje, el sórdido encogimiento de la cicatriz, ya indeleble, capaz de reproducir siempre, y no muy atenuado, el bochorno, la rabia de entonces, acrecida aún por la soflama de su actual ironía. Entre tales episodios "indeseables" que ahora lo asediaban, el más asiduo en estos últimos meses de la guerra era uno —él lo tenía etiquetado bajo el nombre de "episodio Rodríguez"— que, en secreto, había amargado varios meses de su niñez. ¡Por algo[44] ese apellido, Rodríguez, le resultó siempre, en lo sucesivo,[45] antipático, hasta el ridículo extremo de prevenirle contra cualquiera que lo llevase! Nunca podría ser amigo, amigo de veras, de ningún Rodríguez; y ello, por culpa de aquel odioso bruto, casi vecino suyo, que, parado en el portal de su casucha miserable ... —ahí lo veía aún, rechoncho, más bajo que él, sucias las piernotas y con una gorra de visera encima del rapado melón, espiando su paso hacia el colegio por aquella calle de la amargura, para, indefectiblemente, infligirle alguna imprevisible injuria—. Mientras no pasó de canciones alusivas,[46] remedos y otras burlas —como el día en que se puso a andar por delante de él con un par de ladrillos bajo el brazo imitando sus libros— fue posible, con derroche de prudencia, el disimulo; pero llegó el lance de las bostas ... Rodríguez había recogido dos o tres bolondrones al verle asomar por la esquina; con ellos en la mano, aguardó a tenerlo a tiro[47] y ... él lo sabía, lo estaba viendo, lo veía en su cara taimada, lo esperaba, y pedía en su interior:[48]

---

[43] **Y vuelta ... otra:** And the same thing over and over.
[44] **Por algo = Por eso:** That's the reason why.
[45] **en lo sucesivo:** in the future
[46] **Mientras no ... alusivas:** As long as it didn't go beyond allusive stories.
[47] **a tenerlo a tiro:** to have him within range.
[48] **en su interior:** silently.

¡que no se atreva! ¡que no se atreva!; pero se atrevió: le tiró al sombrero
una de aquellas doradas inmundicias, que se deshizo en rociada infamante
contra su cara. Y todavía dice: "¡Toma, señoritingo!" ... A la fecha,
aún sentía el teniente Santolalla subírsele a las mejillas la vergüenza, el
5 grotesco de la asquerosa lluvia de oro sobre su sombrerito de niño...
Volviose y, rojo de ira, encaró a su adversario; fue hacia él, dispuesto a
romperle la cara; pero Rodríguez lo veía acercarse, imperturbable, con
una sonrisa en sus dientes blancos, y cuando lo tuvo cerca, de improviso,
¡zas!, lo recibió con un puntapié entre las ingles, uno solo, atinado y seco,
10 que le quitó la respiración, mientras de su sobaco se desprendían los libros,
deshojándose por el suelo. Ya el canalla se había refugiado en su casa,
cuando, al cabo de no poco rato, pudo reponerse... Pero, con todo, lo
más aflictivo fue el resto: su vuelta, su congoja, la alarma de su madre, el
interrogatorio del padre, obstinado en apurar todos los detalles y, luego,
15 en las horas siguientes, el solitario crecimiento de sus ansias vengativas.
"Deseo", "anhelo", no son las palabras; más bien habría que decir: una
necesidad física tan imperiosa como el hambre o la sed, de traerlo a casa,
atarlo a una columna del patio y, ahí, dispararle un tiro con el pesado revól-
ver del abuelo. Esto es lo que quería con vehemencia imperiosa, lo que
20 dolorosamente necesitaba; y cuando el abuelo, de quien se prometía esta
justicia, rompió a reir acariciándole la cabeza, se sintió abandonado del
mundo.

Habían pasado años, había crecido, había cursado su bachillerato; después, en Madrid, filosofía y letras; y, con intervalos mayores o menores,
25 nunca había dejado de cruzarse con su enemigo, también hecho un hombre.
Se miraban al paso,[49] con simulada indiferencia, se miraban como desconocidos, y seguían adelante; pero ¿acaso no sabían ambos?... Y ¿qué
habrá sido del tal Rodríguez en esta guerra?, se preguntaba de pronto
Santolalla, representándose horrores diversos —los moros, por ejemplo,
30 degollando heridos en el hospital—; se preguntaba: si tuviera yo en mis
manos ahora al detestado Rodríguez, de seguro lo dejo escapar... Se
complacía en imaginarse a Rodríguez a su merced, y él dejándolo ir, indemne. Y esta imaginaria generosidad le llenaba de un placer muy efectivo;
pero no tardaba en estropeárselo, burlesca, la idea del miliciano, a quien,
35 en cambio, había muerto sin motivo ni verdadera necesidad. "Por supuesto
—se repetía—, que si él hubiera podido me mata[50] a mí; era un enemigo.

---

[49] **se miraban al paso:** they looked at each other in passing.
[50] **mata = habría matado.**

falta de
autenciodad en las
personas

He cumplido, me he limitado a cumplir mi estricto deber, y nada más."
Nadie, nadie había hallado nada de vituperable en su conducta; todos
la habían encontrado naturalísima, y hasta digna de loa ... ¿Entonces?,
se preguntaba, malhumorado. A Molina, el capitán de la compañía, le
interrogó una vez, como por curiosidad: "Y con los prisioneros que se   5
mandan a retaguardia, ¿qué hacen?". Molina le había mirado un momento;
le había respondido: "Pues ... ¡no lo sé! ¿Por qué? Eso dependerá."
¡Dependerá!, le había respondido su voz llena y calmosa. Con gente así
¡cómo seguir una conversación, cómo hablar de nada! A Santolalla le
hubiera gustado discutir sus dudas con alguno de sus compañeros; dis-   10
cutirlas ¡se entiende! en términos generales, en abstracto, como un problema académico. Pero ¿cómo? ¡si aquello no era problema para nadie!
"Yo debo de ser un bicho raro"; todos allí lo tenían por un bicho raro;
se hubieran reído de sus cuestiones; "éste —hubieran dicho— se complica
la existencia con tonterías". Y tuvo que entregarse más bien a meras con-   15
jeturas sobre cómo apreciaría el caso, si lo conociera, cada uno de los suyos, de sus familiares, empleando rato y rato en afinar las presuntas reacciones: el orgullo del abuelo, que aprobaría su conducta (¿incluso —se
preguntaba— si se le hacía ver cuán posible hubiera sido hacer prisionero
al soldado enemigo?); que aprobaría su conducta sin aquilatar demasiado,   20
pero que, en su fondo, encontraría sorprendente, desproporcionada la
hazaña, y como impropia de su Pedrito; el susto de la madre, contenta en
definitiva de tenerlo sano y salvo después del peligro; las reservas y dis-
tingos, un poco irritantes, del padre, escrutándolo con tristeza a través
de sus lentes y queriendo sondearle el corazón hasta el fondo; y luego,   25
las majaderías del cuñado, sus palmadas protectoras en la espalda, todo
bambolla él, y alharaca; la aprobación de la hermana, al sentirle a la par de
ellos.
    Como siempre, después de pensar en sus padres, a Santolalla se le ex-
asperó hasta lo indecible el aburrimiento de la guerra.[51] Eran ya muchos   30
meses, años; dos años hacía ya que estaba separado de ellos, sin verlos,
sin noticias precisas de su suerte, y todo —pensaba—, todo por el cálculo
idiota de que Madrid caería en seguida. ¡Qué de[52] privaciones, qué de
riesgos allá, solos!
    Pero a continuación se preguntó, exaltadísimo: "¿Con qué derecho me   35
quejo yo de que la guerra se prolongue y dure, si estoy aquí, pasándome,

---

[51] **a Santolalla ... guerra**: Santolalla was unspeakably exasperated by the boredom
    of the war.
[52] **¡Qué de ... !**: What ... !   *hombre masa*

con todos estos idiotas y emboscados, la vida birlonga, mientras otros luchan y mueren a montones?" Se preguntó eso una vez más, y resolvió, "sin vuelta de hoja",[53] "mejor hoy que mañana", llevar a la práctica,[54] "ahora mismo, sí", lo que ya en varias ocasiones había cavilado: pedir su
5 traslado como voluntario a una unidad de choque. (¡La cara que pondría el abuelo al saberlo!) Su resolución tuvo la virtud de cambiarle el humor. Pasó el resto del día silbando, haciendo borradores, y, por último, presentó su solicitud en forma[55] por la vía jerárquica.

El capitán Molina le miró con curiosidad, con sospecha, con algo de
10 sorna, con embarazo.

—¿Qué te ha entrado, hombre?

—Nada; que estoy ya harto de estar aquí.

—Pero, hombre, si esto se está acabando;[56] no hagas tonterías.

—No es una tontería. Ya estoy cansado —confirmó él, sonriendo:
15 una sonrisa de disculpa.

Todos lo miraron como a un bicho raro. Iribarne le dijo:

—Parece que el teniente Santolalla le ha tomado gusto al "tomate".[57]

El no contestó; le miró despectivamente.

—Pero, hombre, si la guerra ya se acaba —repitió el capitán todavía.
20 Diose curso a la solicitud, y Santolalla, tranquilizado y hasta alegre, quedó a la espera[58] del traslado.

Pero, entre tanto, se precipitaba el desenlace: llegaron rumores, hubo agitación, la campaña tomó por momentos el sesgo de una simple operación de limpieza, los ejércitos republicanos se retiraban hacia Francia, y
25 ellos, por fin, un buen día, al amanecer, se pusieron también en movimiento y avanzaron sin disparar un solo tiro.

La guerra había terminado.

IV   Al levantarse y abrir los postigos de su alcoba, se prometió Santolalla: "¡No! ¡De hoy no pasa!"[59] Hacía una mañana fresquita, muy
30 azul; la mole del Alcázar, en frente, se destacaba, neta, contra el cielo . . .

---

53 **sin vuelta de hoja:** without delay.
54 **llevar a la práctica:** to do.
55 **en forma:** in the proper way.
56 **si esto se está acabando:** this is coming to an end.
57 **le ha tomado . . . "tomate":** has come to like bloody activity.
58 **quedó a la espera del = esperó el.**
59 **¡De hoy no pasa!:** It won't go beyond today!

De hoy no pasaba —se repitió, dando cuerda a su reloj de pulsera—. Iría al Instituto, daría su clase de geografía y, luego, antes de regresar para el almuerzo, saldría ya de eso; de una vez, saldría del compromiso. Ya era hora: se había concedido tiempo, se había otorgado prórrogas, pero ¿con qué pretexto postergaría más ese acto piadoso a que se había compro- 5 metido solemnemente delante de su propia conciencia? Se había comprometido consigo mismo a visitar a la familia de su desdichada víctima, de aquel miliciano, Anastasio López Rubielos, con quien una suerte negra le llevó a tropezarse, en el frente de Aragón, cierta tarde de agosto del año 38. El 41 corría ya, y aún no había cumplido aquella especie de peniten- 10 cia que se impusiera, creyendo tener que allanar dificultades muy ásperas, apenas terminada la guerra. "He de buscar —fue el voto que formuló entonces en su fuero interno—,[60] he de buscar a su familia; he de averiguar quiénes son, dónde viven, y haré cuanto pueda por procurarles algún alivio." Pero, claro está, antes que nada[61] debió ocuparse 15 de su propia familia, y también ¡caramba! de sí mismo.

Apenas obtenida licencia, lo primero fue, pues, volar hacia sus padres. Sin avisar y ¡cosa extraña! moroso y desganado en el último instante, llegó a Madrid; subió las escaleras hasta el piso de su hermana donde ellos se alojaban y, antes de haber apretado el timbre, vio abrirse la puerta: 20 desde la oscuridad, los lentes de su padre le echaron una mirada de terror y, en seguida, de alegría; cayó en sus brazos y, entre ellos, le oyó susurrar: "¡Me has asustado, chiquillo, con el uniforme ése!" Dentro del abrazo, que no se deshacía, que duraba, Santolalla se sintió agonizar: la mirada de su padre —un destello— ¿no había sido, en la cara fina del hombre 25 cultivado y maduro, la misma mirada del miliciano pasmado a quien él sorprendió en la viña para matarlo? Y, dentro del abrazo, se sintió extraño, espantosamente extraño, a aquel hombre cultivado y maduro. Como agotado, exhausto, Santolalla se dejó caer en la butaquita de la antesala... "Me has asustado, chiquillo"... Pero ahora ¡cuánta confianza había 30 en la expresión de su padre!, flaco, avejentado, muy avejentado, pero contento de tenerlo ante sí, y sonriente. El también, a su vez, lo contemplaba con pena. Inquirió: "¿Mamá?" Mamá había salido; venía en seguida; habían salido las dos, ella y su hermana, a no sabía qué.[62] Y de nuevo se quedaron callados ambos, frente a frente. 35

---

[60] **en su fuero interno:** in his heart of hearts.
[61] **antes que nada:** before anything else.
[62] **a no sabía qué:** he didn't know for what.

La madre fue quien, como siempre, se encargó de ponerle al tanto,[63] conversando a solas, de todo. "No me pareces el mismo, hijo querido —le decía, devorándolo con los ojos, apretándole el brazo—; estás cambiado, cambiado." Y él no contestaba nada: observaba su pelo encanecido, la espalda vencida —una espalda, ya, de vieja—, el cuello flaco; y se le oprimía el pecho.[64] También le chocaba penosamente aquella emocionada locuacidad de quien era todo aplomo antes, noble reserva... Pero esto fue en el primer encuentro; después la vio recuperar su sensatez —aunque, eso sí, estuviera, la pobre, ya irremediablemente quebrantada— cuando se puso a informarle con detalle de cómo habían vivido, cómo pudieron capear los peores temporales, "gracias a que las amistades de tu padre —explicaba— contrarrestaron el peligro a que nos dejó expuestos la fuga de tu cuñado"... Durante toda la guerra había trabajado el padre en un puesto burocrático del servicio de abastecimientos; "pero, hijo, ahora, otra vez, ¡imagínate!... En fin —concluyó—, de aquí en adelante[65] ya estaremos más tranquilos: oficial tú y, luego, con tu abuelo al quite..."[66] El abuelo seguía tan terne:[67] ¡Qué temple, hijito!; un poco más apagado, quizás; tristón, pero siempre el mismo.

Santolalla le contó a su madre la aventura con el miliciano; se decidió a contársela; estaba ansioso por contársela. Comenzó el relato como quien, sin darle mayor importancia, refiere una peripecia curiosa acentuando más bien en ella los aspectos de azar y de riesgos; pero notó pronto en el susto de sus ojos que percibía todo el fondo pesaroso, y ya no se esforzó por disimular: siguió, divagatorio, acuitado, con su tema adelante. La madre no decía nada, ni él necesitaba ya que dijese; le bastaba con que lo escuchara. Pero cuando, en la abundancia de su desahogo, se sacó del bolsillo los documentos de Anastasio y le puso ante la cara el retrato del muchacho, palideció ella, y rompió en sollozos. ¡Ay, Señor!, ¿dónde había ido a parar su antigua fortaleza? Se abrazaron, y la madre aprobó con vehemencia el propósito que, apresuradamente, le revelaba él de acercarse a la familia del miliciano y ofrecerle discreta reparación. "¡Sí, sí, hijo mío; sí!"

Mas, antes de llevarlo a cabo, tuvo que proveer a su propia vida. Arregló lo de la cátedra en el Instituto de Toledo, fue desmovilizado del

---

[63] **ponerle al tanto:** to bring him up to date.
[64] **se le oprimía el pecho:** it broke his heart.
[65] **de aquí en adelante:** from now on.
[66] **al quite:** ready to help you.
[67] **El abuelo ... terne:** The grandfather continued being stubborn.

ejército, y —a Dios gracias —consiguieron verse al fin, tras de no pocas historias, reunidos todos de nuevo en la vieja casa. Tranquilo, pues, ya, en un curso de existencia normal, trazó ahora Pedro Santolalla un programa muy completo de escalonadas averiguaciones, que esperaba laboriosas, para identificar y localizar a esa pobre gente: el padrón, el antiguo censo   5
electoral, la capitanía general, la oficina de cédulas personales, los registros y fichas de policía . . . Mas no fue menester tanto; el camino se le mostró tan fácil como sólo la casualidad puede hacerlo; y así, a las primeras diligencias dio en seguida con el nombre de Anastasio López Rubielos, comprobó que los demás datos coincidían y anotó el domicilio. Sólo fal-   10
taba, por lo tanto, decidirse a poner en obra lo que se tenía prescrito.

"¡De hoy no pasa!", se había dicho aquella mañana, contemplando por el balcón el día luminoso. No había motivo ya, ni pretexto para postergar la ejecución de su propósito. La vida había vuelto a entrar, para él, en cauces de estrecha vulgaridad; igual que antes de la guerra, sino que ahora   15
el abuelo tenía que emplear su tiempo sobrante, que lo era todo, en pequeñas y —con frecuencia —vejatorias gestiones relacionadas con el aceite, con el pan, con el azúcar; el padre, pasarse horas y horas copiando con su fina caligrafía escrituras para un notario; la madre, azacaneada todo el día, y suspirona; y él mismo, que siempre había sido taciturno, más calla-   20
do que nunca, malhumorado con la tarea de sus clases de geografía y las nimias intrigas del Instituto. ¡No; de hoy no pasaba! Y ¡qué aliviado iba a sentirse cuando se hubiera quitado de una vez ese peso de encima! Era, lo sabía, una bobada ("soy un bicho raro"): no había quien tuviera semejantes escrúpulos; pero . . . ¡qué importaba! Para él sería, en todo   25
caso, un gran alivio. Sí, no pasaba de hoy.

Antes de salir, abrió el primer cajón de la cómoda, esta vez para echarse al bolsillo los malditos documentos, que siempre le saltaban a la vista desde allí cuando iba a sacar un pañuelo limpio; y, provisto de ellos, se echó a la calle. ¡Valiente[68] lección de geografía fue la de aquella mañana!   30
Apenas la hubo terminado, se encaminó, despacio, hacia las señas que, previamente, tuviera buen cuidado de explorar: una casita muy pobre, de una sola planta, a mitad de una cuesta, cerca del río, bien abajo.

Encontró abierta la puerta; una cortina de lienzo, a rayas, estaba descorrida para dejar que entrase la luz del día, y desde la calle podía verse, quieto   35
en un sillón, inmóvil, a un viejo, cuyos pies calentaba un rayo de sol sobre el suelo de rojos ladrillos. Santolalla adelantó hacia dentro una ojeada

---

[68] **Valiente**: *ironic* Fine.

temerosa y, tentándose en el bolsillo el carnet de Anastasio, vaciló primero y, en seguida, un poco bruscamente, entró en la pieza. Sin moverse, puso el viejo en él sus ojillos azules, asustados, ansiosos. Parecía muy viejo, todo lleno de arrugas; su cabeza, cubierta por una boina, era grande:
5 enormes, traslúcidas, sus orejas; tenía en las manos un grueso bastón amarillo.

Emitió Santolalla un "¡Buenos días!", y notó velada su propia voz. El viejo cabeceaba, decía: "¡Sí, sí!"; parecía buscar con la vista una silla que ofrecerle. Sin darse cuenta, Santolalla siguió su mirada alrededor de
10 la habitación: había una silla, pero bajita, enana; y otra, con el asiento hundido. Mas ¿por qué había de sentarse? ¡Qué tontería! Había dicho: "¡Buenos días!" al entrar; ahora agregó:

—Quisiera hablar con alguno de la familia —interrogó—: La familia de Anastasio López Rubielos ¿vive aquí?
15 Se había repuesto; su voz sonaba ya firme.

—Rubielos, sí: Rubielos —repetía el viejo.

Y él insistió en preguntarle:

—Usted, por casualidad, ¿es de la familia?

—Sí, sí, de la familia —asentía.
20 Santolalla deseaba hablar, hubiera querido hablar con cualquiera menos con este viejo.[69]

—¿Su abuelo? —inquirió todavía.

—Mi Anastasio —dijo entonces con rara seguridad el abuelo—, mi Anastasio ya no vive aquí.
25 —Pues yo vengo a traerles a ustedes noticias del pobre Anastasio —declaró ahora, pesadamente, Santolalla. Y, sin que pudiera explicar cómo, se dio cuenta en ese instante mismo de que, más adentro, desde el fondo oscuro de la casa, alguien lo estaba acechando. Dirigió una mirada furtiva hacia el interior, y pudo discernir en la penumbra una puerta entornada;
30 nada más. Alguien, de seguro, lo estaba acechando, y él no podía ver quién.

—Anastasio —repitió el abuelo con énfasis (y sus manos enormes se juntaron sobre el bastón, sus ojos tomaron una sequedad eléctrica)—. Anastasio ya no vive aquí: no, señor. —Y agregó en voz más baja: —Nunca volvió.
35 —Ni volverá —notificó Santolalla. Todo lo tenía pensado, todo preparado. Se obligó a añadir: —Tuvo mala suerte Anastasio: murió en la guerra; lo mataron. Por eso vengo yo a visitarles ...

---

[69] **hubiera querido ... viejo:** he would have wished to speak with anyone except this old man.

Estas palabras las dijo lentamente, secándose las sienes con el pañuelo.

—Sí, sí, murió —asentía el anciano; y la fuerte cabeza llena de arrugas se movía, afirmativa, convencida—; murió, sí, el Anastasio. Y yo, aquí, tan fuerte, con mis años: yo no me muero.

Empezó a reírse. Santolalla, tonto, turbado, aclaró:

—Es que a él lo mataron.

No se hubiera sentido tan incómodo, pese a todo, sin la sensación de que lo estaban espiando desde adentro. Pensaba, al tiempo de echar otra mirada de reojo al interior: "Es estúpido que yo siga aquí. Y si quisiera, en cualquier momento podría irme: un paso, y ya estoy en la calle, en la esquina." Pero no, no se iría: ¡quieto! Estaba agarrotado, violento, allí, parado delante de aquel viejo chocho; pero ya había comenzado, y seguiría. Siguió, pues, tal como se lo había propuesto: contó que él había sido compañero de Anastasio; que se habían encontrado y trabado amistad en el frente de Aragón, y que a su lado estaba, precisamente, cuando vino a herirle de muerte una bala enemiga; que, entonces, él había recogido de su bolsillo este documento... Y extrayendo del suyo el carnet, lo exhibió ante la cara del viejo.

En ese preciso instante irrumpió en la saleta, desde el fondo, una mujer corpulenta, morena, vestida de negro; se acercó al viejo y, dirigiéndose a Santolalla:

—¿De qué se trata? ¡Buenos días! —preguntó.

Santolalla le explicó en seguida, como mejor pudo, que durante la guerra había conocido a López Rubielos, que habían sido compañeros en el frente de Aragón; que allí habían pasado toda la campaña: un lugar, a decir verdad, bastante tranquilo; y que, sin embargo, el pobre chico había tenido la mala pata de que una bala perdida,[70] quién sabe cómo...

—Y a usted ¿no le ha pasado nada?— le preguntó la mujer con cierta aspereza, mirándolo de arriba abajo.

—¿A mí? A mí, por suerte, nada. ¡Ni un rasguño, en toda la campaña!

—Digo,[71] después —aclaró, lenta, la mujerona.

Santolalla se ruborizó; respondió, apresurado:

—Tampoco después... Tuve suerte ¿sabe? Sí, he tenido bastante suerte.

—Amigos habrá tenido[72] —reflexionó ella, consultando la apariencia de Santolalla, su traje, sus manos.

---

[70] **había tenido ... perdida:** had been unfortunate enough for a stray bullet.
[71] **Digo:** I mean.
[72] **Amigos habrá tenido:** He must have had friends.

El le entregó el carnet que tenía en una de ellas, preguntándole:

—¿Era hijo suyo?

La mujer ahora, se puso a mirar el retrato muy despacio; repasaba el texto impreso y manuscrito; lo estaba mirando y no decía nada.

5   Pero al cabo de un rato se lo devolvió, y fue a traerle una silla: entre tanto, Santolalla y el viejo se observaban en silencio. Volvió ella, y mientras colocaba la silla en frente, reflexionó con voz apagada:

—¡Una bala perdida! ¡Una bala perdida! Esa no es una muerte mala. No, no es mala; ya hubieran querido morir así su padre y su otro hermano:
10   con el fusil empuñado, luchando. No es ésa mala muerte, no. ¿Acaso no hubiera sido peor para él que lo torturasen, que lo hubiesen matado como a un conejo? ¿No hubiera sido peor el fusilamiento, la horca?... Si aun temía yo que no hubiese muerto y todavía me lo tuvieran...[73]

Santolalla, desmadejado, con la cabeza baja y el carnet de Anastasio en
15   la mano, colgando entre sus rodillas, oía sin decir nada aquellas frases oscuras.

—Así, al menos —prosiguió ella, sombría— se ahorró lo de después;[74] y, además, cayó el pobrecito en medio de sus compañeros, como un hombre, con el fusil en la mano... ¿Dónde fue? En Aragón, dice usted.
20   ¿Qué viento le llevaría hasta allá? Nosotros pensábamos que habría corrido la ventolera de Madrid. ¿Hasta Aragón fue a dejarse el pellejo?

La mujer hablaba como para sí misma, con los ojos puestos en los secos ladrillos del suelo. Quedóse callada y, entonces, el viejo, que desde hacía rato intentaba decir algo, pudo preguntar:

25   —¿Allí había bastante?

—¿Bastante de qué? —se afanó Santolalla.

—Bastante de comer —aclaró, llevándose hacia la boca, juntos, los formidables dedos de su mano.

—¡Ah, sí! Allí no nos faltaba nada. Había abundancia. No sólo de lo
30   que nos daba la Intendencia —se entusiasmó, un poco forzado— sino también —y recordó la viña— de lo que el país produce.

La salida del abuelo le había dado un respiro; en seguida temió que a la mujer le extrañase la inconveniente puerilidad de su respuesta. Pero ella, ahora, se contemplaba las manos enrojecidas, gordas, y parecía abis-
35   mada. Sin aquella su mirada reluciente y fiera resultaba una mujer traba-

---

[73] **Si aun... tuvieran:** I was even afraid that he hadn't died and that they (the Fascists) were keeping him.

[74] **se ahorró lo de después:** he saved himself from what could have happened next (torture, firing squad, etc.).

jada, vulgar, una pobre mujer, como cualquiera otra. Parecía abismada.

Entonces fue cuando se dispuso Pedro Santolalla a desplegar la parte más espinosa de su visita: quería hacer algo por aquella gente, pero temía ofenderlos; quería hacer algo, y tampoco era mucho lo que podría hacer; quería hacer algo, y no aparecer ante sí mismo, sin embargo, como quien, logrero, rescata a bajo precio una muerte.[75] Pero ¿por qué quería hacer algo? y ¿qué podría hacer?

—Bueno —comenzó penosamente; sus palabras se arrastraban, sordas —; bueno, voy a rogarles que me consideren como un compañero... como el amigo de Anastasio...

Pero se detuvo; la cosa le sonaba a burla.[76] "¡Qué cinismo!", pensó; y aunque para aquellos desconocidos sus palabras no tuvieran las resonancias cínicas que para él mismo tenían... no podían tenerlas, ellos no sabían nada... ¿cómo no les iba a chocar este "compañero" bien vestido que, con finos modales, con palabras de profesor de Instituto, venía a contarles...? Y ¿cómo les contaría él toda aquella historia adobada, y los detalles complementarios de *después,* ciertos en lo externo:[77] que él, ahora, estaba en posición relativamente desahogada, que se encontraba en condiciones de echarles una mano, según sus necesidades, en recuerdo de...? Esto era miserable, y estaba muy lejos de las escenas generosas, llenas de patetismo, que tantas veces se había complacido en imaginar con grandes variantes, sí, pero siempre en forma tan conmovedora que, al final, se sorprendía a sí mismo, indefectiblemente, con lágrimas en los ojos. Llorar, implorar perdón, arrodillarse ante ellos (unos "ellos" que nada se parecían a "éstos"[78]), quienes, por supuesto, se apresuraban a levantarlo y confortarlo, sin dejarle que les besara las manos —escenas hermosas y patéticas...—. Pero ¡Señor!, ahora, en lugar de eso, se veía aquí, señorito bien portado delante de un viejo estúpido y de una mujer abatida y desconfiada, que miraba con rencor; y se disponía a ofrecerles una limosna en pago de haberles matado a aquel muchachote cuyo retrato, cuyos papeles, exhibía aún en su mano como credencial de amistad y gaje de piadosa camaradería.

Sin embargo, algo habría que decir; no era posible seguir callando; la mujerona había alzado ya la cabeza y lo obligaba a mirar para otro lado,

[75] **y no aparecer ... muerte:** and not seem to himself, nevertheless, like a usurer who redeems a death at a low price.

[76] **la cosa ... burla:** it sounded to him like mockery.

[77] **ciertos en lo externo:** true, on the surface.

[78] **unos "ellos" ... "estos":** "them" (as he imagined them) who didn't at all resemble "these" (who were now in his presence).

hacia los pies del anciano, enormes, dentro de unos zapatos rotos, al sol.

Ella, por su parte, escrutaba a Santolalla con expectativa: ¿a dónde iría a parar el sujeto éste? ¿Qué significaban sus frases pulidas: rogar que lo considerasen como un amigo?

5 —Quiero decir —apuntó él— que para mí sería una satisfación muy grande poderles ayudar en algo.

Se quedó rígido, esperando una respuesta; pero la respuesta no venía. Dijérase que no lo habían entendido. Tras la penosa pausa, preguntó, directa ya y embarazadamente, con una desdichada sonrisa:

10 —¿Qué es lo que más necesitan? Díganme: ¿en qué puedo ayudarles?

Las pupilas azules se iluminaron de alegría, de concupiscencia, en la cara labrada del viejo; sus manos se revolvieron como un amasijo sobre el cayado de su bastón.[79] Pero antes de que llegara a expresar su excitación en palabras, había respondido, tajante, la voz de su hija:

15 —Nada necesitamos, señor. Se agradece.

Sobre Santolalla estas palabras cayeron como una lluvia de tristeza; se sintió perdido, desahuciado. Después de oirlas, ya no deseaba más que irse de allí; y ni siquiera por irse tenía prisa. Despacio, giró la vista por la pequeña sala, casi desmantelada, llena tan sólo del viejo que, desde 20 su sillón, le contemplaba ahora con indiferencia, y de la mujerona que lo encaraba de frente, en pie ante él, cruzados los brazos; y, alargándole a ésta el carnet sindical de su hijo: —Guárdelo —le ofreció—; es usted quien tiene derecho a guardarlo.

Pero ella no tendió la mano; seguía con los brazos cruzados. Se había 25 cerrado su semblante; le relampaguearon los ojos y hasta pareció tener que dominarse mucho para, con serenidad y algún tono de ironía, responderle: —¿Y qué quiere usted que haga yo con eso? ¿Que lo guarde? ¿Para qué, señor? ¡Tener escondido en casa un carnet socialista, verdad? ¡No! ¡Muchas gracias!

30 Santolalla enrojeció hasta las orejas. Ya no había más que hablar. Se metió el carnet en el bolsillo, musitó un "¡Buenos días!" y salió andando calle abajo.

---

[79] **se revolvieron ... bastón:** twirled like soft dough over the handle of his cane.

EJERCICIOS

A. Conteste a estas preguntas en español:

1. ¿Qué tiempo hacía cuando empezó la acción del cuento?
2. ¿En qué parte de España empieza el cuento?
3. ¿Qué hacían Santolalla y sus compañeros y cómo pensaban entretenerse?
4. ¿Por qué fue Santolalla a la viña?
5. ¿Con quién se encontró allí?
6. ¿Cómo le mató?
7. ¿De qué despoja Santolalla a su víctima?
8. ¿Qué hace Santolalla al volver al campamento?
9. ¿Cómo reaccionan los compañeros de Santolalla ante el suceso?
10. ¿Cómo es el abuelo de Santolalla?
11. Escriba unas frases sobre el efecto de la Primera Guerra Mundial en la familia de Santolalla.
12. ¿Por qué a Santolalla no le gusta el nombre "Rodríguez"?
13. ¿Por qué no quiere Santolalla revelar su preocupación a sus compañeros?
14. ¿Cómo supo su Compañía que la guerra había terminado?
15. ¿Cómo y dónde trabaja Santolalla después de la guerra?
16. ¿Por qué busca a los padres de Anastasio?
17. ¿Habla él honradamente a los parientes de Anastasio?
18. ¿Qué actitud tienen los parientes de Anastasio hacia Santolalla?
19. ¿Por qué no quieren aceptar la ayuda que Santolalla les ofrece?
20. ¿Por qué rehusan aceptar el carnet?

B. Conteste en español a las siguientes preguntas. Cuando le parezca apropiado amplíe su contestación:

1. ¿En qué persona está narrado el cuento?
2. ¿Domina la acción del cuento la presencia de Santolalla?
3. ¿Cómo emplea el autor el punto de vista de su protagonista en su presentación del cuento? Escriba brevemente sobre la intensidad en el cuento.
4. ¿Qué técnica usa el autor para revelar la infancia y la juventud de Santolalla?
5. ¿Cómo contribuye al cuento esta exploración de la juventud de Santolalla?
6. Escriba brevemente sobre el papel relativo de la acción guerrera en "El tajo".

7. Comente el uso de la repetición en el párrafo que empieza "La salida . . . " (p. 60)

8. Haga algunas observaciones acerca de la relación entre la estructura formal y el contenido en el párrafo que empieza "Entonces fue . . . " (p. 61)

9. ¿Pueden aplicarse esas observaciones a la estructura general del cuento?

10. Explique el título del cuento.

C. *Forme Ud. frases de cada una de estas expresiones y traduzca las frases al inglés:*

por supuesto
subrepticiamente
en fin
en seguida
por encima de
de bruces
hacer sol
caer en la cuenta
al cabo de
de reojo

D. *"El protagonista cree que ha hecho algo terrible."*
En vez del verbo "cree" en la frase anterior emplee los siguientes verbos y haga todos los cambios necesarios en la frase:

duda
dijo
temía
pensaba
niega

E. *Traduzca al español:*

He wants to help them.
They don't want him to help them.
They shall not help him.
Please let me help you.
Can he help them by giving it to them?

F. *Busque un antónimo para cada una de las siguientes palabras:*

	página	renglón		página	renglón
altura	37	5	despacio	38	14
llana	37	11	secos	38	16
alejarse	38	6	sosiego	40	24

	página	renglón		página	renglón
lejanos	41	13	antipático	51	21
terco	41	23	verdadera	52	35
niñez	42	9	apretar	55	20
acordarse	42	24	luminoso	57	14
llenas	43	19	limpio	57	29
a veces	44	16	gordas	60	34
diáfano	45	32	enormes	62	1
ingenuo	47	8	rotos	62	1
en puridad	50	4	meter	62	31
amargar	51	19	calle abajo	62	32

El regreso

I   Me decidí a regresar. Había hecho indagaciones discretas —discretas, porque me importaba mucho no llamar la atención sobre mi regreso; pero ¡eso sí!, lo bastante[1] prolijas—, y pude persuadirme de que ya no correría verdadero riesgo. Pasada estaba la época en que, por una denuncia anónima, por meras sospechas, por nada, para completar acaso la carga de un camión de presos, sacaban a uno de su cama y lo llevaban a fusilar contra las tapias del cementerio. Cierto es que seguían ocurriendo cosas, y cada uno que venía de por allá se traía en el morral una buena provisión de historias espantosas que, sentados a su alrededor, en el almacén de la esquina o en casa de tal o cual paisano nuestro, el domingo a la tarde, masticábamos y masticábamos, y les dábamos mil vueltas, y terminábamos por tragar trabajosamente. Rara era la vez que entre nosotros no hubiera algún recién llegado; cada barco que entra, trae bastante gente de España; y entre ellos, nunca faltaba alguien que, ya fuera uno de tantos mozos como vienen llamados por sus parientes de aquí, ya un conocido antiguo y hasta, quién sabe, compañero de infancia de uno de nosotros, ya simple portador de recados o recomendaciones, alguien había siempre que venía a caer en nuestra tertulia con noticias frescas de de la tierra. Aldeanos en su mayoría, contaban (¿qué iban a contar, los pobres?) episodios de su aldea, lo que cada cual tenía visto u oído; y aunque las atrocidades que relataban, amplificadas hasta el cansancio con la

---

[1] **lo bastante**: quite.

machaconería de circunstancias impertinentes y engarce de nombres propios (el aldeano cuenta las cosas a su manera: que si " ¿Te acuerdas de Fulano, el hijo de Mengano?"; que si[2] "Sí, hombre, si te tienes que acordar;[3] tú lo conocías", etcétera) ; y aunque, digo, después de tanto miedo
5   y tanto silencio, los sucesos que referían eran exagerados, casi sin darse cuenta, dramatizados en una verdadera competición de truculencias . . . ¡qué!, ¡la décima parte de todo aquello bastaba para ponerle los pelos de punta al más templado![4] Uno escuchaba, creyendo a cada instante no poder aguantar más ya, y con ganas de gritar: "Ya está bueno;[5] no sigas";
10   pero si el portador de las sangrientas noticias callaba al fin, y vuelto hacia el hoy o el mañana, nos preguntaba algo acerca del país a donde llegaba, o quería comunicarnos su impresión de este famoso Buenos Aires que pisaba por vez primera, cualquier nueva alusión hecha por uno de nosotros nos devolvía pronto al tema, y ahí estábamos todos rumiando otra vez
15   el amargo pasto.

Desde que tenía yo apenas veintisiete, hasta ahora con treinta y seis cumplidos, año tras año había venido ocurriendo así (¿qué va a hacer uno tampoco,[6] si no se reúne con los suyos a recordar la patria?); de manera que ni por un momento dejé de saber durante este tiempo lo que por allá
20   pasaba. Mas, ¡esto es lo curioso!, en todos esos casi diez años, mientras no tuve intención de regresar —intención, digo: propósito firme; ¡que ganas, Dios, nunca me faltaron!— el montón de horrores, verdaderos como eran, con sus fechas, nombres y lugares, afectaba mi ánimo a la manera de relatos cuyo valor, más que en la exactitud misma del hecho,
25   estuviese en ¡cómo decirlo!, en su efecto literario, en alguna especie de endiablada virtud que los ponía a vibrar y los separaba de la realidad de cada día para situarlos en el plano de lo imaginario. Que Mariana escuchara tales cuentos de miedo con ojos incrédulos y sofocando un bostezo, me daba rabia;[7] todas las mujeres, ya lo sé, son iguales, y ella era como
30   todas; pero me daba rabia, no obstante, su actitud, y luego, a solas en la cama, tenía que oírme. Con todo, no dejaba yo de comprender . . . ¿Qué tiene que una persona extraña pensara:[8] "exageraciones y mentiras",

---

[2] **que si . . . que si:** like . . . and.
[3] **si te tienes que acordar:** surely you remember.
[4] **bastaba . . . templado:** was enough to make the hair of the calmest person stand on end!
[5] **Ya está bueno:** That's enough.
[6] **qué va . . . tampoco:** anyway, what's one to do.
[7] **me daba rabia:** made me furious.
[8] **¿ Qué tiene . . . pensara ? :** Why shouldn't a foreigner think?

cuando yo mismo, seguro como estaba de su verdad, las hallaba inverosímiles? ¡Si hasta en labios de quienes las contaban con autoridad de testigos parecían pertenecer a un orden distinto de la realidad, que exigiera peculiares entonaciones, a una especie de realidad superior, donde la habitual diferencia entre sucedido e inventado se perdiera, careciera de verdadero significado! Así, esa historia, tan repetida últimamente, y que se localizaba en distintos lugares atribuyéndose a personajes distintos —y ¿por qué no podía ser, en efecto, un caso reproducido con ligeras variantes en ocasiones diversas?; iguales simientes dan el mismo fruto—: la historia del huérfano que, hecho hombre, una noche, noche del aniversario, fue en busca del asesino, lo sorprendió cuando más ajeno estaba y, llevándoselo al paraje mismo, le infligió allí la muerte que diez años antes diera él a su padre, tras de lo cual, desolado y satisfecho, pasó la línea de Portugal o embarcó en una lancha, ¿no respondía en su perfección esa historia[9] —y, sin embargo, bien pudiera ser cierta— a las exigencias de la justicia poética, tanto como la historia de Mudarra,[10] el vengador de los infantes de Lara? Siempre se la narraba con mucho placer, un placer ante el cual poco importaba a nadie la veracidad de los detalles. Sobre la grisura de la existencia vulgar con su trama de sórdidas penurias, trabajos, pesares, el hecho siniestro centelleaba de pronto, encendiendo en indignación la voz del rapsoda o abombándola de amenazas; y después todo pasaba y, tras un silencio, volvía a hablarse, como si nada, de los mínimos incidentes de la vida, noviazgos, nacimientos, rutinarios quehaceres, enfermedades y sepelios, herencias, pleitos, en fin: de aquella espesa trama diaria, donde muchos volvían a sumirse después de pasar una temporada entre nosotros, ya por no haber encontrado en la Argentina buen acomodo, ya por no resignarse a vivir lejos de su propia tierra.

También yo —aunque mi caso no era semejante— resolví un día, de pronto, volverme a Galicia. No sé cuántos llevábamos ya en que llovía y llovía sin cesar,[11] se trabajaba la jornada entera con la luz encendida y, terminado el trabajo, no le quedaba a uno más entretenimiento que —harto de chapotear, calada de humedad la ropa— conversar acaso con algún conocido ahí en el almacén, o estarse quieto en casa, mirando por la ventana las paredes de enfrente, la cornisa negruzca bajo la cual se cobijaban unas

---

[9] **¿ no respondía . . . historia ?**: didn't that story respond perfectly?

[10] **Mudarra** is a hero in medieval Spanish literature who killed his treacherous uncle Ruy Velásquez de Lara to avenge the slaying of his half brothers, los siete Infantes de Lara.

[11] **No sé . . . cesar**: I don't know for how many days it rained and rained incessantly.

palomas, o la palmera desesperada del lado de allá de[12] la verja. Aquella tarde, además, la Mariana estaba de un humor tan negro que ni me contestaba siquiera ... La cosa fue así: le había pedido yo un mate por distraer el aburrimiento, y ella se levantó a prepararlo con brusca impaciencia.
5 Cuando me lo trajo y se acercó a dármelo, voy y le meto la mano por debajo de las ropas. "¡Salí, estúpido!", grita, y me vuelca encima el mate hirviendo ... Que me aguantara,[13] que mía había sido la culpa, que ésas no eran bromas. Entonces, para sorpresa de ella[14] que no cesaba de echarme ojeadas a hurtadillas,[15] y también para sorpresa mía, en lugar de enfure-
10 cerme como hubiera sido lo propio, una gran tristeza se me entró por el cuerpo y, ahí mismo, en ese mismo instante, decido volverme para España en el primer barco.

Tan súbita fue la resolución como había sido la tonta ocurrencia, causa del incidente; pero, adoptada ya, no volví a considerarla; era cosa hecha:
15 ¡en el primer barco! Y ahora, cuanto a propósito de España había escuchado con tanta pasión a lo largo de años y años, me acudía de golpe a las mientes, y se me representaba con otro cariz, más amenazador si se quiere y, no obstante, por extraño modo, más soportable, aceptable incluso, en función ya de[16] mi próximo e indefectible regreso. A partir
20 de aquella tarde me dediqué a inquirir sobre algunos puntos muy concretos; pregunté a unos y a otros, comprobé las opiniones de éste con las de aquél, y llegué a formarme así un cuadro bastante completo de la situación. No, no corría peligro si regresaba: los héroes de retaguardia, pasados sus temibles ajetreos de otrora, engordaban en puestos sedentarios de la
25 burocracia, aplicados a velar por la más obstinada complicación del trámite administrativo; y sólo unos cuantos que, cebados con la sangre, no podían, verdaderamente no podían prescindir del plato fuerte, se ingeniaban para, si no saciar, mitigar al menos su apetito. Mas, con un poco de prudencia, bien se podía evitar la cercanía de los temibles engranajes,
30 medio clandestinos, medio rutinarios: engancharse en ellos sería a lo sumo un accidente como otro cualquiera.

Cierto que yo era prófugo, y que si por aquel entonces llegan a echarme el guante, no lo cuento.[17] Pero como a la hora de empezar la danza[18] yo

---

[12] **del lado de allá de:** on the other side of.
[13] **Que me aguantara:** That I should restrain myself.
[14] **para sorpresa de ella:** to her own surprise.
[15] **no cesaba ... hurtadillas:** didn't stop glancing stealthily at me.
[16] **en función de = en relación con.**
[17] **y que ... cuento:** and if at that time they had happened to lay hands on me, I wouldn't be telling about it now.
[18] **la danza = la Guerra Civil.**

no me hallaba en Santiago, y nadie tenía por qué saber adónde había ido
ni lo que estaba haciendo; como, aun cuando pequeña, la ciudad no es de
aquellas en que se puede llevar cuenta de cada uno; como mis pasos,
después, en América, habían sido silenciosos, y mi vida oscura; en fin,
como, dada mi insignificancia, ni mi muerte se hubiera notado ni se habría   5
notado mayormente mi ausencia, entendí poder arriesgarme, pues que[19]
el riesgo era mínimo, y volver a mi tierra. Creo que también a costa de
peligros mayores hubiera vuelto: ya no aguantaba lejos . . .[20] Hay quienes
se burlan de la morriña gallega; yo no lo sé, mas sospecho que toda persona
bien nacida ha de sentir por su país ese algo que aprieta la garganta y trae   10
lágrimas a los ojos con su memoria. Quizás otros campos menos tiernos,
otros mares menos oscuros y secretos, otros cielos menos suaves, otros
aires menos frescos, finos y fragantes, críen corazones descastados. De
mí[21] sé decir que, después de tantos años suspirando por mi tierra y abomi-
nando de la que pisaba, me resolví, al fin, en un rapto,[22] a regresar.   15

Fue ello, como digo, en el preciso momento en que la Mariana, por
desprenderse de mí, me volcó el mate y me escaldó con sus maneras
bruscas. Los dos estábamos crispados, yo tenía los nervios de punta;[23]
eran ya muchos días lloviendo sin parar, yo estaba cansado de tanta lluvia,
cansado también de darle vueltas a la carta de mi tía, donde me participaba   20
la desgracia y, a su manera, me sugería la oportunidad de mi presencia
allí.[24] Pues sola —éste era su razonamiento, su quejumbrosa pregunta
—¿cómo iba ella, vieja cuitada, llena de alifafes, a sacar adelante el negocio? ¡Si las piernas se le negaban a sostenerla! . . .[25] Aquí, en el bolsillo
interior del chaleco, estaba guardada la carta, con sus garabatos enreve-   25
sados: que yo ya conocía el manejo de la casa; que, poco más o menos,
todo continuaba como antes del día maldito en que me envió mi tío a Santander para ultimar el asunto de aquella cobranza, y la dichosa guerra
vino a separarnos . . . Doce años casi habían pasado, sí, nada menos; pero
todo seguía sin mayor variación, salvo que los tiempos traían ahora com-   30
plicaciones infinitas, y hacía falta un hombre al frente del negocio. Muerto
mi pobre tío, quién si no yo —yo, que había aprendido a trabajar a su lado,
a quien ellos miraron siempre como hijo, como al heredero de sus afanes
. . .—. Ella, tampoco podría ya vivir mucho, no le quedaba demasiada

---

[19] **pues que = puesto que.**
[20] **ya no aguantaba lejos:** I couldn't stand being far away any longer.
[21] **de mí:** for my part.
[22] **en un rapto:** on the spur of the moment.
[23] **de punta:** on edge.
[24] **la oportunidad . . . allí:** how opportune my presence there would be.
[25] **¡Si las . . . sostenerla!:** Even her legs were refusing to support her.

cuerda . . .[26] Durante un par de semanas, desde que me entregaron la carta, habían estado hurgando en mí estas reflexiones; pero no fueron ellas, sino la exasperación de un momento, lo que me dio el empujón decisivo. Así ocurre: motivos muy serios no consiguen a veces sacarle a uno de la

5 modorra, y el aguijonazo de una avispa le hace, en cambio, saltar por los aires. No salté yo al recibir la rociada de agua caliente; me quedé muy tranquilo en mi silla. Pero, por dentro . . . Bueno: mi idea era cosa hecha: ¡en el primer barco! Ahí, sentado, mirando caer la lluvia sobre la palmera, y ya me veía del otro lado, mientras Mariana, ¡la pobre!, no podía

10 imaginarse ni de lejos la causa de mi asombrosa mansedumbre; algo raro, sin duda, percibía en mí esa tarde; y algo raro barruntaba en las siguientes; se daba cuenta de que yo tenía algún embuchado y, por todos sus medios, aunque en vano, procuraba astutamente sacarme de mis casillas:[27] me provocaba, trataba de hacerme explotar. Con tanto más cariño la con-

15 templaba yo, y hasta me daba el gustazo de compadecerla en mi fuero interno: no sabía la infeliz que me estaba despidiendo de ella, y que una semana después me habría hecho humo,[28] dejando que ella con su mate, y Buenos Aires con sus rascacielos (¡chau, que te vaya bien!), se hundieran en el mar poco a poco.

20 **II**   Una mañana, a comienzos de octubre, desembarqué, pues, en el puerto de Vigo. Nunca antes había estado yo en Vigo; no me gustó la ciudad; la hallé sucia y desoladora, y me sentí en ella desamparado, tanto, si no más, como en Buenos Aires cuando, acabada nuestra guerra civil, arribé a su puerto. Sí; por mucho que fuera predispuesto a las emociones

25 patrióticas, no pude evitar la sensación de hallarme en tierra extraña, y ese recelo, esa soledad, lejos de disiparse, aumentó hasta verme en Santiago. Y cuando ahí estuve, y el tren me hubo dejado en la estación, y comencé a andar, maleta en mano, por las calles de grandes losas húmedas, resbaladizas, hacia casa, me pareció que regresaba no tanto a mi ciudad

30 natal como a un sueño que ya había transitado antes por dos o tres veces: me pareció estar soñando de nuevo esta pesadilla que, tiempo atrás,[29] en Buenos Aires, me había angustiado tanto: vuelto, quién sabe cómo, a

---

[26] **Ella . . . cuerda:** She didn't have long to live either. She was near the end of her rope.
[27] **sacarme de mis casillas:** to make me lose control.
[28] **me habría hecho humo:** I would have disappeared.
[29] **tiempo atrás:** some time ago.

Santiago, alguien me reconocía, o yo sospechaba que me había reconocido, y quería señalarme y hacerme prender, y yo, aunque la situación era todavía ambigua, huía, escapaba, me escabullía por unas y otras callejas, siempre con los perros a los talones, mas sin atreverme a correr por no llamar la atención de la gente. Andaba; las puertas y ventanas me miraban con recelo, pero yo, afectando seguridad, aplomo, indiferencia, seguía adelante, mientras que, dentro de mi pecho, el corazón me tundía a puñetazos...

Y ¿pertenecían al sueño, o a la realidad, aquella mujer que arrastraba a un niño de la mano, aquel perro que miraba y desaparecía, el portazo que de pronto oigo a mi derecha, seguido de un confuso regaño, los dos curas que atraviesan, ante mí, por la bocacalle? ¿Era soñada, o real, esa figura que de repente veo venir calle arriba, por la misma acera que yo, cada vez más cerca, y en la que pronto reconozco a Benito Castro, el barbero? En toda mi ausencia, para nada me había acordado del santo de su nombre;[30] y ahora ¡ahí estaba, y se venía sobre mí! Aún no me había conocido: mirábame como a un viajero que llega de la estación con su equipaje a rastras. ¿Lo saludaría? Claro; lo mejor era saludarlo. Ya, ya me había reconocido, a casi un metro de distancia, y se apeaba de la acera para dejarme paso; me decía *adiós,* y seguía adelante. ¡Qué cosa rara!: después de no habernos visto durante tantísimos años —doce... (treinta, cuarenta, cien más, hubiera podido vivir yo sin que su figura hiciera acto de presencia en mi memoria)—, al cabo del tiempo llego, me doy con él de manos a boca, y... ni vacilar siquiera: *adiós,* como si ayer mismo hubiera estado afeitándome en su barbería; y él también, sencillamente, me dice *adiós* y sigue su camino como si tal cosa,[31] como si no hubieran pasado doce años, y una guerra, y... ¿Qué habría estado haciendo este *quídam* durante la gran batahola? Miré hacia atrás de reojo y —¡lo que suponía!— comprobé que se había vuelto a mirarme. Trabajo me costó[32] no salir de estampía, mantener mi paso tranquilo; pero no estaba soñando, no: dominé el impulso y sólo una vez doblada la esquina apresuré un poquito el paso.

Cuando gracias a Dios llegué a la casa, veréis de qué tenía ganas: de echarme en la cama y dormir. Empujé la puertecilla de cristales —¡qué ruin me pareció la entrada de la tiendecita, con el escaparate lleno de velas rizadas para primera comunión, de devocionarios, de pequeñas imágenes!

---

[30] **del santo de su nombre:** his blessed name (*i.e.,* his name at all).
[31] **como si tal cosa** = como si no hubiera pasado nada.
[32] **Trabajo me costó:** It was difficult for me.

¡todavía estaba allí, matando moros, el Santiago[33] a caballo!—, empujé,
sonó la campanilla, y entré adentro con la maleta.

"¡Tú!", exclamó al verme mi tía. Había levantado la cabeza: el mismo
peinado, pero más canas; las manos con que revolvía en el cajón del mostra-
5 dor habían quedado colgando, medio encogidas, en el aire;[34] me había
mirado con susto, y había exclamado: "¡Tú!" Sólo cuando rodeó el
mostrador y cruzó, renqueando, a atrancar la puerta, me di cuenta de que
estaba coja. Cerró, pues, con llave y cerrojo, y pasamos a la habitación del
fondo.

10   Y ahora, ya estaba yo ahí, medio retrepado en el viejo diván, y ella frente
a mí, en su butaca; y yo, invadido de una absurda pereza, no decía nada:
miraba la cara de mi tía, llena toda de arrugas, sus ojillos vivaces tras las
gafas montadas en plata; miraba la moldura negra de la butaca, el dibujo
de las paredes, el fanal sobre la cómoda con su santo abrumado de flores
15 —jamás lograba recordar qué santo era—; miraba el postigo de la ventana, con sus marcas y tachas, todo, mientras que mi tía, callada, en el
regazo las manos, espiaba mis miradas.

—Esa cortina no es la de antes —observé; quería pintarme en el recuerdo la antigua cortina.

20   —Sí; hubo que cambiarla, poco antes de morir tu tío... Pero, hijo,
voy a darte algo de comer. ¡Espera! ¿Qué podría darte? Café, no tengo.
¿Qué te daría yo? Quizás una copita, ¿no?

Me trajo, ya servida, una copita de aguardiente; la bebí de un trago;
me cayó bien; se lo agradecí con una sonrisa, y ella: "Bueno, ya estás
25 aquí, loado sea Dios. ¿Muy cansado, hijo?", preguntó.

No, no estaba muy cansado; cansado propiamente no lo estaba. Sentía,
sí, una especie de distensión, de triste desmadejamiento, de aburrimiento
casi.

—Estás bastante cambiado —notó—; más viejo y gordo, pero con
30 buen aspecto.

—Sí, allá uno engorda sin querer. Todo el mundo engorda allá.

Hubo otra pausa.

—¿Cómo ha sido lo de la pierna, tía? —me creí en el caso de preguntarle.[35] Varias veces, antes, había tenido intención de preguntarlo; por

---

[33] **Santiago:** St. James the Elder whose remains are believed to be in Santiago, the
ancient Galician city which bears his name. He was the patron saint of the Christians
during the reconquest of Spain from the Arabs and in some early Spanish legends
appears in battle against the Moors.

[34] **quedado ... aire:** remained suspended, half withdrawn, in the air.

[35] **me creí ... preguntarle:** I felt obliged to ask her.

fin, lo pregunté ahora—; ¿Cómo ha sido eso de la pierna? Nunca me
mandó a decir nada.

—Y ¿para qué te lo había de mandar a decir? —Echó una miradita al
borde de su falda—. Fue a poco de tú irte;[36] cuando vinieron en tu busca.

—¿En mi busca? ¿Cómo en mi busca? ¿A buscarme para qué? ¿Quié- 5
nes vinieron a buscarme? —Incorporado, tieso en el asiento del diván,
escrutaba yo ahora su cara impasible—. ¿Quiénes eran los que vinieron
a buscarme? —volví a preguntarle tras de un instante, algo más tranquila
y un tanto opaca mi voz.

—¡Qué sé yo! ¿Había de conocerlos?: muchos, una patulea —replicó—. 10
Y, ¿sabes quién los traía? Pues los traía, ¿quién dirás? Era el único conocido: aquel amigote tuyo al que yo, la verdad, nunca pude tragar, y
¡qué razón tenía, hijo mío!...

—Abeledo.

—Ese mismo. ¿Lo sabías? ¿Te lo habían dicho? 15

—Me lo he figurado; nadie me había dicho nada.

Y lo cierto es que Abeledo era el último de mis "amigotes" en quien
hubiera debido pensar; pero, sin que me pueda explicar por qué, apenas
mi tía habló de que habían ido a buscarme, fue en él en quien pensé y
no en otro. Pues sí, Abeledo... —Y ¿dónde anda ahora ése? ¿Qué hace? 20

—¡Cualquiera sabe![37] Vinieron en tropel; al decirles que no estabas,
que habías ido a La Coruña (les dije que habías ido a La Coruña; no quise
decirles que estabas en Santander), entonces entraron a registrar por todas
partes, hicieron el destrozo que les dio la gana y, al salir, ¡bestias!, me em-
pujan por la escalera. Total: dos meses de hospital, tu pobre tío de la ceca 25
a la meca,[38] el negocio abandonado... ¡Ay, Dios!, ¡qué falta que nos
hizo en aquellas horas amargas el dinero que habías ido a cobrar en Santander y que, por cierto, a la fecha no sé todavía si pudiste, hijo, cobrarlo
o no; aunque supongo, infeliz, que habrás necesitado gastarlo durante
todas esas miserias!... 30

Entonces me puse a contarle a mi tía, sumariamente, los pasados avatares de mi vida. Le conté que, al día siguiente de mi llegada a Santander,
pude, en efecto, cobrar, tras de una empeñada discusión y no sin tener
que consentir alguna rebaja, el saldo que se nos adeudaba; y que en seguida, antes de alcanzar a coger el tren de vuelta[39] para Santiago, esparcidos 35

---

[36] **fue ... irte:** it was shortly after you had gone away.
[37] **Cualquiera sabe!:** Who knows!
[38] **de la ... meca:** going from place to place.
[39] **de vuelta:** return.

rumores y noticias, cundida la alarma, iniciado el desorden, ya no tuve
otro remedio, pese a toda mi diligencia, que quedarme allí. No le conté
mi entusiasmo, ni la participación exaltada que desde un comienzo tomé
en todo: mi correr, excitado, desde el Gobierno civil hasta la Casa del
5 Pueblo, desde la Casa del Pueblo hasta el Ayuntamiento, desde el Ayuntamiento hasta la redacción de *El Montañés,* desde ahí otra vez hasta la Casa
del Pueblo ... Le conté que, por razón de mi edad, debí incorporarme
al ejército e ir al frente; no le conté que lo hice como voluntario, y transido
de alegre fervor, que me entregué a la guerra en cuerpo y alma. ¿Qué
10 hubiera podido comprender ella de mi abnegación miliciana, de mi responsable ufanía como capitán, de mi confianza, de mi fe, de mis angustias, si
al cabo de los años casi ni yo mismo entiendo aquellos sentimientos tan
intensos y tan puros, que un día llenaron mi pecho? Fue una especie de
arrebato que hoy me extraña como si se lo viese sufrir a otra persona,
15 a alguien un tanto disparatado en sus motivos, en sus reacciones y actitudes. Necesito evocarlo en medio de la atmósfera santanderina, tan clara,
despejada, ventilada, abierta al mar, tan estimulante con la vibración de
sus colores enteros, sus brillos, su diáfana lejanía. Ahí me veo a mí mismo
—me veo, con burlona lástima y cierta sutil repulsión —rebosante de
20 fogosa generosidad, jugándome alma y vida ... Le conté, pues, cómo,
forzado por las circunstancias, había tenido que hacer la guerra, y que,
terminado todo para los que estábamos luchando en la zona norte, y
habiendo alcanzado ya el grado de capitán, temí por momentos quedarme
encerrado en la ratonera: como oficial no hubiera escapado tan de rositas;
25 pero que, a última hora, conseguí ser de los evacuados, pasar a Francia ...
Luego le conté mi vida en América, mi excelente empleo en los escritorios
del molino aceitero "La Andaluza", Sociedad Anónima, donde tan considerado estaba; donde me apreciaban tanto que, al despedirme en vísperas
de embarcar, me habían rogado, me habían ofrecido, sí, el oro y el moro[40]
30 para que renunciara al viaje y continuara al servicio de la empresa ...

Y mientras le contaba todo eso: *Abeledo,* este nombre resonaba dentro
de mí, incesante, oscuro, bajo las palabras y las frases con que mi boca
iba urdiendo la escueta relación. *Abeledo González* ... *Manuel Abeledo
González* ... ¿Por qué, Señor; por qué? ... Me preguntaba por qué
35 habría querido perseguirme Abeledo. Hablaba de los días esperanzados o
turbios de Santander, me veía capitán, y ... *Abeledo;* hablaba de Buenos
Aires, la oficina, los aceites de girasol y maní marca "La Andaluza", y ...

---

[40] **el oro y el moro**: everything.

Abeledo, siempre *Abeledo,* somormujo, insidioso. No podía comprender;
¡era inconcebible! que Abeledo hubiese querido dañarme así; en vano me
esforzaba por imaginármelo: si aquel día llega a encontrarme, ¿con qué
cara se me hubiera enfrentado?, ¿qué hubiera dicho? No, no conseguía
ni pintarme su gesto, su talante, en circunstancias tales, ni oír su voz. Y, 5
sin embargo, fue él, fue su nombre, Abeledo, el que acudió a mis labios
cuando lo supe, y ni un solo instante de vacilación tuve: él, él había sido;
una especie de evidencia ciega me lo aseguraba. ¿Por qué? Menester
sería pensar en ello, darle vueltas y vueltas hasta desentrañar el porqué:
¡Mañana! Ahora estaba demasiado rendido, y solamente deseaba sentir- 10
me aparte, como un enfermo, aparte como la maleta que se quedó ahí,
junto a la puerta, ahí. Ni abrirla siquiera, mañana sería otro día; mientras
la vieja, estúpida, me explicaba cosas del negocio, ¿cómo iba a prestarle
atención hoy?: vender y comprar, amistades, influencias, conchavos,
estraperlo, ayer mismo sin ir más lejos, mañana a más tardar . . . De pron- 15
to, la interrumpí: "¿Y Abeledo? ¿Qué hace ahora?" Sin darle mayor importancia —lo que (recuerdo) me produjo asombro, pero no desagrado—
respondió a esto que no tenía idea; que cuando a ella la dieron de alta en
el hospital debió ocuparse sin tardanza de tanta y tanta cosa, lo único
que le interesaba, y ¡cómo!, pues te imaginarás, hijo, todo abandonado 20
. . . tiempos muy duros, muy duros, sí. Pero —suspendió de pronto el
tono lastimero—, pero voy a dejarte solo; te estás cayendo de sueño,
muchacho; ya te dejo, sí; anda, duerme . . .

III   Abrí a la mañana siguiente los ojos y, no bien me encontré allí
y recordé, y me di cuenta de que estaba en Santiago y que desde ahí tendría 25
que seguir viviendo; saltar de aquella cama donde había dormido, salir
del cuarto y de la casa, y echarme a andar. La idea de que en cualquier
momento, apenas pusiera el pie en la calle, podía tropezar con Abeledo,
me paralizaba, me aterraba. Yo no soy cobarde: en la guerra, expuse mi
vida sin vacilar, y de todas maneras: alegremente, con exuberante brío, 30
a la cabeza de un grupo de milicianos, cuando al comienzo todavía no
se habían constituido los frentes ni, en puridad, cabía hablar de un frente
y de una retaguardia,[41] y el enemigo podía salir de improviso por cualquier
parte; serenamente, luego, cuando penetrado del valor de la disciplina, al

---

[41] **cabía . . . retaguardia:** was it a matter of a front and a rear-guard.

mando de mi compañía de ametralladoras ("de ametralladoras" digo: ¡una sola máquina, y ésa, la pobre, en tan lamentable estado!, esto era todo nuestro equipo), en fin, cuando a la cabeza de mi compañía estaba dispuesto siempre a dejarme el pellejo por sostener una posición, por de-
5 fender una cota; y fríamente, con indiferencia estoica, cada vez que, por ejemplo, era necesario soportar un bombardeo, tendidos boca abajo en el suelo y, cruzadas las manos tras de la nuca, animaba a los muchachos con chistes o salidas jocosas. No, no soy un cobarde. Ni era tampoco miedo, a decir verdad, lo que sentía ahora ante la incierta perspectiva de tropezar-
10 me con Abeledo. En primer lugar, seguro estaba de que nada grave podía acontecerme: ya aquellos tiempos habían pasado; y además... ¿qué? ¿acaso no lo conocía?: él se echaría sobre mí con los brazos abiertos apenas me viera, me saludaría con hipócrita alborozo y —no teniendo a quién entregarme con su beso ni cómo prometerse sino, a lo sumo, ocasionarme
15 disgustos y molestias, pero matarme... ¡como no fuera de asco!—[42] prolongaría la comedia de la cordialidad hasta exagerar las manifestaciones obsecuentes, los ofrecimientos, los halagos... ¡Si lo conocería yo![43] "Genio y figura...",[44] dicen. Sólo quince años o dieciséis teníamos, y ¿qué fue lo que hizo, allá en el seminario, cuando el celador nos pilló
20 desapercibidos mientras escribíamos lo que calificaron los curas de versos indecentes y obscenos? ¡Caramba: entre amigos, hay que compartir los riesgos y las penas, como los gustos! ¿Qué hizo él? Me había enseñado un soneto que escribiera a propósito de una aldeana a quien el día antes, desde la ventana de los dormitorios, vimos pasar meneando las caderas.
25 Tanto le había excitado a él ese meneo que, entre otras cosas, le dio por[45] ponerse a menear la pluma hasta que segregó un soneto.[46] *Soneto,* ¡bueno!; si es que a eso podía llamársele un soneto. "Trae, chapucero, que te lo corrija", le digo. Y ¡manos a la obra!: tacho, arreglo, reformo, aquí mejoro una rima, allí rectifico la medida de un verso; y, en seguida, me
30 pongo a pasarlo en limpio a su dictado. En ello estábamos cuando, de repente, ¡el celador que nos cae encima! Yo no tenía escapatoria; me habían sorprendido con las manos en la masa;[47] pluma en ristre[48] me quedé, y con la boca abierta, al ver cómo una manaza brutal arrebataba por los

---

[42] **¡como no fuera de asco!:** that could only be with disgust!

[43] **¡Si lo conocería yo!:** I knew him very well!

[44] **Genio y figura** (*hasta la sepultura*): People never change.

[45] **le dio por:** he took it into his head.

[46] **segregó un soneto:** it produced a sonnet.

[47] **me habían ... masa:** they had surprised me in the act.

[48] **pluma en ristre:** with pen ready.

aires la prueba del delito; era muy natural que, pues Abeledo había conseguido esconder, en cambio, la hoja original escrita de su puño y letra[49]
si bien con correcciones mías, tratara de eludir el castigo; mas ¡no echando
todavía leña al fuego y cargando sobre mis espaldas la culpa que se quitaba! . . .[50] Sus alardes, luego, de solidaridad, sus apreciaciones joviales y   5
sus disimuladas justificaciones y explicaciones no podían sino empeorar
las cosas;[51] y aunque nada le reproché, aunque nada le dije, ni yo, ni él
tampoco, olvidamos el caso: él, menos que yo. De entonces acá,[52] nunca
después habíamos dejado de ser amigos y éramos tenidos por compañeros
inseparables. Pero, puesto uno a recordar el curso de esa amistad, fácil   10
era darse cuenta de que la situación y actitudes origen de aquel resquemor
se habían reproducido varias veces más tarde en forma diversa, con episodios distintos, aun después de que ambos hubimos colgado los hábitos de
seminaristas[53] y seguíamos caminos diferentes por el mundo: estaba en su
carácter; ¡no lo conocería yo![54] Ahora, cuando me lo encontrara —y un   15
día u otro me lo habría de encontrar— se precipitaría, pues, el amigo
Abeledo con muchos aspavientos a estrujarme en un gran abrazo, me haría
en seguida reproches cordiales por mi largo silencio; pero, en seguida,
antes de que yo hubiera podido decir una palabra, se haría cargo de mis
motivos, se mostraría comprensivo y respetuoso ante mis razones, aludiría   20
a ellas en términos de un sentimiento fraterno que está por encima de
cualesquiera diferencias . . . ¿Y yo?, ¿qué haría yo?, ¿qué me quedaba por
hacer? Endosaría todo eso: que sí, que ¡cómo no!, que ¡muy bien! Esto
es lo que está en mi carácter; también me conozco . . . De modo que,
a la postre, ¡aquí no ha pasado nada!   25

Nada tenía, por lo tanto, que temer, y estas reflexiones que yo me
estaba haciendo, ahí, metido en la cama, apenas despierto, no podían ser
más tranquilizadoras. Sin embargo, miraba escurrir, mansita, la lluvia
por el vidrio de la ventana, y el pensar que hoy mismo, dentro de un rato,
una vez levantado y desayunado, debería, en fin, echarme a la calle e   30
iniciar mi nueva existencia en este Santiago donde sería inevitable, antes o
después, el encuentro con Abeledo, me era tan insoportable, que todas
esas representaciones, anticipo de una ya inminente realidad, resbalaban

---

[49] **de su puño y letra:** in his own hand.
[50] **mas no . . . quitaba:** but he shouldn't go on to make matters worse (throw wood into the fire) by putting on me the blame he was removing from himself.
[51] **no podían . . . cosas:** could only make matters worse.
[52] **De entonces acá:** From then on.
[53] **colgado . . . seminaristas:** given up the life of seminarians.
[54] **¡no lo conocería yo!:** I knew him well!

sobre mí sin calarme, como si pertenecieran a otro mundo del que yo
estuviese definitivamente separado, como si yo no hubiera de salir jamás
de aquella cámara y, tendido ahí en mi cama, inmóvil entre las sábanas,
viera impasible, a través de los cristales, caer la lluvia y, tras la lluvia,
5 imaginara ese mundo de afanes, problemas, sufrimientos y alegrías para
mí tan ajenos, inconsistentes y fantasmales como los de las ciudades remotas —Sidney, Ciudad del Cabo— que suele presentar el cine en añejos
noticiarios.

Pero, no obstante, la realidad vino pronto, perentoria, a golpear en la
10 puerta con los nudillos de mi tía.

IV   —Dígame, tía; una cosa quisiera preguntarle: ¿qué ha sido de
la Rosalía en todo este tiempo? A lo mejor, se ha casado ...

Hice la pregunta no sin alguna aprensión: yo no me había portado bien
con esta Rosalía. Rosalía y yo —¡tan extraña como ahora me parecía!,
15 ¡tan fríamente como la consideraba!— éramos novios cuando, al estallar
la guerra, quedamos separados, ella en Santiago, yo en Santander, y entre
los dos la línea del frente. En un principio, ni me preocupé: ya volvería-
mos a encontrarnos; nadie pensaba que aquello pudiera durar sino días,
semanas a lo sumo: duró años. Y mientras pasaban, el afán de cada hora,
20 de cada jornada, no me permitió pensar en ninguna otra cosa; en medio
del tráfago, pronto se disipaban los asaltos periódicos de inquietud que
su separación me producía. Y cuando, todo acabado, me vi en América y
pude volver en mí, me di cuenta de que, en el fondo, no me desagradaba
hallar aflojado por la fuerza mayor de los acontecimientos un compromiso
25 que, según comprobaba ahora, nada me decía. "He de escribirle, he de
ponerme en contacto otra vez con ella", pensé; pero al pensarlo, más que
en ella misma pensaba en mi tío, padrino suyo y verdadero promotor de
nuestro noviazgo. Pensaba también que restablecer el contacto —desde
Buenos Aires, al cabo de tres años largos y por medio de una carta— no
30 implicaba reanudar nuestro compromiso, sino tan sólo cumplir en cierto
modo, presentar una excusa y, al explicar siquiera tácitamente y por alusión mi largo silencio, no quedar al menos como un cerdo.[55] Quedé
como un cerdo; no le escribí nunca. Y hasta, por su causa, demoré más
de lo necesario y conveniente el darle[56] a mis tíos señales de vida, hacién-

---

[55] **no quedar ... cerdo:** at least not to act like a pig.
[56] **darle = darles.**

dolo, cuando lo hice, en una forma imprecisa, insuficiente y —como yo bien sabía— taimada. En las espaciadas, desganadas cartas que entre nosotros se cruzaron, no se hizo, creo, una sola mención de Rosalía. Y ahora, desaparecido mi pobre tío, aún hube de vencer un último empacho para preguntarle por ella a mi tía, que, después de averiguar si había dormido a gusto y de servirme el agua sucia a la que llamaba café con leche, se había sentado al otro lado de la mesa.

—Casose —fue su respuesta. Y añadió: —No era mujer para ti; yo nunca quise intervenir, ella era ahijada de tu tío (que en paz descanse), pero, no porque tuviera aquellas cuatro pesetejas que luego se hicieron humo, polvo y ceniza, era la mujer que te convenía. Se casó, tiene un montón de hijos, está hecha una guarra.

Intenté por un momento imaginármela envejecida, "hecha una guarra", a ella que tan presumida era, y no tuve ni la curiosidad de saber con quién se había casado; de seguro, ella hubiera tenido mis noticias con igual indiferencia. En tono indiferente, hice a mi tía la segunda pregunta que tenía preparada. Puesta en alto la taza delante de mis narices,[57] le pregunté:

—Y de aquel Abeledo ¿no sabe usted nada?; ¿en qué se ocupa?; ¿qué hace? —Viéndola fruncir el labio inferior en signo de ignorancia y mover la cabeza de un lado a otro, sugerí: —Usted me contó anoche ¿no? que él había venido con otros... ¿Qué fue lo que dijo?; ¿preguntó por mí, verdad?

—Claro, preguntó por ti.

No había caso;[58] el demonio de la vieja no quería ser más explícita. Me bebí de un trago el resto de la taza, y la deposité sobre el platillo.

—Voy a ir a la peluquería —murmuré como para mis adentros, empujando la silla—. Me hace falta un corte de pelo; voy a pelarme.

V   Sí, iría a la peluquería de Benito Castro. Por algún agujero tenía que asomar la cabeza al mundo, y aquél no era malo: una peluquería es un mentidero público. Lo único que me preocupaba era no recordar a punto fijo si me tuteaba con Castro o nos tratábamos de usted, aun cuando estaba casi seguro de que nunca existió entre nosotros confianza bastante para el tuteo, bien que, en España y entre gente joven, poco motivo

---

[57] **Puesta ... narices:** With the cup held up before my nose.
[58] **No había caso:** It was useless.

hace falta . . . De todas maneras, yo no tenía con él más trato que el de la barbería . . . Claro que, muchas veces, a fuerza de frecuentar un establecimiento . . . Aunque ¡frecuentar! ¡Bueno, problema tonto! ¿qué importaba?; ¿qué importaba eso? Ya veríamos . . . Y dándole vueltas en el
5 magín, llegué sin sentir hasta la esquina donde pendía la muestra, aquella misma bacía deslucida, mohosa, que siempre estuvo colgada al lado de la puerta para recordarle a uno el yelmo de Mambrino.[59] Pasé de largo, pero nada había conseguido distinguir a través del sucio vidrio cruzado por una tira de papel dócil a la sinuosidad de una trizadura.[60] Volví, pues, sobre
10 mis pasos —¿a dónde iba, caramba?—, empujé la puerta y ¡dentro! "Buenos días". "Buenos". Silencio. Benito estaba allí, solo; por el espejo me seguía con la vista mientras yo, despacio, me dirigía hacia la percha para dejar mi boina; y, al volverme, ya señalaba con el dedo el sillón próximo a la puerta y me preguntaba si cortar el cabello. "Sí", le respondí,
15 a la vez que me acomodaba en el sillón; y, viéndole manipular de espaldas en el cajoncito adosado entre ambos espejos, consideré con inquietud la eventualidad de que todo nuestro diálogo se redujera a un trivial cambio de frases sobre mi arreglo capilar o sobre la temperatura ambiente. Para impedirlo, exclamé, apresurado: "¡Cuánto hace ¿eh? que no nos veía
20 mos!" "Hace sí[61] —corroboró—: así es: el tiempo pasa; la gente se va; y luego, vuelve; es así" . . . ¿Qué se proponía sugerir con eso? Mejor, no cavilar en ello.

—Y por acá ¿qué novedades hay? —me adelanté a preguntar entonces.

—Ninguna. ¿Novedades? ¡Ninguna!

25 —Pues el caso es que —insistí— yo, apenas he llegado, digo: Voy a acercarme hasta la peluquería, a ver qué cuenta el amigo Castro.

—Llegó ayer, ¿no? —fue su incongruente réplica. Y, a raíz de ella, manifestó deseos de información acerca de si yo preferiría muy corto el pelo, para absorberse sin demora en su trabajo profesional.

30 —Y ¿qué gente viene por aquí? —reincidí en preguntarle tras de una pausa—. ¿Sigue viniendo siempre la misma gente?

—La misma, poco más o menos. Ya se sabe; unos se van, otros vienen . . . Poco más o menos, la misma gente.

---

[59] **el yelmo de Mambrino:** The Moorish king Mambrino was made invulnerable by his enchanted helmet. In a famous episode of Cervantes's novel, Don Quijote mistook a barber's basin for this helmet.

[60] **pero nada . . . trizadura:** but I couldn't see anything through the dirty glass crossed by a strip of paper that followed a crack in it.

[61] **Hace sí:** It's been, well.

—Pues hombre —me aventuré de nuevo—, yo he pasado varios años fuera y, ahora, al regresar ... El amigo Castro se habrá preguntado quizás alguna vez entre tanto por dónde andaría yo.

— ¿No estaba en Buenos Aires?

—Sí, en Buenos Aires.   5

¡Conque lo sabía! O ¿es que se lo habría figurado acaso, que lo habría deducido de algún detalle, quién sabe, de mi manera de hablar, algún dejo, alguna frase que me escapara ... La cosa, ciertamente, no era para tanto sobresalto. Y, de cualquier modo, había que proseguir la exploración. Por lo pronto, ya que él no mostraba curiosidad mayor, en un alarde   10 de espontaneidad comencé por informarlo de que en Buenos Aires me había ido bastante bien; le dije —¡bah!— que tenía un buen negocio en marcha, si no lo que se dice mío, casi como si lo fuese, y que me sentía en aquel país como en mi propia casa; canté loas de la tierra argentina, tan próspera, a la que tendría que volver, aun cuando por ahora no hubiera   15 que pensar en ello, dados los motivos de índole familiar que me habían forzado a reintegrarme a España; y que de momento lo que más deseaba era volver a estrechar la mano de mis antiguos conocidos, de mis amigos ... Me lancé resueltamente a citar nombres, a pedir noticias de unos y otros, en la esperanza de que, enredado quizás en ellos, saliera a relucir   20 también el de Abeledo, sin necesidad de que yo, en forma directa ... Después de haber tocado varios registros sin éxito especial —Fulano, por ejemplo, estaba en Madrid con un buen empleo; Mengano, había desaparecido; aquél heredó la zapatería de su padre; de aquel otro, más valía no hablar—, me pareció que daba en la tecla cuando —me vino a las mientes   25 de pronto el pintoresco sujeto— le pregunté por Bernardino el Pajarero.

— ¿Bernardino el Pajarero? Ayer, precisamente, estuvo por acá. Siempre tan ... ¿Que qué hace?[62] Pues igual, igual que siempre: criar canarios.

—Bastante chiflado es el pobre; pero buena persona. Y ¿continúa de camarero en el café Cosmopolita?   30

—Allí sigue; el café es el que ya no se llama Cosmopolita; ahora se llama Nacional. Pero sus viejos divanes de peluche, ahí están, y ahí, sus cafeteras abolladas, y todo.

— ¿También la tertulia, mi tertulia? —pregunté; y el corazón se me puso a repicar más aprisa. Veía el rincón, junto a la ventana, donde nos reuní-   35 amos —Abeledo era de los que no faltaban nunca— alrededor de la mesa de mármol, alargada como lápida mortuoria, amigos, conocidos, cono-

---

[62] **¿Que qué hace?** What's he doing, did you ask?

cidos de amigos, advenedizos, ocho, diez, quince a veces, discutiendo,
diciendo chistes, armando broncas. Y me veía a mí mismo llegar, el día
en que aparecí con mis galones de sargento, unos galones anchos, dorados,
del codo al puño, recién cosidos sobre la manga en el lugar de los rojos
5 galones de cabo que sólo había llevado un par de semanas, y recibir, entre
avergonzado y orondo, la ovación humorística con que la peña me acogía.
Recordé, incluso, la broma que me gastó Abeledo:[63] "Ahora —me dijo—
tendré que cuadrarme todos los días delante de ti antes de tomar el café.
¡A la orden, mi sargento!", y se cuadró, payasesco, la mano en la sien,
10 según el reglamento ordena —lo que me pareció un poco tonto y embarazoso, pues estábamos en lugar público, y yo, en realidad, era al final de
cuentas un sargento, y él un soldado raso de uniforme—. También él
estaba cumpliendo el servicio militar; lo hacíamos ambos en el mismo
regimiento, aunque pertenecíamos a compañías diferentes; pero a él no le
15 convino ascender a sargento, pues, mal que bien,[64] seguía atendiendo a
sus tareas como reportero de *La Hora Compostelana,* y el sueldecillo corrí-
a;[65] el redactor-jefe, hombre bondadoso, cubría la falta si, acaso, no llegaba la información de la Casa de Socorro o de la Comisaría, y, por otra
parte, en el cuartel su condición de periodista no dejaba de proporcionarle
20 algunas consideraciones especiales y ciertas ventajas, a cambio de envidie-
jas y zancadillas menudas. Yo sí, me había presentado a examen de sar-
gentos, y ahí estaba, dispuesto para recibir a pecho descubierto el fuego
graneado que la tertulia, con su gran zalagarda, me disparaba.
   —¿La tertulia? Supongo que... En fin, usted sabe, unos se van y
25 otros vienen... —fue la contestación de Castro, el peluquero.
   En esto, irrumpió en el "salón", o saleta, alzando la cortina que daba al
interior, un chico, un canijo de acaso nueve años, cargado de libros, y
se encaminó a la puerta de la calle con un "Hasta luego." "Date prisa —le
recomendó Benito Castro apuntando al techo con las tijeras—, y no te
30 olvides de recoger a la vuelta lo que te tengo encargado. ¿Me oyes?"
¡Qué había de oír! Ya había escapado. Benito miraba a través del vidrio,
aún vibrante del portazo, y meneaba la cabeza. La presencia del niño me
trajo a la memoria que, en efecto, poco antes de estallar la guerra se había
casado; recordé que en la barbería se oyeron por entonces las consabidas
35 bromas de mal gusto.

---

[63] **la broma... Abeledo:** the joke Abeledo made at my expense.
[64] **mal que bien:** as well as he could.
[65] **el sueldecillo corría:** the small salary used to arrive.

—¡Tener ya un hijo tan grandote! —ponderé a media voz. El sonrió, satisfecho.

—¿Usted no se ha casado?

Y mientras me metía la máquina de pelar cogote arriba, yo, con la frente gacha, miraba en el espejo mi cabezota greñuda donde algunas canas, pocas y recias, brillaban como alambres; las dos arrugas que prolongaban hacia arriba el grueso pegote de mis napias,[66] y estas cejas que habían decidido aumentar su espesura con renuevos más largos y salvajes, crecidos en todas direcciones; y abajo, la papada, aplastada entre barbilla y pescuezo. Siempre que me contemplaba en el espejo de una peluquería daba en imaginarme a mí mismo vestido con la sotana que no había querido llevar. "De haber continuado[67] en el seminario —pensaba—, ahora sería cura, con esta misma cara de cura trabucaire, o bien (según se mirase: dependía de la hora y el momento) con aires de cura jaranero que va a los toros fumándose un buen cigarro" ... No, no me había casado. No me había casado con Rosalía, que ahora estaba cargada de hijos y hecha una guarra: tuvo que venir nada menos que una guerra civil para librarme de la coyunda; no me había casado tampoco con Mariana (¡pobre Mariana!; ¿qué estaría haciendo ahora, allá?), y el aburrimiento que me movió a dejarla plantada después de haber convivido seis años justos y cabales, me decía cuán prudente fui en no casarme con ella. ¿Cuántas veces habían querido hacerme caer en el cepo? ... Se me distendió la boca en una sonrisa: también Abeledo tenía urdido, premeditada y alevosamente, casarme con la boba de su hermanita ... Criatura insignificante la tal María Jesús: hasta este momento mismo no me había vuelto a acordar de su mínima existencia.

—No me he casado, no.

Ya el peluquero daba por terminada su obra; me ponía un espejo atrás para que la aprobara y, obtenido el visto bueno, me pasaba un cepillo suavón por el cuello y las orejas.

Nada en limpio había sacado de lo que me interesaba.

VI Bien recortado el pelo y oliendo a perfumes, salí, pues, de la barbería con el vago propósito de darme una vuelta por el café. De ma-

---

[66] **las dos ... napias:** the two wrinkles which extended my big misfitted nose upwards.
[67] **de haber continuado** = **si hubiera continuado.**

ñana, apenas había peligro de caer en un grupo de conocidos. Y Bernardino el Pajarero me proporcionaría con su charla incansable y difusa cuantas noticias le pidiera. El bien sabía qué amigos éramos Abeledo y yo:
no dejaría de traerlo a colación de alguna manera . . .[68] Pero, en lugar de
5 encaminarme directamente hacia el café, me eché a andar, un poco a la
buena de Dios,[69] y sin otra guía que mi deseo de pasar antes por el Pórtico
de la Gloria:[70] el Pórtico de la Gloria es para los gallegos el último reducto
de la devoción; su esplendor de piedra recoge nuestro culto cuando la fe
en el Apóstol se nos ha hecho humo[71] y convertido en literatura. Hacia
10 allí emprendí breve peregrinación; llegué ante el pórtico y, sin subir sus
gradas, se prosternó mi espíritu, bien que —justo sea confesarlo— lo
hiciera con cierta ritual frialdad y medio distraído, pues mi ánimo, absor-
bido como estaba en la preocupación de Abeledo, carecía de la holgura
que esas emociones graciosas requieren. Por mucho que me esforzara en
15 llevar mi atención hacia otras cosas, no podía sacarme aquella preocupación de la cabeza: una y otra vez, volvía a ella con la pertinacia de una
mosca.

Y era el caso que, cuanto más lo pensaba, más incomprensible, enigmá-
tica, se me hacía la conducta de Abeledo, más me inquietaba su oscura
20 actitud, aquel acto único, atroz, cuya casual y para mí afortunada frustra-
ción le había dejado así al descubierto ante mis ojos. Pues ¿cómo? si había
sido mi amigo de adolescencia y juventud, inseparable un tiempo y luego
siempre fiel; si jamás hubo entre nosotros un disgusto serio; si hasta las
mismas discusiones políticas de última hora, cuando, en vísperas de la
25 guerra, estaba tan envenenada la atmósfera, se mantuvieron entre nosotros
en términos todavía soportables; si, obligados por nuestra afectuosa confianza, tantos favores y pequeños servicios nos teníamos prestados el
uno al otro, y en verdad, más yo a él que él a mí; si hasta ¡caramba! ¿no
había maquinado transformar nuestra amistad en parentesco, casándome
30 con su hermana? . . . Tantas veces como[72] este detalle me acudía a las
mientes —no podía evitarlo— la cara se me reía. Me resultaba tan absurdo
que, durante quién sabe el tiempo, en los recovecos de su fuero interno
me hubiera estado prometiendo la blanca mano de la María Jesús, en
quien yo ni por un instante había pensado . . . Muy, muy pava era la pobre
35 María Jesús; buena, sí, como el pan; y, por lo visto, me tenía puestos los

[68] **no dejaría . . . manera:** he would mention it in one way or another.
[69] **a la buena de Dios:** aimlessly.
[70] **el Pórtico de la Gloria:** the main interior entrance to the Cathedral of Santiago.
[71] **se nos ha hecho humo:** has left us.
[72] **Tantas veces como:** Every time that.

puntos[73] de la manera tonta y zonza y boba que le era propia: bajar la
vista cuando yo le hablaba, contestarme con pocas palabras, y recibir
muy modosita ante mí las órdenes del hermano, que se daba aires de
señor y dueño, y que siempre encontraba algunas instrucciones que impar-
tirle cuando salíamos. En realidad, él era el jefe de la familia, que, por lo 5
demás, se reducía a ellos dos solos: apenas el padre, viudo, murió —autoritario y raro, el viejo los destinaba, a él para cura, y a la muchacha para
ama de llaves de su hermano—, colgó éste los hábitos,[74] so pretexto de
que, moralmente, estaba en el deber de sacrificar su carrera, y no tenía
derecho, moralmente, a dejarla sola (a mí me consta, sin embargo, cuánta 10
aversión sentía por el seminario: era un sentimiento que compartíamos);
y así, mientras él se afanaba en ganar unas pesetillas acá y allá, desempe-
ñaba ella los quehaceres de la casa, tristona siempre, siempre calladita y
seria, tan formal... Y no es que fuera, ni mucho menos, fea; fea, no lo
era; era más bien linda, y hasta muy linda si se quiere —eso va en gustos 15
—;[75] y respecto a sus prendas morales ¿qué decir? ¡una joyita! A mí, la
verdad, me daba lástima la vida que esa pobre criatura, tan insignificante,
llevaba, toda abnegación, todo trabajo, encierro... Pero de eso a pensar
... ¡Vamos! Tanto, que si alguna vez, puesto que era una chica decente y
buena, como a mí me constaba, y nada fea, y además la tenía al alcance de 20
la mano, se me ocurría —¡una mera ocurrencia! por aquello de que los
pantalones se creen obligados a eso cada vez que se les ponen unas faldas
por delante—,[76] se me ocurría, ¿cómo diré? ¡bueno, eso!, era para con-
firmar a cada nuevo intento que entre la María Jesús y un servidor[77] nunca
podría haber nada. ¿Por qué? Pues porque, bonita y todo como lo era, a 25
mí —¡cuestión de gustos!— no me gustaba; o, para mayor exactitud,
apreciaba, sí, los tesoros de que ella no parecía hacer mérito, pero, al
mismo tiempo, me producía una especie de raro encogimiento. Hablarle
dos palabras, preguntarle esto o lo otro, bien; pero en cuanto me esforzaba
por mirarla "con ojos pecaminosos", ya estaba ahí el asco, la repulsión. 30
    La causa de ese asco no se me escapaba; la conocía perfectamente. Era
—¡qué tontería!, pero eso era— su excesivo parecido con el hermano; era
que tenía el mismo cutis moreno, las mismas cejas negrísimas, retintas y
muy tendidas hacia la sien; ella, la sosa, no se las depilaba, como por en-

---

[73] **me tenía puestos los puntos:** she had designs on me.

[74] **colgó éste los hábitos:** the latter left the seminary.

[75] **eso va en gustos:** that is a matter of taste.

[76] **por aquello ... delante:** due to the fact that men consider themselves obliged to do
that whenever women place themselves in front of them.

[77] **un servidor:** *a pun:* a humble servant *and* yours truly.

tonces estaba tan de moda; no se hacía arreglo alguno, no se pintaba;
nada: "me lavo con agua clara" ... Y lo demás que ponía Dios, la hacía
demasiado semejante a su hermano Manuel: tenía la misma mirada entre
huidiza y melancólica, la misma nariz corta y fina; iguales hombros redon-
5 deados y algo caídos ... En una palabra: que me recordaba al Abeledo en
cada facción; y ¿cómo hubiera podido yo tocarla sin pensar de inmediato
en Abeledo González? Se me hubieran bajado los humos,[78] ¡hombre!
me hubiera venido la idea de que me estaba acostando con él ... Así,
pues, nunca le hice el menor caso,[79] la traté siempre con todo respeto.
10 ¿Podía yo imaginarme? ... Sólo más tarde, cuando se concertó mi noviazgo con Rosalía, y él lo supo y se convenció de que la cosa iba en serio,
caí en la cuenta por su actitud de cuáles eran las que él venía echándose a
propósito de su hermanita,[80] y de con cuánta intención había procurado
llevarme a su casa en cualquier oportunidad, citarme allí, metérmela por
15 los ojos, y hasta dejarme a solas con ella; pues mi compromiso con la
otra le sentó ¡Dios me valga![81] como un tiro: se puso seco, desabrido,
incluso impertinente, produciéndome tal sorpresa su incalculable reacción
que, desprevenido, desapercibido, estupefacto, nada podía comprender al
comienzo ...

20   Rememoraba yo ahora todo esto, rumbo al café Cosmopolita, sin
fijarme siquiera por dónde pasaba, cuando de pronto, me quedé parado en
mitad de la calle, entontecido por una ocurrencia que, cual pedrada o
mazazo, acababa de golpearme la cabeza: ¡Conque —se me había venido
al magín—, conque por eso era por lo que había querido liquidarme!
25 ¡Canalla! En una oleada caliente de indignación sentí que los colores me
subían a la cara. ¡Canalla! ¡Requetecanalla!, estas palabras se escapaban de
mi boca a borbotones: como un borracho, vacilaba y hablaba solo. ¡Qué
canalla! La infamia de tantos y tantos como aprovecharon la guerra civil
para satisfacer sus pequeños rencores, sus miserias inconfesables, tenía ahora
30 un rostro: el de mi amigo Abeledo. ¡Pero qué canalla, qué recanalla! Me
sentía por mi parte ¡de veras lo digo! libre de toda culpa frente a él. Si se
había hecho ilusiones, si la propia muchacha estaba o no enamoriscada de
mí (¡qué milagro, tampoco, encerrada como vivía, sin trato con ningún

---

[78] **Se me ... humos:** I would have lost interest in her.
[79] **nunca ... caso:** I never paid the slightest attention to her.
[80] **caí en ... hermanita:** did I realized by his attitude just what he had in store for his
little sister.
[81] **¡Dios me valga!:** Bless my soul!

otro!) . . .[82] ¡allá ellos!;[83] pues yo para nada alenté esas ilusiones, ni presté
la más nimia base a sus esperanzas. Tanto era así que, según digo, ni
siquiera había notado . . . Pero, es que soy estúpido; sí, tengo mucho de
estúpido; para ciertas cosas soy un idiota: caigo de la rama cuando la
sacuden, y no antes. ¿Cómo pude pasar por alto la intención de Abeledo a   5
través de tanto y tanto detalle acumulado que ahora, demasiado tarde,
recapitulaba en una plena evidencia; cómo no advertí todos sus planes
de futuro, de que gustaba hacerme confidencia y en los que yo solía figurar
como un primordial elemento; cómo no calculé que la superioridad de
mi posición —heredero seguro de mis tíos—, todo eso, junto . . . ? Estaba,   10
sí, en Babia,[84] mas, por suerte, jamás llegué a deslizarme ni en un milí-
metro; siempre me conduje de modo circunspecto; no hubo ni una broma
siquiera, motivo alguno de reproche. Quién sabe si no hubiera sido preferible una buena trifulca para despejar la atmósfera o quedar enemistados
de una vez por todas,[85] claramente. Pero, Señor, ¡qué canalla! ¡Si parecía   15
imposible! Ahora sí, ahora el miserable iba a oirme, cara a cara, mano a
mano, los dos solos, de hombre a hombre, no bien me lo tropezara. Ahora,
casi tenía ganas de dar con él, tan grande era mi indignación; de buscarlo,
y . . .

VII   Llegaba con esto al café Nacional, antes Cosmopolita. Entré y,   20
derecho, me encaminé al rincón donde solíamos reunirnos; allí me instalé,
solitario, junto a la ventana. Que nada había cambiado, decía Castro el
barbero. Por lo pronto, ninguno de los mozos me era conocido; al menos,
ninguno de los que andaban por allá. Las paredes, si mal no recuerdo,[86]
tenían un color cremoso; ahora, azules; había, creo, unos zócalos que ya   25
no se veían; y hasta diríase que el salón mismo hubiera encogido y achi-
cado, por más que esto, claro está, no fuese sino una falsa impresión
—quizás habían suprimido espejos . . .
   Al camarero que se me acercó le pregunté por Bernardino el Pajarero:
no venía hoy; había mandado avisar que estaba enfermo. Bueno, no   30
importaba. Me puse a revolver mi café, di un sorbo —¡qué diferencia,

---

[82] (**¡qué milagro . . . otro!**): no wonder either, locked in as she lived, without dealings
with anyone else.
[83] **¡allá ellos!**: that's their business.
[84] **Estaba . . . Babia**: I was certainly absent-minded.
[85] **de una vez por todas**: once and for all.
[86] **si mal no recuerdo**: if I remember correctly.

demonio, con el que uno toma en Buenos Aires! Antes aquí, en el Cosmopolita, no daban mal café; pero en Buenos Aires, la verdad sea dicha, el
café que se toma, pensaba yo, es excelente, y no sólo el que a uno le hacía
en casa la Mariana: incluso el del almacén era aceptable—; di un sorbo
5   y . . . —¿o es que la felonía de Abeledo me tenía estragado el paladar y
con ganas de vomitar? —. ¡Qué canalla el Abeledo! Quería ver yo con
qué cara se presentaba delante de mí; qué cara ponía cuando yo le dijera:
"¡Canalla, atorrante! ¿Conque quisiste asesinarme, ¿eh?" . . . Bueno,
sostendrá que jamás pretendió tal cosa, que más bien se propuso prote-
10   germe en cierto modo, al hacer que me detuvieran, cumpliendo al mismo
tiempo con su deber (el deber: la gran cobertura de tantos canallas), pues
—¡ay, si me parecía estarlo oyendo: bajos los ojos, pálido!—, pues —¡a
empujones, a reculones, bregando con las palabras!—, pues en aquellos
momentos graves, de peligro para todos, él, que me conocía bien, y sabía
15   cómo yo pensaba, y que, como él, todos estaban al tanto de que yo era un
rojo,[87] él, amigo mío, había tenido buenas razones para estimar que lo
más prudente . . . etcétera. ¡Sí casi me parecía estar oyendo la confusa
retahíla, como si, en efecto, alguna vez hubieran salido de su boca frases
tales y ahora las reconstruyera mi memoria hasta con el mismo tono de su
20   voz!; como si ellas fueran la natural continuación de las muchas conversaciones políticas, de las discusiones, ¡no; propiamente discusiones, no;
sino pullas, piques, puntadas! No es él tipo de discutir abiertamente y
sostener su opinión con franqueza. Pero es lo cierto que, poco a poco,
acaso —¡qué estúpido!— por influencia del ambiente de la redacción
25   (pues trabajaba como reportero en *La Hora Compostelana,* y trabajaba
allí, y no en otro periódico cualquiera, como resultado de un azar en todo
ajeno a la política[88]), lo cierto es que cada día estaba más reaccionario,
y a mí me irritaba la falta de fundamento con que él, que nunca tuvo dónde
caerse muerto,[89] se colocaba cada vez más y más en el bando de los ricos.
30   Diríase que lo hacía tan sólo por llevarme la contraria.[90] Pues, ¡en eso sí
que estaba en lo cierto!, mis convicciones eran muy firmes, ardientes, y
si la sublevación me hubiera sorprendido en Santiago, ni que decir tiene[91]
que hubiese puesto cuanto estuviera de mi parte[92] por entorpecer, ya que

---

[87] **un rojo:** a Republican or Socialist.
[88] **en todo ajeno a la política:** that had nothing at all to do with politics.
[89] **que nunca . . . muerto:** who was always destitute (who didn't even have a place
where he could drop dead).
[90] **lo hacía . . . contraria:** he did it only to disagree with me.
[91] **ni que decir tiene:** needless to say.
[92] **cuanto estuviera de mi parte:** all that I could have.

impedir no se pudiera ... qué sé yo ... o bien, hubiera procurado pasarme
al otro lado, a falta de cosa más útil; y me resultaba absurdo que él, por la
circunstancia enteramente fortuita de trabajar en un periódico de tenden-
cias clericales, él, que los conocía y detestaba igual que yo, por haberlos
padecido, apareciera convertido en paladín ... ¡Qué idiota! ¡qué falta de ⁵
seso! Porque lo notable es que parecía muy convencido, convencidísimo.
Y hasta, con su falta de sentido común y su fanatismo, podía haberse creído
en el deber, deber patriótico, de, cual nuevo Guzmán el Bueno,[93] sacrificar
a su muy querido amigo de la infancia ... Tantas cosas se vieron en esa
guerra ... ¿No hubo quien emprendiera todo un viaje para llegarse al ¹⁰
pueblo en busca de su cuñado, y prenderlo, y llevárselo al matadero con
otros enemigos de la causa, dejando a hermana y sobrinos en alaridos,
lágrimas e insultos? Muchos pensaban que ése era su deber, y hasta les
enternecía el espectáculo de la propia abnegación, aquella su admirable renuncia a todo sentimiento particular de humanidad o de afecto en aras de ¹⁵
intereses más altos, sin que faltara siquiera un modo de sublime piedad
hacia las obcecadas víctimas, expedidas al cielo no antes de, con generoso
empeño, haber forzado su arrepentimiento y salvación ...

    Por un instante, me sumí en el recuerdo de la guerra. Estaba allí, sentado
en la penumbra del viejo café Cosmopolita, que ahora se me antojaba ex- ²⁰
traño, mirando distraído a la gente que, de tarde en tarde,[94] pasaba ante la
ventana; pero mi alma se bañaba en la atmósfera de aquel Santander remoto, luminosa, radiante, agitada, llena de gritos, de excitación, de discusiones, de esperanza, de entusiasmo, de milicianos, de noticias. Lo que
entonces me parecía tan natural: que quisiera exterminarse al adversario, ²⁵
que eso fuera considerado como un acto de legítima defensa, más aún,
como un deber sagrado, y sospechoso o tibio a quien por amistad privada
ocultaba al enemigo público, ahora me producía, no ya repugnancia,
sino verdadero asombro. Y sin embargo, así había sido: ni la comunidad
de la sangre era excusa frente a aquella otra comunión insensata. ¡Qué ³⁰
suerte grande —reflexioné, y mis palabras casi sonaron en un susurro—,
qué inmensa suerte nos reservaba a nosotros, escondida, nuestra desgracia
de perder la partida, de quedar vencidos, desamparados, desligados, absuel-
tos, penitentes! Pensaba: Si, como ellos, hubiéramos tenido que endosar
tanto horror, una vez decaída la exaltación beligerante ... Y en seguida ³⁵

---

[93] **Guzmán el Bueno** (1258–1309) was a Castilian captain who, faced with the choice
of being disloyal to his king or of having his own son killed, provided the dagger
for his son's execution.

[94] **de tarde en tarde:** now and then.

me pregunté con alarma: Pero yo ... ¿Acaso yo, de haber estado él[95] en
Santander, siendo por lo tanto la situación inversa, acaso yo no ...?
Con alarma, con ansiedad me interrogaba a mí mismo: ¿Qué hubiera hecho yo? ¿qué? Si, por ejemplo, teniendo la convicción plena de que Abe-
5 ledo, mi amigo íntimo ... ¡No! —fue mi respuesta, después de auscul-
tarme a fondo—, ¡no! —brotó, vibrante—, ¡no, no lo hubiera denunciado!
Y me sentía muy ufano, más que dichoso, al comprobar que no, que,
desde luego, eso, yo no lo hubiera hecho ... Tranquilizado ya, insistí,
casuista, ante el tribunal de mi propia conciencia: Pero ... ¡veamos! ...
10 pero, ¿y si, por ejemplo, hubiera yo sabido a ciencia cierta que figuraba
en una organización de la "quinta columna" para sabotear la guerra?,
¿o si, constándome como me constaba cuáles eran sus ideas, me lo veo
de pronto —supongamos— en un puesto de confianza desde donde pudiera ejercer y dirigir espionaje, actuar de una manera peligrosa? ¡Qué
15 perplejidad! ... Como quiera que fuese,[96] él no podía en manera alguna
presumir que yo, desde el fondo de la cerería, iba a poner en peligro a la
llamada revolución nacional —harto hubiera hecho, pobre de mí, con
agazaparme y esconderme—; y, por otra parte, le cabía siempre el recurso,
si tanto era su celo, de buscarme, hablarme a solas, amonestarme, amena-
20 zarme inclusive ..., ¿qué sé yo? En último caso, eso es, creo, lo que yo
hubiera hecho. Pero él ... Suerte tuve con estar fuera; y él, él también
tuvo una suerte bárbara al no encontrarme; pues si me encuentra, ¡vaya!
...,[97] por más que se dijera a sí mismo: "Es un rojo, y los momentos no
son para andar con bromas; están en juego los destinos de la patria, la
25 causa de Dios",[98] etcétera; tampoco dejaba de saber demasiado bien quién
era este rojo: su amigo de siempre, que le había inferido el imperdonable
agravio de desairar sus expectativas al abstenerse de pedir la blanca mano de
su señorita hermana, dejándola para vestir santos; y si tenía esa espina
enconada, más se le hubiera enconado, se le hubiera infectado hasta reven-
30 tar de pus, el modo de sacársela;[99] la conciencia le estaría apretando como
unos zapatos nuevos, aunque también la conciencia se doma con el uso,
y hasta se agujerea ... Buen servicio le hice, de todos modos, con no estar

---

[95] **de haber estado él** = si hubiera estado él.
[96] **como quiera que fuese:** however it might be.
[97] **¡vaya!:** well.
[98] **y los ... Dios:** and one can't fool around now; the destinies of the fatherland, the
cause of God are at stake.
[99] **y si ... sacársela:** and if he had that irritating thorn in him, the way to get rid of it
(i.e., by harming or killing the narrator) would have made it worse; it would have
become infected until it burst with pus.

a su alcance, por mucho que la intentona lo haya dejado ante mí al descubierto, en una postura tan poco airosa. Ahora, cuando nos diéramos de manos a boca,[100] si quería vejarme, o si prefería hacerse el magnánimo conmigo, ¡que lo hiciera! ¡Que hiciera lo que le diese la gana!... Me lo estaba imaginando: "¡Caramba, hombre! ¡Tú!", ironizaría. "¿De dónde sales, al cabo de los años?" Y si yo, acaso, le replicaba con retintín: "Te parecerá que salgo de la tumba, ¿no?", podría retrucarme en tono amenazador: "¡Más te valiera, desgraciado, estar en ella!", añadiendo, como para su capote: "Vuelven a asomar las ratas.[101] Pues, ¡que no pierdan tan pronto el miedo!"... o algo por el estilo.[102]

La idea de nuestro eventual, pero muy probable encuentro, volvió a restituirme a la situación presente, a este café Cosmopolita donde tantas y tantas veces nos habíamos sentado juntos, aquí, precisamente, en este mismo ángulo, ante este mármol, en otro tiempo, y donde podría aparecer de nuevo en cualquier momento. Sí, en cualquier momento; ahora mismo, ¿por qué no? ¿Por qué la mano que empuja ahora mismo la puerta para abrirse paso no podría ser la suya, apareciendo inmediatamente en el marco de la puerta su cabeza negra, sus ojos recelosos, sus hombros caídos...? El pensar en tal posibilidad aceleró mis pulsos; me crispé, apretados los dedos al borde de la mesa, fija la vista en la puerta que cedía, como para incorporarme. Pero, no; no era él; era un palurdo, un aldeano que vacilaba, y que pronto eligió asiento tras de una columna... Lo mismo da[103] —pensé distendido—. La posibilidad es lo que importa. No ha sido esta vez, pero será la próxima, o la siguiente; y si no es aquí, hoy, será mañana, en cualquier otro sitio. Ya me lo encontraría en alguna parte, y pronto, aun sin necesidad de buscarlo... Luego traté de imaginarme cómo estaría él, con sus treinta y tantos años; si habría engordado, como yo; en qué se ocuparía. Lo veía hecho un personaje, engreído, moviéndose tal vez en un plano que hiciera poco fácil nuestro casual encuentro.

VIII   El encuentro no se producía. Aquel día pasó, y el siguiente, y otro, y otro; pasó una semana, dos semanas pasaron entre tanto y, ni yo

100 **cuando nos ... boca:** when we suddenly meet.
101 **como para ... ratas:** as if to himself: "The rats (the Spaniards who fled Spain) are appearing again.
102 **algo por el estilo:** something of the sort.
103 **Lo mismo da:** It's all the same.

había tropezado con él, ni hubo siquiera quien me diese noticias suyas:
¡como si se lo hubiera tragado la tierra! Cierto que mis diligencias se cumplían con suma cautela, y nadie hubiera podido decir que yo andaba bus-
cándolo. En puridad, no lo andaba buscando; pero —esto era seguro—
5 tampoco iba a tener sosiego para ocuparme en cosa alguna mientras ese
enojoso encuentro estuviera pendiente; y puesto que el azar, al que yo
había desafiado con creciente audacia mostrándome por todas partes, en
los más frecuentados sitios públicos, parecía tan remiso, me aventuré por
fin a provocarlo, a meterme en la boca del lobo, no sin poner en juego,
10 con todo, discretas y meticulosas precauciones.

Desde el café, para poder cortar la comunicación en el momento mismo
que a mí me conviniera, telefoneé, pues, un día a *La Hora Compostelana*
preguntando por el señor Abeledo: que no lo conocían fue la respuesta.
Tranquilizado por extraño modo, me encaminé desde allí a la redacción,
15 e insistí en la portería: "Abeledo, sí, señor; don Manuel Abeledo González." El conserje —un viejo estúpido—no acertaba a darme razón.
"¿Reportero, dice usted? Aguarde: hace ya como un siglo que no compa-
rece por aquí. Sí, sí; ya sé quién es: Abelardo, un rapaz muy simpático,
reportero, ¿no?, uno rubito, gordo" . . . "¡Qué rubito gordo! No, hombre
20 de Dios: si es un tipo moreno, pelo negro, cejas . . ." "Pues entonces ha
de ser otro . . . Sí, sí, claro, tiene usted razón; me confundía; el que yo
digo es otro, es Abelardo Martínez, uno rubito y gordo." "¡Válgame
Dios!" "A ese . . ., ¿cómo decía que se llama?, a ese tal González yo no
lo he oído mentar nunca", concluyó encogiéndose de hombros.[104] Pedí
25 entonces ver a don Antonio Cueto. —Cueto era el redactor-jefe, tan benévolo un tiempo para las faltas del joven periodista sujeto al servicio militar,
y a quien yo había entregado de su parte alguna información un par de
veces. ¿Qué importaba que ahora no se acordase de mí?— "¿Don Antonio Cueto? Pero, ¿usted no sabe que don Antonio Cueto está de goberna-
30 dor civil?, pues sí, en Alicante, creo, o no sé si en Almería."

¿Gobernador civil Cueto? ¡Caramba! . . . En seguida se me ocurrió
que tal vez se hubiera llevado consigo, como secretario, a algún redactor
de *La Hora,* incluso al propio Abeledo, que tan simpático parecía serle.
Y, puesto a imaginar, ¿por qué Abeledo mismo no había de tener, también
35 él, un alto cargo?; uno que, sin ser demasiado notorio, le diera, en premio
de sus celosos servicios al régimen, influencia y gajes, y hasta —¿quién
sabe?— poder directo . . .

---

[104] **encogiéndose de hombres:** shrugging his shoulders.

Me estremecí. Conforme iba alejándome calle abajo, un verdadero desasosiego me invadía: ahora estaba dispuesto a revolver el cielo con la tierra,[105] sin más vacilaciones, hasta localizarlo; así no se podía hacer nada, no se podía tener sosiego, no se podía vivir . . . Hasta ese instante, cada pequeño fracaso —cuando, por ejemplo, en el cine, me puse a recorrer 5 la sala en todas direcciones, durante el descanso, sin tropezar con un solo conocido; o cuando me entré en el Ateneo Gallego y no dejé rincón por inspeccionar—,[106] cada vez que concurría yo a un lugar donde hubiera podido hallarse, sin verlo (y de tales intentonas no realizaba apenas sino una por día, tras de lo cual me daba por satisfecho hasta el siguiente), 10 cada una de esas infructuosas pruebas había sido para mí hasta el instante como un respiro, engañosa tregua que ni siquiera me traía el alivio tonto de aplazar un choque inevitable, pues si por un lado estaba — ¿para qué negarlo?— temeroso, por el otro deseaba, y quizá con mayor vehemencia, enfrentarme ya de una vez con el bicho. 15

Que en la redacción no lo conocieran, me había trastornado por comple-to, causando en mí enorme excitación. Era aquello, o me lo pareció, el primer signo a favor de una eventualidad que, antes, apenas si me atrevía a acariciar; ésta: ¿por qué la guerra, cuyos trasiegos habían convertido a mi Santiago en una ciudad extraña, repleta de extraños, donde a nadie 20 conocía, por qué no podía haberlo alejado a él, llevándolo hacia cualquier otra parte, al otro extremo de España, a Alicante, a Almería? Si ello toma-ba cuerpo y consistencia, si por fortuna era ése el caso, nada impedía en-tonces que yo permaneciera ahí, en un Santiago desconocido e indiferente, tan tranquilo como lo estaba en Buenos Aires, sin importárseme nada de 25 nadie, ni a nadie tenerle que rendir cuentas de nada; en fin, como si jamás hubiera existido el tal Abeledo González.

Y así, ese día, agitado por el bullir de hasta entonces mal sofocadas esperanzas, en lugar de contentarme con la llamada telefónica a la redac-ción, la reforcé primero acercándome a la portería, y, luego, lleno de 30 impacientes promesas, impaciente, impaciente ya, del todo impaciente, presto a jugarme el todo por el todo,[107] me encaminé hacia su casa. Varias veces antes, en ocasión de ir acá o acullá, había hecho un desvío para pasar ante ella con aire naturalísimo, pero espiando el cerrado portón y las ventanas, sin jamás divisar persona. Ahora, no me limitaría a rondar la 35 casa; tiraría de la campanilla, y aguardaría. A ver qué pasaba. Pues ¿qué

---

[105] **ahora . . . tierra:** now I was ready to move heaven and earth.
[106] **por inspeccionar:** uninspected.
[107] **jugarme . . . todo:** to stake everything.

podía pasar? ¿Que la María Jesús abriera ante mí la puerta, y más aún los
ojos? Y aunque fuera él, el mismísimo Abeledo: aprovecharía yo el momento de su sorpresa, y le plantearía la cuestión de la manera más favorable
para mí; quizás, con un golpe de audacia, disparándole a boca de jarro:[108]
5 "Me he enterado de que fuiste a buscarme en mi casa con unos amigos, y
aquí vengo, solo, a ver qué querías." (Una sonrisa me acudió a los labios:
¡devolverle la visita al cabo de diez años!) ... Con estos pensamientos
llegué a la esquina de su calle y, moderando el paso para darle al azar más
dilatada oportunidad, por dos veces consecutivas recorrí la acera de en-
10 frente. Mas, en vano; vano parecía mi asedio a la fachada: una quietud impasible me desahuciaba; el zapatero instalado en el mismo portal donde
otrora estaba un estanco, ya me había mirado cruzar para arriba y cruzar
para abajo; mi firmeza empezaba a quebrantarse; me sentía de pronto
cansado hasta el agotamiento, e indiferente, y triste, cuando —¿qué
15 veo?— una mujer dobla la esquina y, al llegar ante la puerta, se para,
mete una llave en la cerradura y se dispone a abrirla.

—¡Perdón, señora! —la abordo de un salto (y toda mi laxitud había
desaparecido: estaba otra vez muy sereno, quizá un poco pálido, pero
resuelto, sereno).
20 —Por favor, dígame, ¿vive aquí don Manuel Abeledo?

Se volvió, me observó despacio, yo la observé a ella: una cuarentona
todavía de buen ver. —No, señor; no; no es aquí —respondió con calma;
y, desentendida, se aplicó de nuevo a hacer girar la llave en la cerradura.

Decir que esperaba esta respuesta, no sería exacto; pues, ¿cómo?,
25 ¿con qué fundamento? Y, sin embargo, la recibí muy naturalmente, mientras que, de seguro, me hubiera desconcertado oir la afirmativa. Firme ya,
alegre, insistí:

—Pues la dirección que me han dado es ésta. Este es el número, y ésta
la casa, sin lugar a dudas. —Pausa—. ¿Usted no habrá oído, por casuali-
30 dad..., no sabe, acaso...?

Ya la puerta había cedido, y yo pude colar una mirada ávida en el zaguán
que tantas veces cruzara hacia adentro, hacia afuera, en compañía de
Abeledo.

—¿Abeledo, dice? ¿Don Manuel Abeledo? Estará equivocada esa
35 dirección: aquí, desde luego, no vive; ni yo he oído tampoco por la vecindad...

—Sin embargo... El caso es, señora, que en Buenos Aires, al embarcar
hacia acá... —Iba a contarle que cierto amigo mío me había encargado

---

[108] **a boca de jarro:** point-blank.

de buscar a esa persona; pero ella, al saber que yo venía de Buenos Aires, levantó la cabeza para mirarme de nuevo e, interesada, me interrumpió: —¿De Buenos Aires viene usted? Pero pase, por Dios; ne se quede ahí en la puerta: pase, y siéntese un momento.

No quise hacer resistencia; entré en el zaguán: —Si pudiera ayudarme 5 a dar con esa persona, se lo agradecería mucho. Y perdone la molestia.

Pasamos ambos a la sala baja, y nos sentamos en sendos sillones, a los lados de una mesita ridícula cubierta por un tapete de malla con borlas. Disimuladamente, inspeccionaba yo la pieza que había conocido antes alhajada en manera quizás más pobre, pero no tan ramplona, cuando, de 10 improviso, al reconocer entre su abigarrado moblaje una cómoda que siempre estuvo en casa de Abeledo, aunque no en aquella pared —la cómoda panzona donde él acostumbraba guardar sus cosas con aparatosa solemnidad—, me dio un vuelco el corazón,[109] como si hubiera creído distinguir al otro lado del tabique la inesperada voz de Abeledo mismo, o mejor 15 —pues la cosa no era quizás para tanto—[110] el discreto trajinar de la hormiguita laboriosa, como llamaba yo a su hermana María Jesús. ¿Qué hacía allí semejante reliquia, si era verdad que esta gente no sabía nada de los anteriores inquilinos? Dos o tres hipótesis más o menos absurdas concurrieron en tropel a darme provisional respuesta; y yo procuré dominar 20 mi turbación, y responder por mi parte a las preguntas que aquella señora me estaba haciendo. Ya había puesto en mi conocimiento[111] que ellos también, en determinada época habían tenido propósito de ir a Buenos Aires, donde a la fecha continuaban viviendo unos parientes suyos, un sobrino de su marido, casado, y con dos hijos ya mayorcitos... A no 25 ser por[112] la guerra, decía, también nosotros estaríamos allí. Me sonrió; y yo, con el sombrero entre las manos, contesté a su sonrisa: tenía una sonrisa agradable. —A lo mejor —sugirió— usted conoce a mis sobrinos: Antonio Alvarez se llama él.

—¿Alvarez? —dudé—. Quizás, de vista... Por el nombre no caigo en 30 este momento.[113] Usted sabe: sería casualidad, en una ciudad tan inmensa como Buenos Aires... ¿Dónde viven?

—Calle Santiago del Estero —enunció con énfasis, como quien hace una revelación muy decisiva; y se quedó fija, aguardando. Al oírla, la calle

---

[109] **me dio ... corazón:** My heart skipped a beat.
[110] **no era quizás para tanto:** perhaps was not as serious as that.
[111] **Ya había ... conocimiento:** She had already informed me.
[112] **A no ser por = Si no fuera por.**
[113] **por el ... momento:** at the moment the name doesn't ring a bell.

Santiago del Estero se precipitó a mi imaginación con extraordinaria viva-
cidad y alegría, en aquel trozo próximo a la plaza Constitución, con árboles muy verdes y un sol matutino inundándome toda el alma. Fue por
aquellos parajes donde conocí a Mariana; en el bar de la vuelta,[114] sobre
5 la plaza, donde nos citamos las primeras veces; y en un hotelucho próximo, donde solíamos encontrarnos antes de ir a instalarnos juntos . . .

—No; creo que no conozco a su sobrino; o al menos, no me acuerdo.

—Y . . . ¿usted vuelve para allá? —se interesó. Le dije que aún no sabía;
quizás sí, quizás no; aunque lo más probable, cuando uno ha vivido en
10 un sitio tantos años, se han dejado amigos . . .

—Pues allá estaríamos nosotros, de no ser por la guerra.[115] Pero con la
guerra, ya mi marido no pudo abandonar sus tareas. (¿Cuáles serían,
pensé yo, las tareas del marido? Ahí estaba, en el testero de la sala, severo,
muy afilados los bigotes, haciendo *pendant* con el retrato de ella, joven,
15 atusada y hermosa.) Y no es —prosiguió— que desde entonces se nos
hayan pasado las ganas, pero . . .

La mujer hablaba con seriedad, y su expresión era más bien apacible;
mas tenía en los ojos un algo de risueño que atraía. Observaba yo el movimiento de sus labios al hablar: una boca ya muy hecha, con arrugas mar-
20 cando bien las comisuras, pero todavía fresca; observaba la vibración de
su cuello, un poco grueso; y de ahí volvía a mirarle los ojos, mientras a
cuanto decía prestaba una decorosa atención. Me estaba preguntando por
Buenos Aires; quería saber si se encuentran en Buenos Aires muchas
facilidades.

25 —¡Qué voy a decirle, señora! Allá, todo el mundo vive; unos mejor y
otros peor, claro está; pero . . . ¡es un país magnífico! —concluí—. ¡Magnífico! —reforcé. Ella reflejaba en su complacencia mi repentino entusiasmo; luego se le arrugó un poquito la frente para decirme que su sobrino,
cada vez que escribía, era quejándose. Y yo rectifiqué—: Por supuesto que
30 aquello no es la sucursal del Paraíso; y, sobre todo, a uno siempre le tira
su tierra. De no ser así,[116] yo mismo ¿qué hubiera venido a buscar en Santiago? —Nos quedamos callados por un momento, y yo volví a mi asunto
en seguida—: ¿Sabe usted, señora, lo que pienso? Puede que la dirección
de ese Abeledo estuviera bien dada, sólo que sea antigua, el tipo se haya
35 mudado, y . . . ¿Hace mucho que ustedes ocupan esta casa?

---

[114] **de la vuelta:** around the corner.
[115] **de no . . . guerra:** if it weren't for the war.
[116] **De no ser así = Si no fuera así.**

—¡Uf, sí! Bastantes años; desde que se terminó la guerra y trasladaron a mi marido desde La Coruña a Santiago...

No sabía quién la ocupaba antes: —No; no, señor; a nosotros nos la adjudicó el Comisariato. Y, por cierto, que no es la que hubiera correspondido a los méritos de mi marido; pero, ni había mucho donde elegir, 5 ni tampoco es él hombre que exija, reclame, intrigue; de manera que...

—Así —atajé— ¿nunca ha oído nada de los anteriores inquilinos... qué fue de ellos...? Mi amigo me dijo que se trataba de dos hermanos: el tal Abeledo, y una hermana más joven... A mí se me ocurre que, así como a ustedes los trasladaron a Santiago, a ellos los trasladarían a 10 otra parte.

—No tengo idea, la verdad. Como no sea que[117] mi marido...

—Pues no quiero molestarla más. —Le di las gracias, le hice ofrecimientos, sin mencionar, no obstante, mi nombre, y me volví por donde había venido. 15

IX De aquella entrevista saqué el corazón aliviado; ni rastros de preocupación quedaban en mí: salí silbando de la casa y pasé ante el zapatero pisando fuerte; bajé la calle, me dirigí hacia el centro, fui a tomarme una cerveza, puse un tango y eché la moneda en el gramófono eléctrico, miré el programa de los cines y, desde luego —para celebrar la liberación 20 de mi ánimo; pues ¡buen peso se me había quitado de encima!—, resolví obsequiarme aquella noche con alguna pequeña expansión.

En una ciudad provinciana donde, además, uno era, aunque nacido en ella, forastero, poca variedad de diversiones se le ofrecen al hombre. Y tampoco yo vacilé mucho acerca de lo que el cuerpo me pedía. Por suerte 25 o por desgracia, no soy de los que pueden renunciar a ciertos naturales placeres durante semanas y meses. Acodado en la mesita del bar, repasaba yo mentalmente la cuenta de mis dineros sobrantes, y también la de mis días disipados en la estúpida obsesión de encontrar a Abeledo, días tontos, vacíos, en cuya grisura más de una vez se había hecho sentir, como oscura 30 punzada, el recuerdo de Mariana, el deseo de Mariana. En el barco, mientras la travesía duró (cuando la amistad pasajera con una mujercilla de retorno a su aldea me proporcionaba sobresaltados refocilos), Mariana

---

[117] **como no sea que:** unless.

solía presentarse a mi imaginación hecha un basilisco;[118] era su cara, su boca voluntariosa, lanzándome ristras de aquellos improperios a cuyo alcance me había sustraído; y yo me reía a solas de pensar en el chasco. Mas ahora, tantísimos días después del desembarco, empezaba a considerar como una idea del diablo la que había tenido al zafarme así de sus garras y dejarla burlada; y su cara de rabia ya no me daba risa:[119] se me seguía apareciendo irritada y áspera, sí, pero con una aspereza muy hermosa, excitante, como si el apretado ceño, los ojos chispeantes y los labios entreabiertos de desprecio, anticiparan ... En fin, ¿de qué valía entregarse a las ardientes nostalgias, si la cosa ya no tenía remedio? Hecho estaba el mal; y ahora ...

Pues ahora, había, como digo, resuelto remediarme con una fiestecita íntima; y aunque —a la verdad— me repugnaba un poco —siempre me había repugnado— el "amor venal", llegada la noche — ¿qué hacerle?— me encaminé, firme cual[120] un romano, hacia el prostíbulo, sintiendo, ya *ante coitum,*[121] la clásica *tristitia.*[122]

¡Ay, qué gran sorpresa me aguardaba allí! Después de tantos días huecos y vanos ¡qué día! Entro —aquella casa *non sancta*[123] me era conocida desde tiempos de mi desamparada juventud—; entro, acuden las pupilas, y ¿a quién me veo entre el rebaño? A María Jesús; sí, a ella en persona, a la señorita doña María Jesús de Abeledo y González, *virgo prudentissima,*[124] metida a ...[125] ¡Bendito sea Dios! Yo me restregaba los ojos; pero no, no era ni un sueño, ni una alucinación: allí estaba, en cuerpo y alma, y era ella, ella misma, como lo delataban sus miradas de angustia, sus conatos de disimulo, su actitud de "¡qué se me importa a mí!", medio oculta a la zaga de sus compañeras.

Le elegí a ella, por supuesto; la saqué de su parapeto y, cuando estuvimos solos, y nos miramos a las caras, yo debía de estar más blanco, más azorado y más descompuesto que ella misma. Ella fue quien habló primero; dijo con voz opaca: —Hombre, mentira parece que no hayas podido ocupar a otra. Tendrías que haberme respetado, aunque más no fuera,[126] en consideración a ... —Temblaba, creo que no tanto de ira como de

---

[118] **hecha un basilisco**: enraged.
[119] **ya no me daba risa**: didn't make me laugh anymore.
[120] **firme cual = tan firme como.**
[121] **ante coitum**: *Latin* before intercourse.
[122] **tristitia**: *Latin* sadness.
[123] **non sancta**: *Latin* unholy.
[124] **virgo prudentissima**: *Latin* most prudent virgin.
[125] **metida a**: in the role of.
[126] **aunque más no fuera**: if for nothing else.

humillación. O quizás de ira; sólo que no tenía la costumbre de la ira, y resultaba lastimosa. Se miraba con encono las pintadas uñas, y sus pestañas negrísimas echaban sombra a los ojos; pero, encima, unas cejas depiladas y rectificadas, que no eran ya las suyas, le daban un detestable aire paya-sesco.

—Mejor estabas antes, con las cejas sin arreglar —fue mi incongruente respuesta. Me atisbó entonces como un animalito acosado (de veras, que tuve lástima), y no replicó nada.

Entre tanto, pude yo urdir un infundio; le dije con aplomo: —Vengo a verte. Tras de mucho buscar, he sabido que estabas aquí y, ¡ya ves, mujer!, vengo a verte.

Se comprenderá que los impulsos carnales cuya urgencia me llevó a recalar en aquel puerto, habían amainado; un pesado descontento me llenaba, un raro malestar, desánimo. Tanto, como para producirme estupe-facción la seguridad con que mi propia voz sonaba profiriendo aquel em-buste. Pues ¡tan pronto me había sobrepuesto al desconcierto![127] Porque la sorpresa había sido, ¡caramba!, descomunal.

Ella fue (y se explica: uno entra de la calle...), fue ella quien primero me reconoció a mí en el cliente recién llegado. Y el susto de su mirada hizo que yo me fijara en seguida en ella, y que, no sin algún trabajo —pues, ¿no era increíble?—, la descubriera ahí, a la María Jesús, e identificara bajo el disfraz de las dibujadas cejas, lineales y bobas, sus ojos; identificara sus mejillas, un poquito abultadas, pálidas bajo el colorete; identificara su cuerpo, también algo más gordo y pesado que antes, cuerpo de paloma buchona... ¿Cómo me vería ella a mí? Muy cambiado no debía estar, puesto que tan pronto me había reconocido. Ahora, al oír lo que yo le decía: que iba a verla; que estaba allí para verla, alzó la cabeza, pequeña bajo la balumba de un peinado cómicamente recogido arriba, y se puso a escrutarme con mucha seriedad y apreciable alivio: la mentira inventada para salvar mi decoro había tenido un piadoso efecto.

Corroborativo, persuasivo, añadí todavía:

—Imagínate, mujer, después de tanto tiempo... Quería verte; saber, en fin, qué ha sido de tu vida.

La pregunta era torpe; no tenía otra respuesta que la que me dio la pobre; —Pues, hijo, ya lo estás viendo. —Pero el caso es que, al cabo de un rato, muy pronto, casi en seguida, ambos nos sentimos a gusto el uno junto al otro,[128] y hasta, ¡cosa notable!, creo que nunca había hablado con

---

[127] **¡tan pronto ... desconcierto!:** how quickly had I overcome my confusion!
[128] **ambos nos ... otro:** it felt good to be together.

ella tan sosegada y afectuosamente como entonces, en aquel impropio
lugar, mientras que ella misma —y ¡cuidado, que su situación era aflictiva!
— parecía tener mayor aplomo que jamás antes en mi presencia. Se había
sentado al borde de la cama; y yo, frente a ella, en un taburete de raso
5 celeste muy manchado; conversábamos.

Evitando herirla, discurría yo al comienzo mediante generalidades y
sobreentendidos; pero no tardó en tomar la palabra y empezó a desahogarse conmigo en quejas menudas contra aquella vida mísera que llevaba:
peleas, malquerencias, pequeños hurtos, la comida, envidias y cien mil
10 porquerías. Se expresaba con frases que no eran suyas, de la María Jesús,
sino pertenecientes a un repertorio común que había asimilado y del que
apenas si[129] conseguía yo sacarla, como si ya no fuera capaz de hablar más
que en frases hechas, cuando lo que a mí me interesaba eran las circunstancias personales que la habían llevado hasta ahí, y, sobre todo, averiguar
15 el paradero de su hermano. Hallarla así, sumida en las sórdidas estancias
del lugar común, era cosa que exasperaba mi curiosidad, pero que, al
mismo tiempo, calmaba definitivamente mis pasadas inquietudes, sin ponerme de momento a razonar la causa; de manera que, como quien tiene
ya la pieza asegurada y, dándola por suya,[130] no se apresura a cobrarla,
20 postergaba yo la pregunta preparada sobre Abeledo: "¿Y Manolo, tu hermano; qué es de él?", para soltarla con tono indiferente en el momento
oportuno. Entre tanto, el nombre de Manolo salió a relucir en sus labios,
sin que yo hubiera tenido necesidad de mentarlo, cuando, en el curso de
sus inconexas y farragosas lamentaciones, aludió a lo ocurrido, o a la des-
25 gracia, no sé cómo.

— ¿Lo de Manolo? ¿Qué es lo de Manolo? ¿A qué te refieres? —inquirí
yo entonces en repentino sobresalto.

—A la desgracia —aclaró ella con naturalidad, casi con indiferencia,
para proseguir: —Y por eso, al verme sola . . .

30 —Pero cuéntame, ¿qué fue ello? No sé nada.

Se extrañó de mi ignorancia, se me quedó fija como si no lo creyera;
y luego me notificó lo asombroso, lo que yo escuché atónito, y lo que,
al oírlo, me dejó helado y, durante un buen rato, mudo: Abeledo había
muerto; sí, había caído asesinado, sin que nunca se averiguara por mano
35 de quién, durante el barullo de la guerra.

Este hecho, a cuya escueta noticia vendrían a sumarse después, prolija-
mente referidos, los detalles del caso, me dejó aturdido, y casi no pude

---

[129] **apenas si:** scarcely.
[130] **dándola por suya:** considering it his.

prestar atención ya al relato que en seguida se puso a hacerme la María Jesús, entre circunloquios, digresiones y apóstrofes, de su deshonra subsiguiente por obra y gracia de[131] un comandante de artillería que le brindó protección, empleo de mecanógrafa y racionamiento especial, para luego abandonarla en el precipicio, "para que al final tuviera que caer en esto." 5
Mientras me lo refería con precisiones excesivas e inexactitudes tan ociosas como visibles, y siempre en el lenguaje de los lugares comunes, yo no podía pensar en otra cosa que en la muerte de Abeledo. Durante todos estos días y semanas pasados había vivido yo bajo la obsesión de un próximo encuentro con él, encuentro que consideraba ineludible e inminente; que 10 no sabía si desear o temer; hacia el que no quería adelantarme *de motu proprio,*[132] pero cuya demora se me había ido haciendo cada vez más insufrible; un encuentro que, según ahora descubría, era imposible, de absoluta imposibilidad, y lo era desde hacía tantos años, desde antes que terminara la guerra civil, desde antes incluso de que yo hubiera pasado a América. 15
Aún seguía yo luchando al frente de mi compañía en las montañas de Santander, y ya él estaba muerto aquí, en Santiago. ¿Cómo no me había pasado por las mientes en ningún momento semejante eventualidad que, sin embargo, era tan posible —probable, mejor— en tiempos de guerra? En cualquier tiempo está el hombre sujeto a la muerte; pero en tiempos de 20 guerra... ¿No había estado yo mismo, varias veces, a punto de...?
Escapé, en definitiva: pasé el charco;[133] y mientras vivía en Buenos Aires, y trataba a otras gentes y trabajaba en los escritorios del molino aceitero, y conocía a Mariana, y nos instalábamos juntos, y pensaba en casarme con ella, y desistía luego; mientras charlaba con mis paisanos o discutía con 25 los gringos en el almacén de Coutiño, y comentábamos un día tras otro, un año tras otro, leyendo el periódico, las noticias de la guerra mundial, y acabada la guerra, yo esperaba siempre ver cambiar lo de España,[134] y el tiempo me iba cambiando a mí de muchacho en hombre, él, Abeledo, estaba criando malvas debajo de tierra.[135] 30

—¿Y nunca se puso en claro su muerte? El asesinato de Manolo, digo —pregunté de pronto—. ¿Quién lo mataría?

—Nunca se averiguó. A nadie le importaba un pito.[136] Pero, si quieres que te diga la verdad...

---

[131] **por obra y gracia de:** at the hands of.
[132] **de motu proprio:** *Latin,* on my own impulse.
[133] **pasé el charco:** I crossed the Atlantic.
[134] **lo de España:** the situation in Spain.
[135] **estaba... tierra:** was pushing up daisies.
[136] **A nadie... pito:** No one gave a damn.

Entonces me confió que para ella no había sido eso una sorpresa; que se lo tenía pronosticado; que hay cosas que tienen que pasar, y que esa muerte no había hecho sino cumplir sus temores, los de ella. Empezó a contarme; al principio, con el desorden sentimental e imprecatorio del lenguaje común; pero luego, poco a poco, como quien rompe una costra, con palabras propias, cada vez más suyas, más de la María Jesús, hasta expresarse casi en tímidos susurros. Me contó que, apenas comenzada la guerra, cuando todavía no era aquello sino subversión,[137] él había desaparecido de casa durante cuatro días (ella, mientras, con el alma en un hilo[138]), y que luego empezó a hacer tan sólo apariciones breves, en las que hablaba con apresurado énfasis y nebulosamente de tareas, de responsabilidades, de misiones a cumplir, se mudaba de ropa, traía prendas nuevas, unas espléndidas botas altas, correajes, insignias, y volvía a salir, muchas veces en un automóvil que solía esperarlo a la puerta y lo reclamaba con bocinazos. En fin, no le resultó muy difícil a ella darse cuenta de que estaba metido de lleno en la obra de "depuración" y "limpieza", lo que desde aquel punto y hora fue para la cuitada de María Jesús un continuo martirio. Cierto que, por otra parte, habían cesado las penurias y estrecheces del pasado, y no era chico alivio: cuando, al aparecer tras de su primer eclipse, ella le pidió tímidamente dinero, pues estaba debiéndolo todo, sacó él de su cartera un puñado espantoso de billetes y, sin contarlos siquiera, pues tenía mucha prisa, los echó sobre la mesa del comedor. A partir de entonces, esa cartera estuvo siempre repleta, y el antes cicatero la invitaba ahora a gastar cuanto se le antojara. Pero qué, si el asco que se le había sentado aquí, en la boca del estómago, no la dejaba disfrutar de nada. Si le entraban a veces unas lloreras... Siempre que Manolo regresaba a casa, poco después del amanecer, y se ponía a contarle, todo excitado y con obstinación de beodo, cosas que ella no quería escuchar y que sólo a medias entendía,[139] a ella se le formaba un nudo en la garganta. ¿Qué necesidad tenía de jactarse el muy majadero, de alardear?; si era un duro deber que cumplía por la causa, según trató de explicarle al comienzo con grandilocuencia indignada, ¿qué necesidad tenía de complicarla a ella en sus hazañas, ni de regodearse así con la faena del día? "A mí, por Dios, no me cuentes esas cosas." Pero él insistía, insistía, empecinado, recreándose en los detalles más horribles: hacía burlas, morisquetas; imitaba los

---

[137] **cuando todavía... subversión:** when it (*i.e.,* the Nationalist uprising) was still only subversion.

[138] **con el alma... hilo:** with her heart in her mouth.

[139] **que sólo a medias, entendía:** which she only half understood.

sudores, balbuceos y pamplinas que los tipos hacían a la hora de la verdad.
Y cuando ella, no pudiéndolo soportar, rompía en lágrimas, siempre tenía
él a punto la misma broma: "¡Ah, conque también tú eres una roja! Aguarda, estate quieta,[140] que voy a darte lo tuyo";[141] apoyaba la cabeza de medio
lado sobre el brazo tendido, entornaba el párpado, apuntaba cuidadosa-   5
mente un fusil imaginario y, ¡zas!, el muy cochino se tiraba un cuesco.[142]
En seguida, ya se sabía: entre risotadas nerviosas, se echaba en la cama
y ¡a dormir! Un día va a pasarle algo, pensaba María Jesús viéndolo agitarse en sueños. Y ¡en efecto!

Al llegar aquí en su relato descargó la congoja que ya venía preludiando: 10
su boquita, demasiado chica y pintada de colorado, empezó a plegarse, a
ocultarse entre los carrillos un tanto abultados, y la cabeza, recogido el
pelo en la coronilla, se le dobló sobre la pechuga. Me alcé del taburete y,
conmovido, me senté a su lado en la cama, acariciándole el cogote: "¡Vamos, mujer; calma, calma!" Seguramente desde hacía mucho tiempo,   15
quizás nunca, había desahogado así la infeliz sus pesares; y yo, tranquilo
ya por completo, despejada la incógnita de Abeledo, me sentía inclinado
a la compasión.

Se me abrazó con frenesí, y me regó de lágrimas el chaleco, mientras
que su enhiesto moño temblaba como un plumero bajo mis narices.   20
¡Dios me valga! ¡Tengo que confesarlo! ¡De barro somos! Si los estí-
mulos que me habían llevado a aquella casa se apaciguaron y parecían
muertos con el estupendo hallazgo que allí tuve en la persona de María
Jesús, ahora, su abundante pecho, al agitarse contra mi cuerpo en los ester-
tores del llanto, despertó en mí, súbita y muy apremiante, la sólo adorme-   25
cida necesidad cuya satisfacción tenía pagada de antemano, pero a la que
ella supo responder una vez y otra con eficacia no venal ni fingida. Sus
transportes me instruyeron de cuánto había significado yo, en verdad,
para esa pobre criatura, y me sentí afligido. Y más afligido aún, al verla
llorar de nuevo, aunque ahora mansamente, con lágrimas que, gruesas y   30
lentas, arrastraban colorete por su cara hacia la almohada, cuando cansados
ya, y en voz baja, platicábamos acerca del pasado, y ella me declaró —¿para
qué había de ocultármelo a la fecha?— su pena, y la indignación de Manolo, enterados de que yo andaba en relaciones formales con aquella Rosalía,
y desengañados de que pudiera casarme nunca con María Jesús. Abeledo   35
le echó a ella la culpa, hecho una furia: "Porque tú, pedazo de imbécil,

---

[140] **estate quieta:** stay still.
[141] **lo tuyo:** what's coming to you.
[142] **se tiraba un cuesco:** broke wind loudly.

te tienes la culpa. Si eres una pava, más que pava, imbécil." Se había burla-
do de ella, había remedado su actitud pacata, su encogimiento, sus modales, sus gestos (y bien podía remedarla: eran tan parecidos los dos hermanos . . .); le había dicho, frunciendo la boca y con los brazos caídos a
5 lo largo del cuerpo: "¡Qué modosita ella, la niña, la nenita, la monjita
boba!" Le había recetado luego: "Hay que tener más aquél, más garbo,
hija!" . . . En fin, ¿qué no le había predicado, increpado, rezongado, gri-
tado, insultado, criticado y befado? A partir de ese instante, ella —"y tú,
ni siquiera lo notaste"—, frío el corazón y sin ganas, había empezado a
10 pintarse. "¡Eso!; ahora, ponte como un payaso; que parezcas una pendona
. . .," la había aplaudido, sarcástico. —Pero a mí, ¡qué iba a importarme
parecer esto o lo otro! . . .

X   Ahora ya, sólo me resta el epílogo; me resta decir que, a la mañana siguiente, amanecí tardísimo, recordé, abrí los ojos y tuve la sensación
15 misma de quien sale de una pesadilla; que mi vertiginosa aventura de la
noche anterior y, con ella, todo lo ocurrido desde mi regreso a España,
compareció de golpe ante mi conciencia, formando un bloque aislado,
muy preciso de contornos, pero irreal, como esos sueños nítidos que tienen
la calidad intensa de lo vivido y sin embargo carecen (esto sólo nos asegura
20 que son sueños), carecen sin embargo de toda comunicación con el mundo
cotidiano. Mi bajada a los infiernos prostibularios había clausurado aquella
vaga existencia mía de casi un mes (¡un mes casi había vagado en perse-
cución y fuga del "fantasma vano"!), la había desligado de mí, y me dejaba
otra vez plantado en el punto mismo por donde ingresara en el temeroso
25 laberinto. Increíblemente, sólo el tiempo anterior a mi regreso, Buenos
Aires, la avenida de Mayo, el Dock Sud, las oficinas de la empresa y el
aceite de mesa marca "La Andaluza", el almacén de Coutiño, mi casa,
Mariana, sólo eso tenía consistencia para mí, mientras que Santiago de
Compostela y mi estúpido peregrinar por los alrededores del Pórtico de
30 la Gloria durante un par de semanas largas, la ciudad toda que subsistía
ahí, fuera de la ventana, más allá de este cuarto, de esta casa, de la cerería,
era tan alucinatoria como el sórdido encuentro que la víspera había tenido
en el burdel con aquella condenada de María Jesús. Pues, ¿qué había
hecho yo desde que llegué a Santiago? No había hecho nada; y ese nada
35 había sido por nada, puro disparate.
Para colmo, entró mi tía a despertarme (yo estaba ya despierto, aunque
permanecía en cama, sin rebullir siquiera, tan aplacados estaban mis es-

píritus); entró, y, según pude colegir por su actitud, dispuesta a reprocharme la mía, que tanto la defraudaba; con una brazada de reproches, reticentes y quejumbrosos, como correspondía a su carácter, pero no menos premeditados. Pues, tras de haberme dado los buenos días y el muy precioso informe de ser las diez y media pasadas, se sentó frente a 5 mi cama y deslizó la apreciación de que yo quizás me había acostumbrado en América a otra manera de vivir, y que no parecía acomodarme a las cosas de España, tal cual ahora pintaban;[143] sugiriendo, no obstante, que con un poco de buena voluntad no tardaría en recuperar mi interés por los negocios de la casa, dado que al fin y al cabo[144] eran míos, no de otro, 10 o cuando menos eso era lo que ella tenía pensado y hablado con el difunto tío, que tanta fe me guardó el pobre,[145] y que a nadie hubiera querido dejar, sino a mí, el sudor de toda su vida, siempre, claro está, en la idea de que yo... ¡Bueno! Le prometí que desde mañana me metería hasta los codos[146] en el trabajo, pues no a otra cosa había vuelto, y si hasta el 15 momento no lo hice fue porque necesitaba salir de una cierta duda que, justamente anoche —y por eso me había recogido tan tarde—, pude al fin disipar. Le dije también que hoy, antes de entregarme a la vida ordinaria, deseaba visitar la sepultura de mi buen tío.

Deseaba visitar la sepultura de mi tío; pero deseaba, sobre todo, visitar 20 la sepultura de Abeledo. Fue un deseo que me sobrevino de repente, conforme hablaba con mi tía; pero tan imperioso, tan vehemente, que, disipada mi pereza, me eché de la cama sin más aguardar, me vestí y me puse en camino hacia el cementerio.

No tuve dificultad mayor, guiado por las explicaciones de mi tía, en 25 hallar la reciente tumba de mi tío. Dar con la de Abeledo me costó mucho más trabajo; pero al cabo de tantas vueltas, leí por fin su nombre sobre un nicho: Manuel Abeledo González. La pequeña lápida rezaba: *Aquí yace el camarada* MANUEL ABELEDO GONZALEZ *caído al servicio de la patria. Mano alevosa lo abatió el 15 de julio de 1937.* Ahí estaba, pues, encerrado a piedra 30 y lodo.

Volví la espalda, y me salí del cementerio, y bajé sin prisa para la ciudad. Por el camino adopté la resolución —que no tardaría en cumplir sino lo indispensable—[147] de volverme a Buenos Aires.

---

[143] **tal cual ahora pintaban:** as they now were.
[144] **al fin y al cabo:** finally, after all.
[145] **que ... pobre:** that the poor man was so loyal to me.
[146] **me metería hasta los codos:** I would become involved up to my ears.
[147] **que no ... indispensable:** which, except for doing what was indispensable, I wouldn't delay in fulfilling.

EJERCICIOS

A. Conteste en español a las siguientes preguntas:

1. ¿Dónde está el narrador al principio del cuento?
2. ¿A dónde quiere ir?
3. ¿Hay menos riesgo en su vuelta ahora?
4. ¿Cómo sabía de las atrocidades que ocurrían en España?
5. ¿Cuántos años hace que estas noticias le llegan?
6. ¿Cómo reacciona su mujer ante los "cuentos" acerca de España?
7. ¿Le gusta al narrador esa reacción? ¿Es española su mujer? ¿Cómo lo sabe usted?
8. ¿De qué parte de España es el narrador?
9. ¿Qué hizo cuando su mujer le volcó encima el mate?
10. ¿Cómo se sintió al desembarcar en Vigo?
11. ¿En qué estado encuentra la tienda y la casa de su tía?
12. ¿Por qué estaba coja la tía?
13. ¿Quién es Abeledo?
14. ¿Con quiénes había ido en busca del narrador?
15. ¿Por qué y para qué fueron a buscarle?
16. ¿En qué trabajaba el narrador antes de salir para el extranjero?
17. ¿Piensa continuar este trabajo ahora?
18. ¿Describió francamente a su tía su actitud hacia la guerra?
19. ¿Busca resueltamente a Abeledo? ¿Cómo le buscaba?
20. ¿Cómo se siente cada vez que no le encuentra?
21. ¿Por qué no ha podido encontrar a Abeledo?
22. ¿Qué decidió hacer cuando supo del destino de Abeledo?

B. Conteste en español a las siguientes preguntas. Cuando le parezca apropiado amplíe su contestación:

1. ¿En qué persona está narrado el cuento?
2. ¿Ocurren los sucesos cronológicamente en el cuento?
3. ¿Cuáles son los recursos usados para referirse a la guerra?
4. ¿En qué ocasiones hace súbitamente el narrador una decisión de gran importancia?
5. ¿Hay alguna correspondencia entre los actos gratuitos y precipitados del narrador y la visión que él tiene del estallido de la guerra?

6. ¿Hay alguna característica persistente en todos los diálogos del cuento?

7. ¿Qué tono general tienen las descripciones de sitios en el cuento?

8. Escriba unos párrafos acerca de los recursos que usa el autor para intensificar los elementos de temor, recelo y enajenación en la sección del cuento donde describe el narrador su llegada a Vigo y hasta la primera mención del nombre de Abeledo.

9. ¿Se mantiene constante la actitud del narrador a lo largo del cuento?

10. ¿Qué significa el título del cuento?

C. Forme Ud. frases de cada una de estas expresiones y traduzca las frases al inglés.

rara vez	burlarse de
de manos a boca	echar el guante
en un rapto	ponerse a
de vuelta	de la Ceca a la Meca
el oro y el moro	a la postre

D. Traduzca las palabras entre paréntesis al español:

1. Le importaba no llamar la atención (to) su regreso.

2. Lo fusilaron (on) meras sospechas.

3. El protagonista fue (from) Buenos Aires (to) Vigo (by) barco.

4. Llovía día (after) día sin cesar.

5. Pensaba mandarle una carta (by) avión pero, al fin, no lo hizo.

6. Se resolvió, (in) este modo, a regresar.

7. No se atrevió a correr (so as) no llamar la atención de la gente.

8. Voy a darle algo (to) comer.

9. Pasaba mucho tiempo soñando (of) su patria.

10. No le gustó Vigo y partió (for) Santander.

E. Busque un sinónimo para cada una de las siguientes palabras:

	página	renglón		página	renglón
regresar	67	1	milicianos	77	31
prolijo	67	3	calificar	78	20
aguantar	68	9	eludir	79	3
paraje	69	12	calar	80	1
obstinada	70	25	a lo mejor	80	12
morriña	71	9	inferior	81	20
descastados	71	13	adelantarse a	82	23
callada	74	16	proporcionar	84	19
por razón de	76	7	asomar	93	9
de pronto	77	21	rapaz	94	18
no bien	77	24	remedado	106	2

La cabeza del cordero

Dispuesto a recorrer tranquilamente ahora, bajo la luz gloriosa de la mañana, la ciudad que la noche antes, blanca de luna, apenas me había dejado entrever el ómnibus del aeródromo en sus rápidos cortes por avenidas y plazas, salía yo del hotel, descansado ya y alegre, cuando, casi en el momento mismo de abandonar la penumbra del zaguán y echar una mirada a derecha e izquierda, un moro desharrapado, especie de mendigo sentado en el cordón de la acera, se me vino encima haciendo zalemas y diciéndome no sé qué en un francés incomprensible. Apronté, medio divertido, la inexcusable moneda, que desapareció sin ser vista; pero mi tributo no bastó ni a franquearme el paso, ni a cortar la letanía. Antes, sin embargo, de que una fugaz nube de enojo hubiera oscurecido mi humor radiante, ya el conserje del hotel, gorra en mano, desamparaba los lustrosos maceteros de la puerta, desde donde había seguido el curso de la escena, y acudía a informarme: aquel hombre estaba apostado allí, a mi espera, desde tempranito, casi desde las siete de la mañana, para transmitirme un recado personal de parientes míos.

¿De parientes míos? ¡Qué disparate! Aquello tenía que ser, por supuesto, una equivocación. Yo no conocía a nadie en Fez, ni jamás antes de esta oportunidad había estado en Marruecos. Desde luego, era una equivocación; así se lo dije: —"Pregúntele bien a quién busca". —Pero, no, era a mí, ciertamente, a quien buscaba; se trataba de mí; el conserje no se había equivocado al señalarme por la espalda, como sin duda lo había hecho al verme transponer el portal. ¿No era yo, acaso, don José Torres?

111

. . . "El señor ¿no es ¡perdone! *don José Torres, natural de Almuñecar,*[1]
España, llegado anoche en el avión de Lisboa?" Pues bien: Yusuf Torres
me rogaba por medio de aquel mensajero que quisiera honrar su casa
y aceptar sus homenajes.

5   En vano eché una mirada inquisitiva al conserje, todo él obsecuente
empaque, digna y respetuosa y sonriente reserva —¡si conoceré yo la
picardía que albergan esos uniformes de grandes botones dorados y ribetes
claros!—; pero en seguida me hice por mí mismo mi composición de
lugar.[2] ¡Qué divertido! Sin duda, había topado con el caso de uno de
10 esos moros sentimentales que, devorados por la nostalgia de España,
entretienen su ocio en la curiosidad de averiguar linajes. Lo que me in-
trigaba era cómo —y tan pronto— había podido saber mi nombre, el
lugar de mi nacimiento, y mi llegada a Fez. . .

Era día de fiesta y, no teniendo en perspectiva mejor ocupación, resolví
15 ir a ver qué clase de bicho sería mi pariente Yusuf. En el peor de los casos,
resultaría de ahí algo digno de contarse; y hasta pensé, ¿quién sabe?,
que pudiera sacar alguna eventual utilidad del pintoresco encuentro.
Tengo por principio entablar cuantas nuevas relaciones me salgan al
paso;[3] cuando se anda en negocios, aun lo más imprevisible puede con-
20 ducir a una combinación provechosa, ya inmediatamente, ya para lo futuro. Y, por lo pronto, yo todavía no conocía allí a nadie: iba a Marruecos
para estudiar la introducción de la Radio M. L. Rowner and Son Inc.,
de Filadelfia, y había llegado a Fez el día antes, anochecido ya. Tras un
viaje movidito, el avión arribó con mucho retraso, y yo, que estuve
25 durante la travesía bastante mareado y tenía mucho dolor de cabeza, me
había acostado en seguida, sin tomar más que una taza de té y una aspirina,
dispuesto a descansar bien aquella noche. Dormí, en efecto, mis diez horas
largas, y desperté tan fresco. En el baño me entretuve cuanto quise,[4] des-
ayuné despacio, repasé los titulares de un periódico, *La Dépêche* de no
30 sé qué,[5] que hallé sobre la mesa, y mientras me demoraba en todo esto,
había estado prometiéndome un hermoso paseo por la ciudad. Pues poco
antes, al afeitarme frente al espejo del lavabo, las casitas color rosa, blan-
cas, los granados, los cipreses, los naranjos en los huertos, bajo aquel

---

[1] **Almuñecar** is an Andalusian town situated between Almería and Málaga on the
southern coast of Spain.
[2] **me hice . . . lugar:** I sized up the situation.
[3] **Tengo . . . paso:** I make it a point to form as many new relationships as come my way.
[4] **me entretuve cuanto quise:** I stayed as long as I wished.
[5] **La Dépêche . . . qué:** *The Express* from I don't know where.

cielo diáfano, tal como podía verse por la ventana abierta, me habían
llenado de encanto. Parecía todo recién lavado: seguramente la tormenta
cuyas negruras hicieron tan penoso nuestro vuelo sobre el mar había
descargado entre tanto por acá, encima de la ciudad, para que la encon-
trásemos reluciente a nuestra llegada. Y ahora deseaba yo recorrer las
calles desconocidas, sin dirección ni prisas, como suelo hacerlo cada vez
que, por feliz casualidad, llego a un sitio nuevo en día festivo y puedo
así, libre de remordimientos por el tiempo perdido, darme ese gusto.
Luego, cuando me cansara de andar, buscaría un restaurante típico
—típico, se entiende, dentro de lo decente—, y a la tarde me dedicaría
a tomar unos datos sobre la guía telefónica y algún anuario comercial,
y a ordenar mis papeles para ponerme en campaña[6] al día siguiente; por
último, escribiría, si es que me quedaba humor, un par de cartas, y saldría
de nuevo para cenar, o acaso cenara en el hotel mismo, yéndome en seguida a tomar café y pasar un rato en cualquier lugar de diversión.

Esos eran mis planes. Pero la notable ocurrencia que vino a asaltarme
en la puerta misma, cuando iba a iniciar el proyectado paseo, lo cambió
todo.

Miré a los dos hombres que, parados ante mí en la acera, aguardaban
pendientes de mis labios. "¿Es muy lejos?", pregunté, dudoso todavía,
al harapiento. Y el uniformado conserje tradujo sus explicaciones en-
revesadas con esta sucinta fórmula: "Unos diez minutos a pie, señor."
Entonces, sin pensarlo otra vez, me puse en seguimiento de mi impropio
guía.

La casa a que me condujo, en una callejuela torcida, empedrada con
guijos, sólo mostraba en su fachada, muy altos, dos ventanillos enrejados,
contrastando con la soberbia puerta de madera donde relucían la aldaba
y clavos labrados. Abrió en ella un portillo mi acompañante, entró detrás
de mí, y me dejó solo en la casi oscuridad de un vestíbulo en cuyo fondo
tres rayas de luz dibujaban el perfil de otra puerta. Con ayuda de la mano,
pudieron poco a poco mis ojos descubrir, arrimada a la pared, una mesa
sobre la que, más por su olor que por su palidez, se anunciaban unas azucenas escoltadas de jacintos, dentro de un jarro; al otro lado, los primeros
peldaños de la escalera por donde el harapiento había trepado hasta desaparecer de mi vista sus calcañares. No tuve que esperar mucho allí:
entendí un rato después que, desde lo alto de la escalera, me llamaba,
y subí arriba. Arriba me recibió Yusuf, el dueño de la casa.

---

[6] **ponerme en campaña:** to begin my campaign.

Tengo que decirlo: el ánimo desenfadado, burlón más bien —sí, francamente burlón—, con que emprendiera mi aventura, todavía no se había disipado por completo cuando estaba en el vestíbulo, durante los minutos que allí pasé tecleando con los dedos sobre el borde de la mesa; pero ahora,
5 al verme delante de aquel joven extremadamente serio, que se adelantaba hacia mí despacio, con mirada serena y además cortés, ya no quedaba nada de mi actitud: era como si se me hubiera caído y hubiera rodado escaleras abajo, dejándome con las manos vacías, desarmado. Había perdido el aplomo, y me quedé sin saber qué hacerme. Sólo entonces caí en
10 la cuenta de la ligereza que había cometido. ¡A quién se le ocurre irse a meter así en casa ajena, sin tener idea de qué gente sería aquélla! Antes de aventurarme a visitarlos en su casa, procedía haber averiguado algo sobre ellos; pues: ¿cómo no pensar que, de cualquier manera, debía enfrentarme ahí con alguien que no sería ya ni el recadero desharrapado ni
15 el impersonal conserje? ... Ese alguien me abrazaba ahora y me hacía sentar a su lado, pero no decía palabra. Me contemplaba, sonriente, y no decía palabra. Tuve que ser yo quien, al fin, dijera: "¡Qué gran sorpresa he tenido . . . !"

Los puntos suspensivos de mi frase flotaron en el vacío, sin que él se
20 apresurase a recogerlos: no parecía resuelto a anudar nada en el cabo suelto que yo le había largado. Sonó por último su voz calmosa y, sin embargo, vibrante, hasta llenar la sala: "Mucho te agradezco, señor, que te hayas dignado honrar con tu presencia esta humilde casa, y tomar posesión de ella como dueño." La tirada era, por supuesto, estudiada y apren
25 dida; pero estaba dicha con un tono firme, cuyas pausas, que no llegaban a la vacilación, le prestaban una sombra de naturalidad, al tiempo que la leve extrañeza del acento quitaba a la fórmula la antipatía de su rigidez convencional, ya superada en cierto modo por el exceso mismo que tan recargada la hacía. Más tarde pude comprobar que el habla de mi huésped
30 era un castellano arcaizante y literario, no tanto en razón de los vocablos como por la inflexión de sus cláusulas; o quizás le venía esa apariencia rebuscada de que muchas palabras, nombres de objetos modernos —voces inglesas pronunciadas por él a la francesa, o bien aquellas palabras francesas que interpolaba sin tasa al hablar—, contrastaban en sus labios con
35 ciertas palabras castellanas cuyo uso es hoy ya infrecuente en España, donde acaso un neologismo, paralelo a los nombres extranjeros, ha desplazado entre tanto, para muchos menesteres o utensilios de la vida actual, a aquellos términos vernáculos que hubieran podido —y quizás, debido, como quieren los puristas— adaptarse a las nuevas condiciones . . .

Por lo pronto, el extremo de su cortesía solemne me paralizó más aún de lo que ya estaba; y no me cupo entonces duda de cuán improcedente era el aire de soflama con que me había dejado ir en este asunto: ¡decididamente, había obrado con ligereza!; y ahora, forzado a improvisar, de prisa y corriendo,[7] una actitud seria, decorosa, deferente, conveniente, caía en la más envarada decencia, y me sentía ridículo. Aquel muchacho, arrellanado ahí en sus cojines, mostraba un dominio de la situación que a mí, con mis treinta y siete años y el mundo recorrido,[8] me faltaba; sí, me estaba faltando.

Resolví, con todo, no dejarme arrastrar en la cadena interminable de los cumplidos, donde él encontraría siempre ventaja; y, para entrar en materia, le expresé cuánto me había extrañado su iniciativa de buscarme, le pregunté cómo había sabido acerca de mí y de mi llegada a la ciudad, y le pedí que me explicara el fundamento de su interés hacia mi persona. "Probablemente, pienso yo, habrá sido la curiosidad por nuestro común apellido . . ."

Aquí, sí, decidí callarme y esperar, aunque fuese durante una hora, a que él tomara la palabra. Lo hizo tras un breve silencio . . . No intentaré reproducir sus frases exactas; no podría recordarlas con la misma precisión de aquella primera que tan grabada se me quedó, ni transcribir su mezcla de construcciones añejas o librescas con giros franceses, su combinación chistosa de *otrora,* con *aérodrome,* de *office,* con *venia.* Lo que me dijo fue, en resumen: que a través de un muchacho muy allegado a su casa, y que trabajaba como empleado en las oficinas de la Compagnie de Navigation Aérienne, habían sabido con anticipación la llegada a Fez de un viajero español, Torres de nombre, y natural de Almuñecar, punto de origen éste de donde su propia familia procedía; y que sospechando en tal coincidencia ser unos y otros ramas derivadas de un mismo tronco, o mejor, casi convencidos de ello, habían deliberado ponerse en contacto con él —es decir, conmigo— para ofrecérsele en un todo.[9] No me ocultaba que antes de atreverse a dar semejante paso habían vacilado bastante: más aún: que él mismo, siendo como era el jefe de la familia y por consiguiente el más cargado con el sentido de la responsabilidad, era quien más renuente se había mostrado en las conversaciones al respecto; pero que por fin cedió —de lo que se alegraba ahora— a instancias de su madre, cuya

---

[7] **de prisa y corriendo:** in a hurry.
[8] **mundo recorrido:** having traveled.
[9] **para ofrecérsele en un todo:** to put himself at his complete disposal.

curiosidad femenina espoleaba con excesiva ansia a averiguar las posibles, probables, casi seguras vinculaciones de sangre con aquel forastero . . .

"Sin embargo, el apellido Torres es tan frecuente en España que —aventuré yo— sería mucha casualidad . . ." ¡Eso, eso mismo era lo
5 que él había objetado a las vehemencias de su madre: un apellido demasiado frecuente en España, y también en Marruecos! Pero ella alegaba: ¡Torres, de Almuñecar, mi hijo y señor; de Almuñecar!; y tal vez no le faltaba razón para insistir. Pues ellos provenían de Almuñecar; eso era archisabido, se venía repitiendo de padres a hijos y constituía, por así
10 decirlo, el núcleo de las tradiciones domésticas. "Tanto —corroboró Yusuf animadamente—, que si yo alguna vez fuera a Almuñecar, creo que hasta encontraría parajes conocidos: la huerta grande, y el lagar, donde cada año se pisaban muchísimos carros de uva roja." ¿No conocía yo ese lagar famoso de los Torres, y la huerta grande?
15 Me sonreí de su puerilidad; pero no sin advertir que en ella había una buena parte de juego poético, de ingenuidad fingida. "¡Quizás! —le respondí—. Pero, ¡hay por allá tantos lagares, y tantas huertas, y tantos Torres! Además, hace ya demasiados siglos que ustedes salieron de Almuñecar; y aun yo mismo, con ser nacido ahí . . ."[10] (Era verdad;
20 desde que, teniendo yo dieciocho años, nos trasladamos a Málaga mi madre y yo, no había vuelto al pueblo; y eso, iba para diez años.) "En fin —agregué—, mis recuerdos de Almuñecar tampoco son demasiado recientes. Por mucho que me acuerde de mi casa, con el escudo de armas tallado sobre la puerta, del corral, tapias encaladas bajo los cerezos, las
25 acequias debajo, todo eso está en mi memoria un poco a la manera de retazos . . ."

Me había puesto a divagar. El joven Yusuf escuchaba, pensativo, preocupado, aburrido tal vez. Tras una pausa me preguntó si yo no sentía, después de todo, la nostalgia de aquella tierra por la que varias genera-
30 ciones de los Torres mahometanos habían suspirado ahí en Fez. El —me confesó— sentía una especie de nostalgia heredada y obligatoria, una costumbre de nostalgia, un rito de nostalgia. "Es que nosotros nos dejamos en España lo mejor de nuestra grandeza. Y de entonces acá no hemos hecho sino seguir perdiendo; hoy somos pobres . . ." Me declaró que
35 esta pobreza fue uno de los argumentos que más habían pesado en la discusión de la víspera sobre si me invitaría o no a visitarlos. Su hermana —tenía una hermana— hubiera preferido no hacerlo: ¿Para qué?, pre-

---

[10] **con ser nacido ahí:** in spite of being born there.

guntaba. Mas su madre, empeñada en ello, aducía: Si resultase no ser pariente nuestro, nada nos importa. Pero si, como estoy segura, es de nuestra sangre, lo de menos será[11] que tengamos o no riquezas: una flor que le ofrezcamos, un vaso de agua, basta.

Yo, escuchándolo, dudaba mucho por mi parte del famoso parentesco. Pudiera ser; pero, a la verdad, todo aquello me resultaba demasiado novelesco. Imposible, imposible, no es que lo fuera:[12] quién sabe, a lo largo del tiempo, las ramificaciones que un árbol genealógico puede haber tenido. Esta gente aseguraba ser originaria de Almuñecar; se llamaban Torres, como nosotros. ¡Cualquiera sabía![13] Yo jamás había oído que nuestra familia tuviera, ni de lejos, antecedentes moriscos, ni cosa por el estilo; creo que a mi madre le hubiera dado un soponcio la sola idea ...[14] Pero eso tampoco significaba nada: en casa no se hablaba nunca de tales cuestiones; a nadie le gustaba hurgar en el pasado de la familia; no había interés o gusto. O ¿acaso era que se prefería no hablar? ¡Quién sabe! En puridad, nada había que por principio se opusiera a aquello; y si a mí se me resistía, y me negaba a admitirlo como posible, era, no por ningún prejuicio, que no los tengo, sino, a lo sumo, por parecerme demasiado extravagante y hasta cómico un parentesco, aun tan remoto y problemático, con aquellos moros. Como tantas veces sucede, no un razonamiento fundado, sino una impresión así, arbitraria pero muy poderosa, quería cerrar el paso a la eventualidad de ese parentesco, y me parece que se hubiera defendido incluso contra la pura evidencia.

Evidencia, claro está que no había ninguna; pero tampoco —justo es reconocerlo— hubiera sido una cosa tan nunca vista. Desde luego, yo no recordaba nada en mi familia que siquiera diese visos de verosimilitud ni de lejos autorizara la sospecha de un viejo entronque mahometano —como no fuese,[15] precisamente, esa falta de interés hacia los antepasados—. Falta de interés, por otra parte, no tan sin excepción, como vine a recapitular en seguida, pues mi tío Jesús —aunque sólo él, el mayor de los hermanos, un tipo chapado a la antigua,[16] intransigente y agresivo, tradicionalista, lo que durante cierta época se motejó de *cavernícola*— había tenido el capricho de los papelotes viejos, de los pergaminos; le gustaba

---

[11] **lo de menos será:** of least importance would be the fact.
[12] **imposible . . . fuera:** not that it was impossible.
[13] **¡Cualquiera sabía!:** Who could be sure!
[14] **a mi . . . idea:** the very idea would have made my mother faint.
[15] **como no fuese:** unless it was.
[16] **chapado a la antigua:** old-fashioned.

guardarlos, repasarlos alguna vez; y presumía de haber profundizado
en las raíces nobiliarias de nuestra casa. Sí, él sí; mi tío Jesús sí que tenía
esa común manía de grandezas de los hidalgos aldeanos. Para él, nuestra
estirpe era de las que fundaron la ciudad, antes de perder a España don
5 Rodrigo[17] (¡en tal caso, pues, antes de que llegaran los moros!). Y ¡cómo
se ufanaba el pobre con tales fantasías! Llegaban a embriagarlo esos humos de nobleza; se escuchaba, le ardía la mirada; mientras que nosotros,
los sobrinos, y aun sus propios hijos, le oíamos como quien oye llover.[18]
Nos agradaba oírlo, era divertido; pero le oíamos con incredulidad y
10 hasta con su[19] poquito de sorna. ¿Qué hubiera dicho de esta aventura
mía el tío Jesús? ¿Cómo lo hubiera tomado? ¿Con orgullo y alegría?;
¿o quizás con vejación, por tratarse de *infieles*?...[20] En todo caso, le
hubiera producido una excitación formidable; y, desde luego, hubiera
dado crédito inmediato a la historia del parentesco; como artículo de fe
15 la hubiera recibido. Por lo demás, nadie como él —aparte fantasías—
estaba en condiciones de haber puesto en claro... Era el único de la
familia preocupado por este orden de cosas; y, una vez muerto...

De todas maneras, yo —no obstante mi escepticismo— no le quitaba
la vista de encima al joven Yusuf:[21] sentía curiosidad hacia él y, viéndole
20 hablar, esperaba que su fisonomía en movimiento me revelase de improviso por algún rasgo el pretendido parentesco. En mi fuero interno,
le desafiaba a hacerlo; estaba provocándolo: era una suerte de juego o
pasatiempo practicado sin convicción, pero que, a pesar de todo, no carecía de cierta emocionante expectativa. Al principio —claro está—, nada
25 conseguía leer en sus facciones. Por el contrario: todo me resultaba en él
extraño, pintoresco —extraño, el brillo de los ojos, retintos y amarillentos;
extraña, la alta pero huidiza frente; la nariz, fina, arqueada, los también
delgados labios, una de cuyas comisuras temblaba levemente al iniciar
cada frase, como si vacilara en decirla... Mas, al cabo de un rato, y cuando
30 yo había ya —digámoslo así— digerido todo lo que en aquella cabeza
me era ajeno, comenzó a quererme parecer que, sobre ella, se insinuaban
líneas fugaces, destellos, gestos que podrían ser *nuestros,* que de pronto
me hacían una seña, un dudoso guiño, y se borraban en seguida, como

---

[17] **Rodrigo** was the last Visigoth king of Spain. During the last part of his reign the
Arabs invaded and conquered the country. He died in 713.
[18] **como quien oye llover:** without paying any attention to what he was saying.
[19] **su = un.**
[20] **por tratarse de infieles:** since it was about *infidels.*
[21] **no le ... Yusuf:** I didn't take my eyes off young Yusuf.

esos estremecimientos en la tersura del agua, de los que no podría decirse si obedecen a la brisa, a nuestro propio aliento, o son mero engaño de quien se mira en ella con obstinación excesiva.

Pero no, no era engaño mío: allí, en aquella fisonomía muchachil, contenida, recogida en sí misma, impasible y hasta indiferente casi al sentido 5 de sus propias declaraciones, algo nuestro se desvivía por hablarme. Decir que le hallé el aire de familia, sería quizás mucho decir; pero algunas semejanzas, algunos trazos, eso era innegable. Y voy a explicar cómo se me reveló, poquito a poco, mas con claridad creciente, el parecido —pues, ¿por qué no llamar a las cosas por su nombre?, un verdadero 10 parecido, no completo, sino en determinados aspectos, fue lo que, al final de cuentas,²² descubrí en el joven Yusuf Torres—. Y no conmigo, personalmente (ni era yo el más a propósito para establecer comparaciones: estaba harto de haber oído —y no sin molestia por parte mía— que había salido en un todo a la línea materna; que era un Valenzuela de 15 pies a cabeza —Valenzuela es mi segundo apellido—, a diferencia de tal o cual de mis primos, fiel, según pretendían, al dechado de los Torres); así, pues, no conmigo, no con mis facciones; ni tampoco quizás con las de aquellos miembros de mi familia que me eran más próximos y a quienes más había tratado; en verdad, con los de ninguno en particular, sino 20 acaso con las efigies de algunos antepasados que, en lienzos y tablas, adornaban las paredes de mi casa y, sobre todo, de las casas de mis dos tíos, allá en Almuñecar —cuadros mediocres; bueno: francamente malos la mayoría de ellos, mero valor sentimental, y que yo me sabía de memoria, a pesar de que los azares de la vida me habían separado hacía mucho 25 tiempo de esas desdichadas obras de arte que yo, tal vez por reacción contra las ponderaciones de mis tíos, en particular de mi tío Jesús, estimaba en poco, y que por fin debieron de perderse, como tantas otras cosas, en la batahola de la guerra civil—. (Es decir: no sé si se perdieron todos, o mi otro tío, Manuel, arrambló con lo que pudo, al embarcarse; 30 en cuyo caso es fácil que estén rodando por ahí en poder suyo:²³ y casi me inclino a creer esto último.) Pues bien, perfiles sacados de esos retratos es lo que se podía descubrir acaso en la cara del joven que me estaba hablando: sobre todo, la ceja fina y breve, arqueada hacia la sien y crespa en el centro, una pupila dura y como feroz, todo eso estaba, sin duda, en el 35 retrato de mi bisabuelo niño, aquel del coleto de terciopelo leonado. Sí,

---

²² **al final de cuentas:** when all was said and done.
²³ **estén rodando ... suyo:** are still in his possession.

y también en el de mi abuelo, de uniforme. Suprimiendo en éste los mo-
fletes, el gran bigote caído sobre una boquita infantil, el mentón soberbio,
esa cabezota imponente, en fin, que tan adecuadamente reposa sobre
el amplio pecho cruzado por una banda, se observaría que las cejas eran
5 otra vez las mismas del joven melancólico sentado ahora frente a mí;
las cejas, con su peculiar trazo, y aun la frente, que allí, coronando el bulto
de un personaje machucho cuyo aspecto autoritario impuso respeto sin
duda al modesto pintor, se perdía en la vulgaridad de una cara demasiado
gruesa y recargada; pero que aquí, en la faz desnuda del adolescente flaco
10 y nervioso dominaba toda la expresión con una nota de inquietud apenas
refrenada ... Mas, ¡ay!, ¡qué inseguras son estas cosas! Un momento
después de haber capturado alguno de esos parecidos, ya me venía a desanimar la aprensión de que todo era arbitrario y forzado, y puras ganas
de parte mía ... Aun cuando, ganas, ¿por qué iba yo a tenerlas?[24]

15   Y él mismo, Yusuf, ¿estaría de veras convencido, y creería de veras
que esos Torres marroquíes y nosotros, los de Almuñecar, somos de la
misma sangre? En el tono con que me había hablado no se diría que
hubiese mucha seguridad. O, para mayor exactitud, no era convicción
precisamente lo que faltaba en sus palabras sino más bien —¿cómo ex-
20 presarlo?— interés por el hecho, entusiasmo ... Con su cortesía impasible, me observaba ahora en silencio.

"Y usted —le pregunté entonces (se me hacía difícil tutearlo: ese tuteo
de los moros resulta embarazoso, hasta tanto que uno se acostumbra)—,
¿usted está persuadido de que pertenecemos en efecto a la misma familia?"
25 "Yo —me replicó—, a juzgar por lo que mi madre sostiene, entiendo
que sí debemos de pertenecer." "En tal caso, ¿no podría yo tener la dicha
de presentarle mis respetos a su señora madre?", volví a preguntarle.
Y añadí: "Sería para mí un gran honor." Sin apenas darme cuenta, había
adoptado la ampulosa cortesía de mi interlocutor, hasta el extremo de
30 sonarme a falso mi propia frase; pero, además, exageraba de propósito
en esta ocasión, sabiendo que en las costumbres de los moros no entra
el que las mujeres se muestren a las visitas, y que, por lo tanto, pedía algo
extraordinario. Se me había ocurrido de improviso; y, sin mucho pensarlo, me aventuré: en parte, porque estaba decidido a tomar todo aquel
35 asunto a beneficio de inventario,[25] con lo que bien podía permitirme cualquier audacia o exceso, y más, en la seguridad de que mi condición de

---

[24] **y puras ganas ... tenerlas?**: and pure wishfulness on my part ... Even so, why
should I want it to be so?

[25] **tomar ... inventario**: not take the whole matter too seriously.

extranjero y mi ignorancia de los usos me disculparía; en parte, también, por tener la impresión de que la propia señora a quien me refería estaba escuchando desde algún lugar oculto. Esta impresión mía —vivísima, tan vivaz que hubiera apostado a su favor cualquier cosa— no se apoyaba tan sólo en una inferencia fácil (pues ¿no había sido ella acaso la promotora de todo?, ¿no había hablado el propio hijo de la avidez de su curiosidad?), sino que contaba todavía con un vigoroso refuerzo intuitivo: nadie me hubiera sacado de la cabeza que allí mismo, a dos pasos, tras de la cortina, y no obstante la pesada inmovilidad del paño, una persona, dos tal vez, acechaban nuestra charla.

Agregué aún nuevos comedimientos, más que por el placer irónico de la exageración, a fin de, al obligarlo, facilitarle el que me complaciera.[26] No era necesario: apenas oyó el joven la demanda envuelta en mis circunloquios, lejos de alterarse o dudar, como yo esperaba, se alzó con toda naturalidad de su asiento y, sin decir palabra, salió de la sala a pasos pausados, retenidos, diría; su continente era alegre: translucía que eso era lo que esperaba, lo que desde un comienzo había estado deseando.

Me quedé, pues, solo en la pieza. Miré el reloj: eran ya más de las once. Mientras aguardaba, eché una ojeada en derredor, y una multitud de objetos en que antes no había reparado se me vinieron encima: bandejas de cobre, mesitas de tablero poligonal, un enorme barómetro a la pared, tapices, cojines con borlas de oro, cofrecillos, qué sé yo . . .

Yusuf regresó pronto para decirme que si bajábamos al huerto, allí acudirían a reunírsenos su madre y su hermana: una prueba de la confianza y amor debidos a un pariente. ¡Dios me valga!,[27] pensé. Y seguí a mi huésped escaleras abajo. Cruzamos el vestíbulo y ahora encontramos abierta la puertecita que, frente a la de entrada, dejaba ver un soleado patinillo con árboles al fondo. Ahí pasamos. Ocupamos unos asientos, junto a una mesica de hierro, debajo del emparrado; pero apenas nos habíamos acomodado cuando fue menester levantarse de nuevo para recibir, seguida de una muchacha que por lo pronto se mantuvo rezagada, a una señora de cierta edad,[28] que hablaba ya desde que apareció en la puerta, y sonreía, y daba vueltas a mi alrededor,[29] y me tomaba de las manos, levantando su cara para escrutar la mía. "¡A ver, a ver! ¡Déjame

---

[26] **Agregué . . . complaciera:** I added even more civilities, not so much for the ironic pleasure of exaggeration, but so that, by making him feel obliged, I would make it easier for him to please me.

[27] **¡Dios me valga!:** Bless my soul!

[28] **una señora de cierta edad:** a middle-aged woman.

[29] **daba vueltas a mi alrededor:** was going around me.

que te mire, hijo! ¡Déjame que te reconozca, jazmín y laurel de mis jardines!" Eso me decía, y mil cosas por el estilo. Soporté, impertérrito, la inspección. "¡Ay, qué alegría, qué alegría!", exclamó por último; y se dejó caer, sofocada, sobre un sillón de mimbre, mientras que la hija permanecía parada a sus espaldas, y el hijo volvía a instalarse junto a la mesa, enfrente de mí.

   Como antes, creí oportuno adelantarme. "Así es que ¿tan segura está la señora de que pertenecemos a la misma familia?" "¡Pues, no!³⁰ Sabiendo cómo te llamas y de dónde vienes, basta con verte la cara." Yo, entre tanto, espiaba la suya, redonda, alegre, cambiante, con la esperanza de sorprender, animada en sus gestos, alguna de las expresiones fijas de los viejos retratos familiares, como antes había creído identificar algunos de sus rasgos en la casi impasible fisonomía del muchacho. Y —con gran sorpresa mía,³¹ pues no lo esperaba, o al menos, no era tanto lo que esperaba: mis experiencias anteriores habían sido demasiado dudosas, y carecían de toda certidumbre— descubrí en el apasionamiento con que se expresaba aquella buena señora, en lo vehemente de sus meneos, en la manera como accionaba, como acompañaba con las manos, con la cabeza, con los hombros, a las palabras que le salían de la boca, y también en una cierta incongruencia o, siquiera, volubilidad que había en ellas, y hasta en la actitud insegura y desdichada en que se quedaba atendiendo por un instante, con los ojillos entornados, después de haber soltado una larga retahíla cuyo efecto no podía calcular, creí descubrir, digo, un parecido atroz con mi tío Manolo. Descubrimiento que, a decir verdad, fue para mí harto desagradable, pues —esta vez, sí— el parecido era tan intenso que, en lugar de haber servido para ofrecerme una apacible confirmación de nuestro supuesto parentesco con aquellos moros, me llevó de golpe, pasando por encima de ellos, a la presencia de mi tío, a quien tantos años hacía que no había visto, ni maldita la gana,³² pues me separaban de él, no sólo el océano, sino también mares de sangre... Aquella gesticulación, aquellos ademanes vivos, aquel modo de razonar y discurrir a saltos, estaban unidos en mi recuerdo a pensosas discusiones políticas, terminadas muchas veces con injurias y portazos, poco agradables de evocar ... Me sobrepuse, con todo, al asalto de esta mala impresión y, regresando desde su remoto origen al momento actual, no tuve otro remedio

---

³⁰ **¡Pues, no!**: But of course!
³¹ **con gran sorpresa mía**: to my great surprise.
³² **ni maldita la gana**: nor did I have any desire to do so.

que darme por convencido en mi fuero interno de que algún vínculo debía existir entre mi propia familia y esos Torres de Fez.

Descansaba ya, pues, en esta idea, de la que no sabría precisar si me complacía o me abrumaba, cuando de improviso, y fuera de toda ocasión,[33] rompí en una carcajada. Ahí tuvo la locuaz señora que interrumpirse en su cháchara para, entre desconcertada y corrida, preguntarme de qué me reía. "Véase —le respondí después de un momento—, véase lo que son estas cuestiones de parecidos, aires de familia, etcétera. Les voy a decir el motivo de mi risa: es el caso que, impresionado por la idea de nuestro común origen, y deseoso de verla confirmada, me esforzaba yo por hallar escrito en los rostros el certificado de nuestro parentesco de sangre. Y desde el instante mismo en que tuve el honor de ver a la señora, creí encontrar en ella un parecido extremo con el menor de mis tíos, mi tío Manuel, que ahora anda por América; y ya me sentía yo tan satisfecho de poseer esa prueba viviente, tan contento, tan... Pero, de improviso (¡mi gozo en un pozo!) caigo en la cuenta de que este parentesco, de existir realmente,[34] no afectaría a la señora, puesto que vendría por la línea paterna. De manera que el tal parecido no podía ser sino figuración mía. Mi engaño me ha dado risa —añadí riéndome otra vez, ya sin gana—. ¡Cuánto puede la imaginación!"

"¡Paso, paso![35] —se apresuró ella a contestar, oponiéndome la palma de la mano—; ¡pasito, amigo!: que yo también soy Torres; que mi señor y yo éramos primos hermanos, de modo que en nuestros hijos afluyó por doble canal la sangre de la familia." Estaba triunfante, resplandecía.

Me refugié entonces en los hijos. Eché una mirada alternativa a los dos hermanos, y —remachada la cadena de nuestro parentesco en el punto mismo donde la daba por rota— les hallé ahora, juntos, una insistente semejanza con mis primas, las hijas de mi tío Manolo, y también con Gabrielito, y hasta, para colmo, con los del pobre tío Jesús.

En la pausa, la muchacha había inclinado su cabeza —redonda, y partido por una raya en el centro su cabello negro y liso, tal como yo podía verla en ese momento— para atender por encima del hombro de su madre las instrucciones que ésta le daba a media voz. No eran un misterio: la encargó de preparar refrescos; pues, irguiéndose con presteza, y rodeando nuestro

---

[33] **y fuera de toda ocasión:** and quite inappropriately.
[34] **Pero, de ... realmente:** But, suddenly (my hopes dashed!) I realized that this relationship, if it really existed.
[35] **¡Paso, paso!:** Easy there!

grupo, fue a reunir unos limones que estaban alineados en el brocal del pozo y se entró, con ellos en el delantal, para salir al cabo de un ratito, portadora de un gran jarro, al que en seguida vendrían a unírsele sobre la mesa muy limpios vasos de vidrio.

5   Entre tanto, la señora había reanudado su entusiasta charla. Me explicaba copiosamente enlaces, circunstancias y avatares de toda su parentela. Una fuerte discordia, con disgustos mortales en la familia, parece que se había producido alrededor de sus bodas con Muley ben Yusuf Torres, el padre de este mozo que ahora, en presencia de la madre, calla-
10   ba, distraído en machacar entre los dientes el cabo de una rosa poco antes arrancada al paso de un rosal cercano. En la trifulca, abundante en derivaciones, y donde no faltaron, según se podía colegir, los episodios de violencia ni las complicaciones de intereses, debieron intervenir gentes de dentro y gentes de fuera; y sólo el tacto, la prudencia cargada de años
15   de un bisabuelo tullido fue bastante a apaciguar —que no extinguir— los rencores ... Pero yo no podía seguir bien a la mujer por aquel laberinto: se trataba de personas numerosas, a quienes por vez primera oía mentar, y que se me confundían entre sí. ¿Cómo, pues, fijar la atención en las vueltas de aquel torbellino? Mientras ella devanaba sus embrolladas his-
20   torias, me aplicaba yo a comprobar en sus maneras, en sus gestos, y aun en sus facciones, las maneras, gestos y facciones de mis tíos. Y por cierto que, de modo muy imprevisible, se me revelaban ahí ahora, más que los de Manuel, cauto aunque apasionadísimo, los de Jesús, el pobre tío Jesús, cuya violencia inocentona, y un poco también su estupidez, u obstinación
25   si así se prefiere llamarla, o fanatismo, le había costado la vida del modo más tonto durante los turbios días de la guerra civil. ¡Pobre! Me parecía estar viendo su revolver los ojos, tan pronto desafiantes e iracundos como en la actitud de quien pone al cielo por testigo;[36] el juego incesante de sus manos; los trémolos de su voz, llenos de patetismo y, de improviso,
30   las secas risas burlescas; toda aquella gesticulación de aficionado a la ópera,[37] como solía yo comentar —pues lo era—, y ferviente (¿qué no hubiera sido ferviente en él?), a pesar de no haber presenciado en toda su vida, según creo, arriba de cuatro o cinco funciones ... En tono menor,[38] y con un matiz de ironía tierna, esta mujer repetía aquí todo el
35   repertorio de cuyo despliegue, siendo yo chico y mozuelo, me había hecho espectador muchas veces mi tío Jesús. Y, a decir verdad, éste mi nuevo

---

[36] **de quien ... testigo:** of one who calls the heavens to witness.
[37] **toda aquella ... ópera:** all those opera lover's gestures.
[38] **En tono menor:** In a minor key.

descubrimiento no me procuraba mayor placer que el hecho en un comienzo, cuando se me antojó parecida aquella señora a mi tío Manolo. Viéndola así, tan lanzada, tan embalada,[39] me preguntaba yo cómo entonces pudo ocultárseme en ella la personalidad de Jesús bajo la de Manuel. ¿Acaso —pensaba— porque en el corte redondeado de la cara se le asemejaba algo, con una apariencia sumaria, burda? O tal vez porque, al empezar nuestra entrevista, impusiera a su natural fogosidad alguna reserva, un poco de astucia táctica, de la que ya se había desprendido por completo, para no conservar del tío Manuel sino algún destello de irónica malicia, en desventajosa pugna con el ardor ingenuo de Jesús.

Pero ahora la buena señora se quedaba callada de pronto, y me miraba como[40] esperando: algo me había preguntado. ¡Caramba!: yo había seguido, no el curso de sus palabras, sino sus ademanes, el manoteo, las inflexiones de su voz, el temblor de la ceja, y era ese lenguaje el que había recogido —el que de veras me decía algo—; no el que, atropellado y pintoresco, brotaba a borbotones de sus labios. "¿Qué? ¡Perdón!: ¿cómo decía?", le pregunté. Una chispa de simpática malignidad brilló en sus ojuelos al repetirme lo que en vano me dijera hacía un instante: Que si no querría yo contarles acerca de mi familia en España, para que nos fuésemos conociendo bien unos a otros.

Por mi parte, reproduje como contestación la pregunta de antes: "Pero, ¿tan seguros están ustedes de que somos en realidad todos unos? ¿Cómo pueden estarlo?"

"Desde que te vi, hijo, no lo he dudado más —afirmó ella calurosamente, al tiempo que me apuntaba con el dedo, un dedo regordete adornado de sortijas—. ¡Desde que te vi! Imaginarás que, de no ser así,[41] no íbamos a haberte recibido con esta confianza. Pero, ¡me bastó con verte! Estaba viéndote, y el corazón me decía: ¿Qué haces, que no corres a abrazarlo? Me contuve, sin embargo; pensaba: ¿Y si a él no le gusta? Te tenía miedo (si me había tenido miedo, era indudable que ya me lo había perdido; yo sonreía); te tenía miedo, no porque dudase, sino por ese aire tuyo, tan adusto, tan seco, tan orgulloso ..., ese aire que es, por cierto, el de los Torres. Además ..., ¿quieres verte retratado? ¡Aguarda!"

Y se entró muy de prisa, sin aguardar ella misma a nada, y dejándome algo irritado de su volubilidad, para regresar después de un rato de pesado

---

[39] **tan lanzada, tan embalada:** so well started and at full throttle.

[40] **como:** as if.

[41] **de no ser así = si no fuera así.**

silencio —los hijos, dijérase que no hubiesen existido; el joven continuaba en apariencia impasible, la rosa prendida entre los dientes, pero quizás inquieto o molesto en el fondo; y a la muchacha aún no le había oído siquiera el metal de la voz: seguía en pie detrás del asiento vacío de su
5 madre—. Le eché un vistazo furtivo, y advertí que sus ojos estaban dirigidos hacia un punto del huertecillo donde —hasta el momento no había reparado yo en su presencia— el andrajoso mensajero que me había conducido a la casa, encorvado sobre un arriate, escarbaba la tierra con un almocafre, y me observaba desde allí. Cerca de él, un borrego pastaba,
10 atado a un tronco ... Regresó, pues, la señora sin mayor tardanza, exhibiendo en la mano un medallón con un retrato coloreado, que me entregó llena de enfática expectativa: el retrato de un hombre de mi edad y —¿para qué voy a negarlo?— algo, bastante parecido a mí; sólo que su pelo, más rubio que el mío (quizás, pienso, como lo tenía yo a los veinte años;
15 luego se me había oscurecido hasta ponérseme castaño), y su mirada (lo que bien pudiera ser amaneramiento del artista), suave y lejana ...

La señora esperaba, espiándome, inmóvil y alerta, con una atención de gato, segura, un poco irónica. Cuando me vio levantar la vista del retrato exclamó con triunfante aplomo: "¿Qué tal? ¿Quién es? No eres
20 tú, no; es mi bisabuelo, Mohamed ben Yusuf, el mejor hombre de toda la familia, aquél que logró restituirle aquí, en Africa, la importancia que antes había tenido en Andalucía. Pues, para que lo sepas, esta nuestra casa, hoy pobre, fue un día una de las principales de Fez. Sí; aunque nos veamos tan reducidos al presente, porque con la llegada de los franceses
25 y con todas las desgracias anteriores hubo ocasión de que medraran sin dificultad gentes indignas, verdaderos usurpadores, la peor canalla capaz de intrigar y acomodarse sin ningún escrúpulo, mientras que ..." Y así, otra vez el laberinto.

"... ¿Me dirás cuál ha sido la suerte de los Torres allá?" La pregunta
30 me sacaba de mi distracción con sobresalto. Venía envuelta en esa facundia infatigable que me tenía mareado, y a duras penas pude recuperar, como un borroso escrito a lápiz,[42] las palabras cuyo son todavía retenía mi oído; había dicho, pues: "¿Y vosotros, los de Almuñecar? ¿Me dirás cuál ha sido la suerte de los Torres allá?" Delante de esta frase, una larga, con-
35 fusa, embrollada explicación quedaba por completo fuera de mi alcance; pero la inflexión de la pregunta, dirigida a mí y destacada luego por el silencio expectante de que fue seguida, me sacó del ensimismamiento en

---

[42] **como un ... lápiz:** like something blotchy written in pencil.

que me dejara sumido el retrato que todavía estaba en mi mano, embara-
zosamente. Aquel retrato de una persona cuya existencia me era ignorada
en absoluto hasta un momento antes, de un hombre que había muerto
mucho tiempo atrás, cuando yo ni siquiera había pensado en nacer, pero
que, sin embargo, ostentaba con innegable evidencia todos mis rasgos y 5
hubiera podido pasar por un retrato mío trazado ayer mismo, tuvo por
lo pronto el poder de suscitar en mí una curiosa y repentina sensación de
náusea, un movimiento de las entrañas por escapar de mí mismo, huir de
mi figura y encarnación, de estas facciones mías que me tenían aburrido,
y hasta de mi nombre, de esas palabras *José Torres,* que llevaba pegadas 10
como una etiqueta y con las que, de pronto, me resultaba imposible ex-
perimentar solidaridad alguna. Eso, ¡claro está!, fue sólo cosa de un abrir
y cerrar de ojos, una especie de vértigo.[43] Me libré de él derivando hacia
un recuerdo, que probablemente suscitaba una vaga asociación: se me
había venido a la memoria, no sé bien cómo ni por qué, otro retrato, 15
una fotografía de mi tío Jesús, viejo ya, con su barbita blanca y su expresión altanera, pero ridículamente disfrazado de moro, en una Alhambra
de bambalinas.[44] Nunca había podido comprender yo que un hombre
serio y respetable, juez jubilado de primera instancia,[45] incurriera en la
humorada de ponerse así, vestido de mamarracho, con turbante, pantuflas 20
y una espingarda al alcance de la mano, entre cojines de raso deslucido
y sobre el fondo de un ajimez de cartón, de plantarse así, tan orondo,
ante el objetivo del fotógrafo; y siempre me había indignado la maldita
cartulina, que él se complacía en exhibir dentro de un marco también
árabe. Pues, como digo, acudió de pronto a mi memoria esa absurda foto- 25
grafía que tenía olvidada hace quién sabe los años, y que ninguna semejanza mostraba con este retrato de ahora: retrato de un hombre joven,
sin atuendo alguno, y donde sólo aparecía la cabeza, diseñada con sobrie-
dad y visible preocupación por el parecido... ¿Que qué había sido
de nuestra familia? Tanto fue el disgusto que me vino al recordar aquel 30
retrato, con su histrionismo indisculpable, que esta vez no despertó en
mí ni la compasión ni la rabia de otras veces el representarme —como en
seguida me lo representé— al tío Jesús muerto, con un tiro en la nuca,
junto a otros muchos cadáveres alineados en el suelo cual mercadería

---

[43] **Eso, ¡claro ... vértigo:** That, of course, happened in the twinkling of an eye, it
was a kind of vertigo.
[44] **en una Alhambra de bambalinas:** in an Alhambra of backdrops. (The Alhambra
is the famous palace built by the Moorish kings in Granada.)
[45] **juez jubilado de primera instancia:** a retired trial judge.

de feria, ante una multitud de gentes angustiadas que se afanaban por identificar en la hilera a algún familiar desaparecido, y de curiosos, los curiosos de costumbre, haciendo observaciones macabras, chistosas muchas veces, otras feroces, repulsivas siempre. Ahora, el horror de la
5 imborrable escena se mezcló en mi ánimo con la indignación por la fotografía absurda, y la mixtura operaba como un raro estupefaciente con el efecto de poner entre paréntesis el dolor, sin suprimirlo; antes al contrario, destacándolo hasta hacerlo insoportable, pero de otra manera, no como dolor presente y activo. ¡Que qué había sido de nosotros! Arruinado
10 estaba ya, sí, definitivamente estropeado, el humor espléndido con que yo había comenzado mi día. ¡Dios me valga: que qué había sido de nosotros!

Miré el reloj, vi que eran pasadas las doce y media, y me puse en pie. "Es ya demasiado tarde —fue mi disculpa—. Eso quedará para la próxima
15 ocasión." "¿Es tarde? Entonces, vienes a comer con nosotros esta noche —dispuso la señora—. ¿No es cierto, hijo? —consultó a Yusuf—. Insístele para que acepte." Hube de aceptar. Mis nuevos parientes me instaban a porfía con extremos de finura por cuyos sutiles vericuetos yo no hubiera podido seguirles, ni siquiera en el supuesto de haber tenido[46] la flema
20 de que por el momento carecía. Para poner término al azorante torneo, zanjé: "Bueno, está bien; vengo a cenar con ustedes, pero a condición de llevarme ahora a Yusuf conmigo: almorzaremos juntos y pasaremos charlando la hora de la siesta." Asintió la madre con una sonrisa, y el hijo se dispuso a acompañarme.
25 A pleno pulmón respiré, no bien me vi en la calle, toda blanca de sol. Me volví hacia mi compañero, y también me pareció que él, como si su gravedad se hubiera aliviado, adquiriendo alegría, con sólo trasponer la puerta de su casa, se había convertido por arte de magia en un muchachuelo insignificante, ligero, en un chiquillo casi. Le pedí que me indicase
30 un restaurante cómodo y, después de haber andado cosa de un cuarto de hora o veinte minutos nos hallamos sentados frente a frente en un amplio comedor con ciertas pretensiones, florero en cada mesa y mozos de chaqueta blanca. Habíamos elegido sitio cerca del ventanal, que daba sobre una hermosa avenida, y, mientras comíamos tan agradablemente —el
35 color de techo y paredes prestaba a la blancura del mantel un fresco matiz verdoso y el zumbido de los ventiladores resultaba apaciguador—, mientras nos demorábamos en el almuerzo, le estuve preguntando detalles

---

[46] **ni siquiera ... tenido:** not even if I had had.

acerca de la ciudad y de la zona, con vistas a mi negocio.[47] Si he de decir
verdad, sus informes no me sirvieron de mucho. El estaba muy excitado
por la novedad de mi convite —excitado, dentro de la contención de su
actitud: el brillo de su mirada, su relativa locuacidad, era lo que podía
delatar su feliz estado—, y se mostraba afectuoso más que atento para   5
conmigo. Me bombardeó a preguntas sobre cuestiones de radio, en las
que estaba muy interesado. Conocía las marcas y características, y hasta,
en el curso de la conversación, me dijo haber tenido hace años el capricho
de aprender radiotelefonía, consiguiendo incluso armar un pequeño receptor, que usaron en la casa durante algún tiempo, hasta que por fin se estro-   10
peó. "Todavía anda por ahí arrumbado . . ." Al oírle, sentí compasión
de aquella pobre gente, parientes o no, e hice propósito en mi fuero interno de regalarle un Rowner, siquiera fuese el modelo pequeño, lo que sin
duda les contentaría mucho y a mí iba a costarme bien poco. Sí —resolví—, les haría ese obsequio . . .   15

Se había producido una pausa, que ya se prolongaba demasiado. Para
cortarla, se me ocurrió exclamar: "¡Vaya, y qué sorpresa ha sido para
mí encontrar tan remotos parientes! ¿En qué época saldrían de España
vuestros antepasados? Cuando la expulsión de los moriscos, es claro.
!Qué terrible! Tener que dejar, de la noche a la mañana,[48] tierra, amigos,   20
bienes, todo, e irse a buscar la vida en otro país casi con lo puesto.[49] Muchos, según se cuenta, dejaron tesoros escondidos, con la vana intención
de volver después a rescatarlos en secreto. A lo mejor, vuestros antepasados también dejaron algún tesoro enterrado", aventuré, sonriendo.
Me miró él, dudoso, un instante, y confirmó luego: "Pues algo así se   25
decía, en efecto. Pero, ¡a saber! Todas las familias que vinieron pretenden
haber dejado tales entierros." "Pues yo —remaché por mi parte— lo que
puedo decirte es que Andalucía, España entera, está llena a su vez de
semejantes decires; es hasta una obsesión: la gente no espera sino en descubrir tesoros: *Raro sería que por acá no hubiese un tesoro oculto. Un labrador*   30
tropezó en tal sitio con una orza de oro molido, al cavar el campo. En esta casa
tan requetevieja tiene que haber algún tesoro . . . Y no hay duda de que, muy
de vez en cuando, un hecho positivo vendrá a alimentar esas fantasías.
Yo mismo tengo noticia directa de un caso, que por cierto le sucedió
a mi abuelo —no al padre de mi padre y mis tíos, los Torres, sino a mi   35
abuelo materno, Valenzuela, don Antonio Valenzuela, un señor a quien

[47] **con vistas a mi negocio:** with my business in mind.
[48] **de la noche a la mañana:** suddenly, unexpectedly.
[49] **casi con lo puesto:** with almost nothing but what was on one's back.

yo no alcancé a conocer en vida—. Y, ¿quieres saber cómo fue la cosa? Es divertido. Figúrate que bajaba un día —esto debió de ocurrir, calculo yo, a finales del siglo pasado—; bajaba digo, por una callejuela solitaria, cuando, apretado por una necesidad, se apartó junto a una tapia, en un
5 recodo, y allí mismo se puso en cuclillas. Mientras despachaba, estaba entretenido en desprender con el bastón los yesones del muro, hurga que te hurga,[50] y . . . ¡plaf!, de repente ve que empiezan a caer sobre el polvo monedas de oro; al comienzo, dos o tres; luego, más . . . El hombre se levanta, se ataca los pantalones a toda prisa, y a toda prisa empieza a me-
10 terse en el bolsillo las relucientes piezas. Con el mayor cuidado siguió explorando el paredón; ¡amigo: aquello parecía inagotable!; cuando ya no le cupieron más monedas en los diferentes bolsillos —del pantalón, de la levita, del chaleco— tapó la grieta que había hecho en la pared, y se fue a su casa para descargarlos en una gaveta. En seguida, sin decirle
15 a nadie nada, regresa al mismo sitio, y vuelve a llenarse todos los bolsillos, más una escarcela que a prevención había llevado. Y todavía pudo traerla repleta en un tercer viaje antes de haber vaciado el tesoro." Yusuf me escuchaba, con una gran seriedad en sus ojos brillantes. "Era un hombre raro, este abuelo mío —proseguí—. Vivía separado de su mujer, mi
20 abuela, y de sus hijas, en un caserón destartalado. Y poco después de su afortunado hallazgo, amaneció asesinado en la cama una mañana, sin que se llegara a saber nunca a quién echar la culpa. ¡Probablemente, sus pro-pios criados!; pero nada se puso en claro. Y del oro moruno, ni rastros. Una vez más se pudo ver ahí que la riqueza no siempre trae felicidad."
25 Seguimos charlando de diferentes cosas. El joven Yusuf parecía más interesado en saber acerca del presente que de especie alguna de antigua-llas; más de los Estados Unidos que de España. Me estuvo refiriendo las impresiones, esperanzas y angustias de su gente durante la pasada guerra; el gran alboroto que había causado entre ellos la conferencia de
30 Casablanca,[51] con el tullido Roosevelt acudiendo en vuelo desde Wash-ington hasta el norte de Africa para entrevistarse con Churchill y los fran-ceses; me repitió cien mil historietas de soldados americanos . . . En fin, tras una prolongada sobremesa en el restaurante, nos fuimos a un café para, acomodados en un diván de terciopelo rojo, pasarnos la siesta.
35 Yusuf tuvo la discreción de no forzar nuestro diálogo durante esas horas pesadas del centro del día; estaba el café atestado de público, ese

---

[50] **hurga que te hurga**: digging time and again.
[51] **The Casablanca Conference** took place January 14–24, 1943.

abigarrado público de los cafés marroquíes, el aire espeso de humo, las discusiones de las tertulias que los espejos hacían infinitas, el ruido de un aparato eléctrico que, una vez y otra, conforme los clientes introducían monedas, alternaba los ocho discos de su equipo vociferando las canciones de moda. A pesar del barullo, uno se sentía bien allí. Medio amodorrados   5 —por lo menos yo, debo decirlo, estaba un poco amodorrado—, nos echábamos de vez en cuando miradas amistosas, o cambiábamos una observación trivial. El joven Yusuf inquiría de mí tal o cual detalle de éste o del otro país, cosas pueriles con frecuencia, pero que revelaban en él un anhelo irrefrenable, ansioso, por el mundo desconocido. Eso era   10 lo propio de su edad; yo le respondía con indulgencia, y comenzaba a aburrirme. Pero ¿qué hubiera hecho, si no, en Fez, donde a nadie conocía, en aquel largo día hueco? Instalado allí, tras la segunda taza de café, y con la copa de coñac todavía por la mitad, me sentía cómodo, y estaba dispuesto a pasarme así las horas muertas, con Yusuf a mi lado.   15

Viéndole junto a mí, tan dócil, deferente y aniñado, pendiente de mis labios y saboreando con fruición los sorbitos de su café, vine a acordarme de mi primo Gabrielillo y de una vez que, habiéndolo llevado su padre a Málaga, lo convidé a tomarse un sorbete en una terraza de la calle Larios. Era por entonces una criatura, él tenía como cinco o seis años menos que   20 yo, iba todavía de pantalón corto; y recuerdo cómo me admiraba, recuerdo su atención vigilante para estar siempre a tono y no incurrir en la menor pifia, el cuidado con que pasaba el borde plano de su cucharilla por la pirámide del sorbete y se llevaba a la boca —boca infantil aún, en una cara que ya comenzaba a sombrear el bozo—[52] la pasta de avellana helada,   25 medio deshecha. Quise gastarle una broma, hacerle un viejo chiste, y le pregunté con jovialidad: "Vamos a ver, dime, ¿a que[53] no sabes cuál es el colmo de un sorbete?" Se me quedó serio, concentrado, con la cucharilla en alto, como si el profesor de matemáticas le hubiera sorprendido en un teorema sin preparar. "No lo sé, no caigo",[54] me confesó a poco,   30 lleno de cómica aflicción. "¿No? ¡Caramba! Pues es que eres memo: ¡estás rascando precisamente el colmo de un sorbete, y no sabes lo que es!" Se puso colorado hasta las orejas; casi se le saltan las lágrimas de mortificación. "Anda, hombre, Gabrielillo, cómete el colmo de tu sorbete",

---

[52] **en una cara ... bozo:** in a face which the first fine growth of beard was beginning to darken.
[53] **a que:** I'll bet.
[54] **no caigo:** I don't get it.

me reí, palmeándole la desnuda rodilla . . . Creo que, sin querer, le amargué con esa tontería el convite. ¡Pobre muchacho! ¡Pobre criatura!

"Te voy a contar la triste suerte de uno de mis primos, Gabriel Torres, de quien me estoy acordando ahora —dije a Yusuf, después de haber
5 dado un par de chupadas seguidas a mi cigarro. Hice una pausa, apuré el fondo de mi copita, y comencé: —Este muchacho ¿sabes? sucumbió muy joven durante la guerra civil; la obcecación insensata de su padre le perdió, llevándolo a la muerte. Debo decirte que al padre, mi tío Manuel, siempre le dio por hacer el energúmeno; cuando la República,[55] andaba
10 todo esponjado y, paso a paso, fue extremando —pura verborrea, desde luego— las actitudes destempladas de un anticlericalismo *démodé*.[56] Tanto, que nosotros resolvimos a lo último cortar el trato con él:[57] cada conversación era una trifulca, por causa de esas bobadas. Y no es que fuera malo: exaltado, sí; pero toda la fuerza se le iba por la boca. ¡Ay, cuántos daños
15 no ocasiona en el mundo el hablar demasiado! Naturalmente, el chico repetía los temas del padre; y como los pocos años quieren llevar en seguida los dichos a vías de hecho,[58] se apuntó —creo que sin que lo supieran en su casa; desde luego la madre no lo sabía—, se inscribió, digo, en las Juventudes Socialistas poco antes de que estallara el jaleo. Qué hubiera
20 hecho, si por casualidad le hubiese tocado estar en zona roja, como me tocó a mí, lo ignoro: barbaridades, supongo. Pero como ellos vivían en Granada, y Granada quedó desde el comienzo en poder de las fuerzas nacionalistas, el chico fue a parar en seguida a la cárcel.[59] Pues ¡fíjate su mala suerte!:[60] lo normal hubiera sido que, después de cierto tiempo,
25 lo incorporasen al ejército y, en algún regimiento de castigo,[61] lo enviasen al frente, como fue el caso de tantos y tantos otros muchachos detenidos con él: aquélla era una prisión especial para menores, donde ninguno pasaba de los dieciocho años. Eso hubiera sido lo normal. Sin embargo, no ocurrió así. Mira lo que ocurrió: cierta mañana, un soldado de la guar-
30 dia encuentra que alguien se ha entretenido en dibujar sobre el forro de su tabardo la hoz y el martillo; y, ¡claro está!, acude en seguida a denun-

---

[55] **cuando la República**: at the time of the Republic.
[56] **démodé**: *French* old-fashioned.
[57] **cortar el trato con él**: to have nothing to do with him.
[58] **como los pocos . . . hecho**: as youth immediately wants to translate words into deeds.
[59] **fue . . . cárcel**: landed right away in prison.
[60] **¡fíjate su mala suerte!**: look how unlucky he was!
[61] **en algún regimiento de castigo**: in a regiment made up of those who were to be punished.

ciar el hecho: nadie va a exponerse a llevar tales huellas en la ropa; en esas cosas, callar es ya declararse cómplice. Entonces, realizadas las oportunas averiguaciones, se dio por sentado que el autor de la gracieta no podía haber sido sino uno de los veintitrés presos del calabozo donde estaba detenido mi primo Gabriel. Interrogados uno por uno, negaron 5 todos ellos saber nada del asunto: ¿quién va a acusarse, por más que le aprieten, de una cosa así? Pero tampoco era posible dejarlo pasar: se dispuso que cada uno de ellos recibiera una paliza diaria hasta aparecer el culpable. Y según se ordenó, así comenzó a cumplirse. Cuando, todas las mañanas, tras la correspondiente ración de vergajazos, volvían a 10 reunirse en el calabozo, sangrando por las narices, por los oídos, por la boca, con el cuerpo molido, deliberaban entre sí los presos, exhortándose unos a otros a confesar quién había sido el autor de aquella broma que tan cara estaba costándoles a todos. Habían pasado ocho, diez, quince días, estaban en el límite de sus fuerzas, lisiado ya alguno, otros con vómitos 15 de sangre, y comprendían que eso no iba a cesar hasta que el culpable se declarase. Pero el culpable seguía sin rechistar. ¡El miedo, se comprende! O quizás es que, en efecto, no había sido ninguno de ellos, ¿quién sabe?; acaso otro soldado en el cuerpo de guardia; acaso (¿por qué no? ¡malevolencia! ¡simple estupidez!) el propio denunciante ... A la deses- 20 perada,[62] hasta acusaron a éste un día. Pero no les valió la treta, era tarde,[63] la guardia había cambiado varias veces, no quedaban trazas del soldado en cuestión, nadie sabía nada, y lo único que permanecía en pie era la orden de apalearlos cada mañana hasta averiguar cuál de ellos era el culpable. Ellos, por su parte, habían llegado al convencimiento de que no 25 pertenecía al grupo el autor del maldito dibujo; y como era mejor que muriese uno cualquiera, aun inocente, que la continuación de aquellas palizas hasta acabar con todos, resolvieron echar suertes, y así, quien el azar señalara, ése se declararía culpable. Hicieron el sorteo y ¿podrás creer que le tocó a Gabrielillo, mi primo? A la madrugada siguiente, 30 cuando entraron, como de costumbre, a preguntarles quién había pintado la hoz y el martillo en el tabardo del soldado, Gabriel dijo: *Fui yo quien lo pintó.* Le sacaron, pues, y lo fusilaron en el patio, mientras sus aliviados compañeros se quedaban llorando. ¡Qué mala suerte tuvo el pobre chico!"

"¿Y su familia?", me preguntó después de un breve silencio el joven 35 Yusuf con indiferencia afectada.

---

[62] **A la desesperada:** In desperation.
[63] **era tarde:** it was too late.

"Su madre sí que tuvo suerte: murió sin alcanzar a enterarse. En cuanto a su padre y sus dos hermanas mayores, consiguieron, mediante no sé bien qué trapicheos o sobornos, salir de España y pasar a América poco después de acabada la guerra, sin que yo haya vuelto a tener más noticias suyas. Quizás les vaya bien, si es que viven. Supongo que al bueno de mi tío Manuel se le quitarían las ganas de hacer el energúmeno. Tampoco él, por su parte, dejó de catar por entonces las delicias de la prisión . . . Pero, dime, ¿y si nos fuésemos ya de aquí?"

La atmósfera se había puesto irrespirable dentro del café, y el ruido resultaba abrumador: no se podía aguantar más. Propuse a Yusuf que saliéramos a dar una vuelta por la ciudad, puesto que parecía haberse pasado el bochorno de la primera tarde, y así lo hicimos. Recorrimos el centro sin prisa, tomamos unos helados, consultamos la cartelera de un cine sin animarnos a entrar, y a la postre, mi acompañante sugirió lo que menos hubiera podido esperarme yo, y lo que al principio no entendía: que fuésemos a visitar el cementerio moro. "Carnero", me pareció que le llamaba al cementerio. ¡Vaya una idea, y qué extravagante cicerone![64] Pensé, con todo, que algo habría que admirar allí, o que el paseo hasta llegar sería pintoresco. Preguntéle si estaba muy lejos; y antes de que me hubiera contestado, accedí: "Bueno, vamos allá." Tomamos un tranvía, y allá nos fuimos, sin otra conversación que las breves indicaciones topográficas en que Yusuf era puntual y no enfadoso.

Llegamos, y como nada digno de curiosidad hallé ante mis ojos, concluí que el propósito de su iniciativa no había sido otro que mostrarme piadosamente las tumbas de sus familiares difuntos, empezando por la de su propio padre, Muley ben Yusuf. Nos pusimos a discurrir con apacible indolencia por los paseos, y, de vez en cuando, como si la casualidad nos hubiese llevado al lugar, se detenía —y yo a su lado—, me leía el texto de una lápida donde el nombre de Torres salía a relucir entre ditirambos, me explicaba alguna circunstancia del correspondiente sujeto,[65] y pasábamos adelante. Se comprenderá que yo me aburriera a conciencia. El modo como él recitaba su informe no era tampoco muy estimulante, y daba la impresión de que él mismo se aburría, como puede ocurrirle al empleado de un museo que repite su monserga pensando en otra cosa.

Yo prestaba poco oído a sus palabras,[66] distraído en la belleza del paisaje, que por momentos se envolvía en la púrpura de una soberbia puesta de

---

[64] ¡**Vaya . . . cicerone!**: What an idea, and what a strange guide!
[65] **me explicaba . . . sujeto**: he explained something to me about the man in question.
[66] **Yo prestaba . . . palabras**: I was hardly listening to him.

sol. Contemplando desde aquella altura solitaria el encendido horizonte, se me ocurrió de pronto: "¿Y tu plegaria? ¿No rezáis, vosotros los mahometanos, al poniente?" Se lo dije medio divertido, medio malévolo, y me quedé a la espera. "Debería rezar, sí. Debería hacerlo", fue su respuesta. Estaba serio. Luego, paseó su vista, llena de melancolía, por el celaje 5 rosa y dorado, y continuó su paseo por entre las sepulturas. Yo le seguí en silencio.

Al cabo de un buen trecho se volvió a hablarme: "Ahí, en esta tumba —dijo, y su dedo señalaba al suelo— yace Torres *el evadido,* llamado también *el del ángel.* Mejor dicho: sólo su cuerpo está enterrado ahí, quiero 10 decir: tronco, brazos y piernas; pues su cabeza fue expuesta en un garfio, donde debía permanecer para escarmiento durante un mes entero: las alimañas acabaron con ella en menos tiempo."

"Es una tumba antigua ya", observé, interrogante.

"Más de un siglo tiene; cerca de siglo y medio; es de la época del rey 15 Abdelahmed. El fue quien lo mandó degollar y, según parece, no tan sin motivo. Este mi antepasado debió ser un hombre por demás travieso. A propósito suyo corren, o corrieron, muchas anécdotas, alguna leyenda."[67] Sonrió Yusuf. "Sin duda, le ocasionó al rey inquietudes y trastornos en relación con las mujeres de su casa. Era fama que le había 20 favorecido Alá con dotes descomunales, tanto que de ahí le venía otro apodo, bastante indecente, por el que era conocido en todo Fez, y que llegó a atraerle la curiosidad hasta de la misma sultana. Ignoro si alcanzaría a satisfacerla; se cuentan salacidades; el hecho es que fue a parar a una mazmorra. Y aquí interviene la leyenda: dicen que, un buen día, 25 cuando llevaba ya más de un año preso, vino un ángel a sacarlo del sueño y, con una señal de silencio, le mandó seguirle por galerías y cancelas, sin que nadie se opusiera a su paso. Por la mañana, los guardianes sólo hallaron en la mazmorra el cántaro de agua medio vacío: las cerraduras estaban intactas ... Pero no faltan quienes, desmintiendo la leyenda, 30 digan que si pudo abrirlas, fue precisamente con la misma llave poderosa que le había servido para forzar el serrallo del rey." Yusuf hablaba ahora con animación, visiblemente divertido, y yo me complacía en observarlo. De pronto, cambió su fisonomía, y agregó, ahora ya en otro tono de voz: "Mi madre, por supuesto, sostiene que todo eso son patrañas, y que *el* 35 *evadido* sufrió su cruel castigo como promotor de una conspiración contra

---

[67] **A propósito ... leyenda:** There are, or were, many anecdotes, perhaps a legend, about him.

el usurpador Abdelahmed y a favor de su sobrino, el expoliado rey Abdalá, conspiración en la que también tomaron parte algunos cautivos cristianos."

5 Esto fue, poco más o menos, lo que el joven me contó; o más bien, la traducción que hace mi memoria de lo que me dijo. Sus palabras mismas, no podría recordarlas: animado y alegre, me había hablado ahora ya sin ningún estudio, y esa confianza hizo pintoresca en extremo su habla. "Pero la historia de la evasión . . .", le pregunté yo entonces. "Es muy cierta: escapó de la prisión, con ángel o sin él, huyó a lo más escarpado 10 del Rif[68] y, refugiado en las cabilas, hizo entre ellas campaña de agitación, preparando una revuelta que había de estallar para el Ramadán.[69] Mas hubo traiciones y, al final de cuentas, *el evadido* tuvo que regresar a Fez y volver a entrar en la ciudad sobre un borrico, atadas las manos a la espalda. Dos días más tarde, su cabeza estaba colgada en lo alto de un poste, 15 en el mercado."

Seguimos paseando, ya en dirección a la salida. "Yusuf, la tumba de ese abuelo o bisabuelo tuyo que tanto se parece a mí, el del retrato, ¿dónde está? —quise saber—. No me la has mostrado." "Ese no está enterrado aquí", fue su única respuesta.

20 Volvimos a la casa cuando ya oscurecía; entramos —estaba entornado el portillo— y, en el vestíbulo, al pie de la escalera, se detuvo Yusuf para preguntarme, con voz que resonaba en la oquedad de aquel silencio, cuáles eran las horas de yantar en España. Creo que la súbita curiosidad respondía al propósito de anunciar nuestra llegada sin que nadie tuviera 25 que darse por enterado de ella. Entré de buena gana en el juego, y le di, también en voz alta, prolijos informes, mientras que, recostado contra la mesa, me entretenía en aplastar con la yema del dedo el amarillo polen que las azucenas habían dejado caer sobre la mesa, acá y allá, junto al jarro de greda que alimentaba su desmayo.[70]

30 "Ahí, en el jardín, aguardaremos con más comodidad la cena." Yusuf me tomó de la mano; pasamos al huerto; ya la noche había caído; ya azuleaba la encalada pared; las flores medio ocultaban su presencia, viviendo en lo oscuro, pero no tan calladas como los pájaros. Fuimos a sentarnos bajo la parra, en el mismo sitio de la mañana: nos miramos; pensé que 35 mis ojos estarían brillando como brillaban los de él sobre la cara mate,

---

[68] **The Rif** is a mountainous region on the northern coast of Morocco.
[69] **Ramadán** is the ninth month in the Mohammedan calendar, a month of solemn observance among the faithful.
[70] **junto . . . desmayo:** close to the clay pot that nourished their wilting condition.

apagada y borrosa. Dije que allí se estaba muy a gusto;[71] que una casa, un huerto así, con sus frutales y sus rosas, y algunos macizos de lechugas, de chícharos, era todo cuanto podía ambicionarse para llevar una vida tranquila, con la posible felicidad; que —¡podía él creerlo!— me daba mi[72] poquito de envidia. El asintió, haciéndome observar, sin embargo, con entera razón, que todo eso estaba muy bien, y que sería acaso deseable para quien se retira del mundo con un buen botín de recuerdos, cansado de mucho vivir; pero que le daba risa pensar que yo pudiera envidiarle su suerte —¿por qué no hacíamos trueque?—, precisamente yo, harto de correr mundo.

Por encima de nuestra charla, sentíamos el movimiento de la casa, donde se hacían preparativos en mi honor. Yusuf estaba sentado de espaldas a la puerta, pero yo, desde mi sitio, podía ver de medio lado, sin necesidad de volverme, la ventana enrejada de abajo y, en el piso de arriba, otra más chica entre cuyo hueco y la luz se interponía alguien de vez en cuando. También llegaban hasta mí, con los ruidos de la cocina, retazos de diálogo en árabe, que ¡ni que decir tiene! no entendía. Se afanaban por agasajarme; eso era todo.

Al fin, compareció en el patio *mi tía*, seguida por su hija, y me tomó del brazo, estrechándolo con cariño sobre su pecho, como si ese brazo hubiera sido para ella una criatura pequeña, digna de cuidadoso amor. "¡Ya estáis aquí!, dijo. ¡Ea, vamos a comer, que es hora!"

Subimos entonces a la sala de por la mañana,[73] donde encontré, esperándonos sobre la baja mesita, el asado cuyo olor se había adelantado ya, desde la escalera, hasta mis narices. Era un cordero, hecho piezas y servido en una gran bandeja de metal, redonda y labrada, donde los enormes trozos de carne alternaban con montículos de arroz blanco. En el centro de la bandeja yacía, hendida por en medio, la cabeza del animal.

Yusuf me invitó a elegir sitio, y se acomodó en seguida él mismo frente a mí. Las dos mujeres se habían quedado en pie; a ambos lados, y yo no sabía cómo proceder ni qué decir. Me levanté de nuevo, precipitado y obsequioso, pero inmediatamente recordé que las costumbres mahometanas excluyen a las mujeres; ¿hasta qué punto?, eso no lo sabía. Advertí, con todo, que mis huéspedes no estaban menos azorados; que vacilaban con rubor y se reían nerviosamente. Yo ignoraba las costumbres de aquella

---

[71] **allí ... gusto:** one was very comfortable there.
[72] **mi:** *The use of the possessive adjective instead of the indefinite article adds emphasis to the statement.*
[73] **de por la mañana:** where we were in the morning.

gente, sus ceremonias; pero me daba cuenta de que estaban dispuestos a prescindir de ellas para que todo discurriera del modo que más normal pudiese parecerme a mí; también me daba cuenta de que no acertaban. Balbucí por último: "Pero ustedes, las señoras ... Ya sé que no acostum-
5 bran ... Sin embargo ..." "Sí, hijo —se apresuró a decir la madre—. Contigo como invitado, nos hemos de sentar a la mesa. Sólo que nosotras debemos servir, y será inevitable levantarnos algún momentico ... Sién- tate, Miriam", ordenó, a la vez que se instalaba en un taburete a mi derecha, agregando todavía algunas recomendaciones en árabe a la sumisa mucha-
10 cha, que obedeció con la vista recogida.[74]

¡Bueno, ya estábamos sentados alrededor del cordero! Cogí el tenedor y el cuchillo que me ofrecían, y me dispuse a trinchar el pedazo de carne más próximo. Me costaba trabajo, la mesita era demasiado baja, y también lo era el asiento: hundido en él, los codos me tropezaban con las rodillas.
15 Además, yo no tenía ganas: era temprano, el cordero estaba ya frío, se había solidificado la grasa en espesos pegotes sobre la fuente, y, a decir verdad, los tendones, los tejidos amarillentos, la piel reseca, no hacían demasiado apetitosa aquella masa negruzca de carne. A mí se me resistía,[75] a decir verdad. Y era sobre todo la cabeza, ahí en el centro de la fuente,
20 con el hueco del ojo vaciado y la risa de los descarnados dientes, lo que más me quitaba el apetito. Pero ¿cómo rehusar el convite? Me ayudaría —pensé—con el arroz blanco, por más que, según pude comprobar apenas me llevé un poco a la boca, estaba todo impregnado de la misma grasa. Haciendo de tripas corazón,[76] demorándome cuanto podía en cada bocado,
25 me atuve al deber de no desairarles el festín, mientras ellos, por su parte, se aplicaban al cordero con un placer que no admitía disimulo, y del que yo pude aprovechar a mi manera; pues, atentos como estaban a su obra, absortos y callados, cabía esperar que no reparasen en mi displicencia a poco que yo procurase no hacerla contrastar demasiado con su frui-
30 ción.[77]

"¿Te ha llevado Yusuf a visitar nuestro cementerio?", preguntó la señora después de unos minutos, a tiempo que me echaba una mirada rápida por encima de su presa de carne. "Sí —le respondí—; me ha llevado,

---

[74] **con la vista recogida**: with her eyes lowered.
[75] **A mí se me resistía**: It wasn't appealing to me.
[76] **Haciendo de tripas corazón**: Plucking up my courage.
[77] **cabía ... fruición**: it was reasonable to hope that they wouldn't notice my dis- pleasure if I succeeded in not making it contrast too much with their enjoyment.

y me ha mostrado las tumbas de la familia, y me ha explicado bien quién era cada uno." Ella tuvo una sonrisa satisfecha.

Pasado otro rato, me pidió que yo les hablara a mi vez de la parentela, "de la rama de la familia Torres que se quedó en España" y, en especial, que les dijera quiénes eran los que actualmente representaban a nuestra estirpe. "Es difícil —observé—. Tendría que írselos presentando uno por uno, como en las novelas; pero yo no tengo ninguna habilidad de narrador y, por lo demás, falta el argumento; de modo que más bien haré una enumeración, como se hace en las piezas de teatro impresas con las *dramatis personae,*[78] aunque, igual que en ellas, esto sirva de muy poco." Me fastidiaba eso; pero, no obstante, era el único recurso que se me ofrecía para distraerse de la comida:[79] con tal de llevarme a la boca de vez en cuando un trocito bien limpio de aquella carne horrible, mientras hablaba, estaba cumplido. Por lo menos, las preguntas inagotables de la buena mujer me ayudaban mucho. "Anda, empieza por ti mismo. Cuéntanos. ¿Vive tu padre? ¿Tienes hermanos? ¿Cuántos sois?"

"Ni mi padre vive ya, ni tengo hermanos. Yo fui hijo único, y apenas si recuerdo a mi padre: murió siendo yo todavía chiquito. Mis recuerdos de hogar se refieren todos a mi madre; pero mi madre no ofrece interés para ustedes, pues es otra familia . . ." —comencé por informarles. En seguida les conté que mi padre había sido el segundo de tres hermanos, mi tío Jesús, él y mi tío Manolo; que el tío Jesús, el primogénito, juez de carrera, se había casado y había tenido dos hijos varones, y que murió asesinado en Málaga, durante la guerra civil, en ocasión de que esos hijos, que aún viven, se habían pasado al otro bando para luchar como voluntarios en el ejército; y que Manolo, mi otro tío, médico él, había sido padre de dos hijas y un hijo, "aquel Gabrielillo de tan mala suerte, que tú ya sabes", puntualicé, dirigiéndome a Yusuf. "Mi tío Manuel, ya viudo, vive con sus dos hijas en Colombia, creo, o en Venezuela." Todavía añadí precisiones diversas, alguna anécdota, detalles más o menos pintorescos y exagerados, buenos para caracterizar a uno u otro personaje, todo con el propósito de distraerme de la comida y pasarla por alto, al tiempo que ponía un afectado descuido en limpiar con escrupulosa prolijidad cada bocado de carne que me llevaba a la boca. (En resumidas cuentas, me encontré al final habiendo podido pasar así un mediano trozo de asado.)

---

[78] **dramatis personae**: *Latin* characters (of a play).
[79] **que se . . . la comida**: that was offered to me as a distraction from the meal.

Mientras tanto, la señora escuchaba, atentísima, mis palabras: hablaba
yo, y ella se me quedaba fija en una actitud de pájaro,[80] con la cabeza ladea-
da y el ojo inmóvil; parecía no perder una tilde —pero luego lo mezclaba
todo, y el rasgo que yo había referido de uno se lo colgaba a otro, pidién-
5 dome aclaraciones incongruentes que sólo demostraban no haber entendido, acaso, una dilatada y paciente explicación mía.

Eso fue lo que ocurrió una vez más —tras de otras varias equivocaciones
que yo deshice— cuando me preguntó cómo a un hombre tan gentil —y
se refería a tío Manolo, algunas de cuyas gracias pretéritas le acababa de
10 relatar yo—, cómo a un hombre así había habido quien tuviera entrañas
para asesinarlo. A él no lo habían asesinado —aunque tampoco faltó mucho—;[81] estaba confundida. Pero ¿qué tenían que ver con eso las añejas
historietas donde él, aún joven, de estudiante, y hasta casado ya, aparecía
tramando alguna broma —como aquella, célebre, del gitano arrepentido—
15 a costa de su hermano mayor, Jesús, cuya seriedad no le permitía entender
semejantes travesuras, ni transigir con ellas? Sí, Manolo era, había sido
en su tiempo, hombre alegre, jaranero, aunque por otro lado, por el lado
de la intemperancia, también tenía lo suyo,[82] según bien pudo verse más
tarde, cuando empezó a enseñar la oreja; ingenioso (un poco irritante,
20 a fuerza de ingenioso) y de buen corazón —*gentil,* como había dicho aquella
señora—, no podía negarse que lo era, y ¡quién sabe si esas cualidades
no le valieron para salvar el pellejo en medio de tanto peligro!; pues no
resultaba pequeña empresa el salir, primero, de la cárcel, y luego, del
país. Pero aquella señora lo confundía ahora con mi tío Jesús, cuya es-
25 pantosa suerte yo le había contado también, aunque de pasada, un
momento antes. "No fue él quien murió asesinado, sino su hermano mayor", tuve que aclararle.

De repente, me sentí cansado, y bajé la vista. ¡Muy cansado, de repente!
Hubo un silencio: al alzar de nuevo los ojos y volverlos, no sé por qué,
30 a mi izquierda, sorprendí puestos en mí los de Miriam, la muchacha en
quien apenas si había tenido ocasión de reparar hasta entonces. Huyó en
seguida su mirada a refugiarse en el regazo; pero su cara no podía huir:
allí permanecía, con los labios gordezuelos brillantes de pringue. Miré
luego a Yusuf que, recostado, me contemplaba con quieta, leve curiosidad,
35 tal vez con tedio, balanceando en la punta del pie su babucha color tabaco.
Incansable, se aprestaba la madre a insistir en sus preguntas; pero él,

---

[80] **ella se . . . pájaro:** fixed her attention on me like a bird.
[81] **aunque tampoco faltó mucho:** although it has been quite close.
[82] **por el lado . . . lo suyo:** he also was quite rash.

más discreto, le dio a entender, instándome por mera fórmula a tomar otro pedazo, que era hora de retirar de la mesa los restos del cordero. Se levantaron las dos mujeres, sacaron la bandeja y, al cabo de poco, regresaron trayendo otra, donde se veían, alrededor de un tarro de mermelada, diversos pastelillos y dulces. Un gran vaso de limonada se adelantó también a mi deseo, y, ayudado por el turbio y helado líquido, me dispuse a lastrar con aquellos postres mi estragado estómago. Probé, pues, la mermelada, y elogié su gusto. ¿De qué era? Me contestaron que de rosas. "¿De rosas? —inquirí, extrañado—. ¿Cómo de rosas?" "De rosas, sí; yo misma la he hecho", informó, sonriente, la señora. Y, enterada de que jamás había probado yo, ni sospechado siquiera, semejante especie —"tan poética", dije— de mermelada, se detuvo en ponerme al corriente de los secretos de confección: cómo se hacía con pétalos de rosas frescas, puestos a macerar, y que si tal, y que si cual . . . [83] En cuanto a su sabor, sabía bien, ni mejor ni peor que otro dulce cualquiera; ni especialmente aromática me pareció.

Llegó por último el café, un buen café, aunque servido en jícaras demasiado pequeñas; lo bebí de un sorbo, lo celebré, y obtuve otra jicarilla . . . Después de un rato prudencial —el mínimo indispensable, pues estaba rendido— me despedí alegando que al día siguiente madrugaría para trabajar de firme; y Yusuf Torres, tras haberme porfiado en vano que prolongara mi visita, llamó desde arriba al criado para que me acompañara a mi alojamiento. Nos despedimos con reverencias y abrazos, y hecho el postrer saludo junto a la puerta de la calle, seguí en silencio a mi guía: yo no tenía ganas de hablar; me limité a seguirlo por las callejas, mientras observaba —viendo ante mí su figura, que tan pronto se hundía en la sombra de las casas, tan pronto volvía a surgir, con movimientos leves, ágiles, casi como si bailara a la luz de la luna—, observé, digo, no sin alguna sorpresa, que no era, según me había parecido aquella misma mañana, y ello quizás a causa de su aspecto miserable, un hombre de edad, sino un joven, y bastante joven por cierto. Le di una propina en la puerta del hotel, y desapareció en un salto, diciéndome algo que un momento después identifiqué como un *Merci, 'sieur*.[84]

Quizás por haber tomado mucho café, quizás porque la noche antes había dormido a pierna suelta, sin hacer luego, en todo el día, nada que pudiera cansarme, el hecho es que aquella noche me desvelé, cosa que

---

[83] **y que si tal, y que si cual**: and so on and so forth.
[84] **Merci, 'sieur**: *French* Thank you, sir.

hacía tiempo no me ocurría. Me había metido en la cama con intenciones de madrugar; pero hete aquí que en mitad de la noche ¡zas! me despierto sin sueño. Miro el reloj: las tres y veinticinco. Quiero volverme a dormir, y ya no lo consigo. ¡De ningún modo! ¡Nada: imposible! Cuando renuncié
5 a mis esfuerzos, lo que acudió a mí en lugar del anhelado sueño fue ¡claro está! esa curiosa aventura de mi parentela mora, la sorpresa que, sin que yo hubiera podido ni imaginarlo, me estaba aguardando ahí, en aquella ciudad de Fez, desde... ¡bueno: desde hacía siglos!, y que ahora me permitiría aumentar con una anécdota nada vulgar mi repertorio. Me
10 figuraba ya la curiosidad incrédula de Fulanita, el comentario de don Mengano, cuya mordacidad sabía sacar partido de la menor cosa, y, sobre todo, me veía a mí mismo, con un vaso de whisky en la mano, dentro de un grupo de amigos, contando el episodio de la manera más sugestiva, más amena: casi oía mis propias frases. En un momento lo vivido por
15 mí —por mí, y por ellos, por esta buena gente— a lo largo de la anterior jornada, un día entero de nuestras existencias, se había reducido a la fútil materia de una anécdota.

Pero, a pesar de todo, la aventura en su conjunto no se me aparecía ahora, al repasarla en mi desvelo, con aquel divertido y risueño cariz que trajera
20 cuando se me presentó, ni reproducía la excitación alegre de aquel enton-ces: muy al contrario. Es de admirar cómo el insomnio cambia todas las cosas, tornando lo blanco en negro: con el silencio de la noche, lo que había sido en la realidad un acontecimiento superficial, bueno a lo sumo para llenar el ocio de un domingo en una ciudad desconocida, se teñía
25 de seriedad, adquiría un aire... sí, melancólico y hasta temeroso, se apoderaba de uno embargándole el ánimo y —lejos ya toda burla, toda ironía, lejos incluso la ternura en que por instantes desembocara mi actitud inicial— pesaba sobre el corazón como una responsabilidad nueva, in-esperada y, por ello, más grave, insufrible casi.

30 Uno tras otro, mas sin orden, confusos, repetidos, los detalles de nuestras conversaciones venían a fatigar mi vigilia, y de modo tal que, cuando no los deformaba alguna ampliación grotesca, era suficiente la agria luz que ahora los iluminaba para convertir en detestable el recuerdo de aquello mismo que había sido amable, curioso o francamente cómico.
35 Ahí estaba, por ejemplo, el risueño incidente, si tal puede llamársele, de la mermelada de rosas: "Yo misma la he preparado con mis propias manos." Pues bien, a pesar de ser su aspecto, según podía yo recordar cuantas veces se me antojara, el de una jalea diáfana, color carmín, bastante agradable a la vista, fijaba en el frasco los ojos de mi imaginación y, des-

pués de un rato, comenzaba a descubrir ahí pétalos macilentos, negruzcos, y entre ellos —lo que me resultaba por demás repugnante— una uña, del mismo color brillante, pero cuya consistencia le impedía disimularse por completo en la masa de viscosa gelatina. ¡Absurdo, no? Mas, sin poderlo evitar, la boca se me llenó de saliva por efecto de la imaginaria asquerosidad; me incorporé y, no queriendo levantarme, tuve que escupir en el suelo, junto a la cama ... Sí, en el desvelo aun las cosas más triviales adquirían una especial malignidad, que las hacía odiosas.

Ninguna me torturó tanto, sin embargo, como la cuestión del retrato que *mi tía* (le llamaba *mi tía*; no hubiera sabido, si no, cómo pensar en ella), el retrato digo, que mi tía me había mostrado para que viese reproducida mi propia fisonomía en la de otro hombre, muerto desde mucho tiempo atrás. Lo había mirado y remirado entonces; y, no obstante, al evocarlo ahora, acudía a mi memoria medio desvanecido: sólo el arco de las cejas conservaba en el recuerdo un diseño nítido, sobre la triste mirada del joven Yusuf Torres brillando en la palidez de una cara borrosa, cuyos rasgos se perdían como si una mancha de agua caída en la pintura hubiera fundido los colores y corrompido las líneas. Mi tía me lo plantaba delante, y se burlaba de mí con una risa mala: "¿Quién es éste? Eres tú, y no lo eres; eres tú, después de que hayas muerto." La sentía decir eso, que nunca me había dicho; que yo sabía a ciencia cierta no me había dicho. Pero —de pronto— lo que me estaba metiendo por los hocicos[85] no era ya el retrato de su antepasado, sino la foto del difunto tío Jesús, vestido de mamarracho, en el ajimez de cartón. ¡Dichosa fotografía! Por si el rancio sabor que me traía al paladar fuese poco, parecía deber suscitar siempre,[86] ignoro por qué infalible mecanismo, el cuadro espantoso de mi tío muerto, allí tirado en aquel desmonte, junto a otras muchas víctimas, para que la chusma se solazara en hacer comentarios, y hasta en darle con el pie.[87] Y yo, ahí delante, fingiendo indiferencia, como un curioso más ... En vano procuraba apartar de mí esa visión; en vano, para escaparme de la escena, dirigía el pensamiento hacia otra cosa cualquiera, hacia mis preocupaciones actuales, mi negocio, mis planes de organización comercial y de campaña publicitaria; fuera lo que fuese,[88] no tardaba mucho en retornar: derivaba hasta mis parientes marroquíes, recién estrenados;

---

[85] **lo que ... hocicos:** what she was stuffing down my throat.
[86] **Por si ... siempre:** As if the rancid taste it brought to my mouth wasn't enough, it seemed to be always recalling.
[87] **y hasta ... pie:** and even by kicking him.
[88] **fuera lo que fuese:** whatever it might be.

salía en seguida a relucir el viejo retrato "que hubiera podido ser mío";
detrás de él, la fotografía de mi tío Jesús disfrazado de moro, y por último, indefectiblemente, el desmonte maldito, mi tío asesinado, y yo
parado ante su cadáver, disimulando conocerlo y reprochándole, en medio
5 de mi aflicción, la imprudencia de su carácter, aquella su manera de ser
que lo tenía que destinar al poco lucido papel de víctima.[89]

¡Ay! ¿Por qué será que, durante la noche, cuando uno está desvelado,
todo cuanto se le viene a las mientes toma ese aire tan pesado y angustio-
so? En pleno día, tantas veces como algún azar me traía a la memoria
10 aquellos tristes sucesos de Málaga —y, por suerte, eran ya pocas; conforme pasaban los años, la cosa ocurría más de tarde en tarde, y con una
pena atenuada, por misericordia del tiempo, que, según suele decirse,
todo lo mitiga, o porque la sensibilidad se embota igual que una carne
demasiado tocada por el cauterio—; cuantas veces me acordaba todavía
15 de ello en pleno día, era capaz de hacerle frente al recuerdo, examinar
con frialdad mi propia conducta y sentirme tranquilo, justificado. Y cualquiera que lo juzgue sin apasionamiento deberá en efecto, reconocer que
mi proceder durante ese turbio período fue razonable: el único sensato,
en definitiva. Pues ¿qué podía haber hecho yo? Aumentar en una unidad[90]
20 —una unidad, para el mundo; que para mí esa unidad lo era todo, era ella
el mundo entero, era yo mismo, José Torres (¿cuántos individuos con
mi mismo nombre, José, y mi apellido mismo, Torres, cuántos otros
José Torres no habría habido entre los asesinatos de una y otra parte?[91])—,
aumentar con un uno insignificante la cifra de las víctimas, sin beneficio
25 para nadie: eso es todo lo que yo hubiera podido hacer. ¿De qué le hubiera
servido a mi pobre tío Jesús, una vez muerto, que yo me señalara reco-
nociéndolo, haciendo gestiones para recoger el cuerpo y enterrarlo? De
nada le hubiera servido a él, y en cambio a mí hubiera podido compro-
meterme. No digamos si, dejándome llevar de los impulsos que ya casi
30 me ciegan, a aquel sujeto inmundo que, al lado mío, se aplicaba por chiste
a hurgarle la barba con la punta del zapato, le caigo encima y... Mas
¿para qué? En semejantes circunstancias, la menor imprudencia bastaba.
¡A saber por qué tontería no habría sido detenido el pobre tío Jesús!:
¡alguna de sus baladronadas, seguramente! El no era hombre de aguan-
35 tarse el genio,[92] un infeliz en el fondo, pero ¡fantasioso, el pobre!...
¡fantasmón!... Ya sé que eso es mera cuestión de carácter, y que él no

---

[89] **que lo ... víctima:** which made him end up in the inglorious role of victim.
[90] **Aumentar en una unidad:** To increase by one.
[91] **de una y otra parte:** on both sides (Nat. and Rep.).
[92] **El no ... genio:** he was not a man to check his temper.

tenía la culpa de ser como Dios lo había hecho; pero ¿la tenía yo, acaso? Dio lugar con cualquier majadería a que lo detuvieran, y, ¡eso sí!,[93] entonces va y se acuerda de mí para mandarme recado; entonces, era yo, yo que tantos equilibrios había tenido que hacer para salir adelante,[94] quien debía dar la cara y buscarle avales y poner remedio a sus sandeces, y jugarme por él, mientras que sus dos hijos, dejándolo entregado a sí mismo, lo pasaban tan ricamente del otro lado para[95] terminar la guerra, como la terminaron, de jefes del ejército. Demasiado cómodo era venir luego a hacerme cargos, y hasta insinuar los muy canallas con sus reticencias si acaso yo mismo no lo habría denunciado para que lo liquidaran. ¡Canallas!... Hice lo que pude: le recomendé, al pobre viejo, por la misma vía que me llegara su recado,[96] calma y silencio, silencio por encima de todo, y en ningún caso referirse a mí; pues su incontinencia verbal sólo podía contribuir a perjudicarle, perjudicándome a mí de paso. Mi posición no era tan firme, en tales momentos no había posición que fuera firme; cada cual tenía que afanarse por salvar el cuero, lo que no era ya chica tarea. ¿Puede reprochárseme que yo me agachara, en espera de que el temporal hubiese pasado? Salvé el cuero, y salvé además cuanto fue posible de los intereses de la Compañía. ¿Qué más se me podía exigir? De perlas le vino al gerente de la firma el que yo, su jefe de movimiento y expedición, apareciera de la noche a la mañana dirigiendo el comité obrero que se incautó de la casa;[97] y todavía me da risa acordarme del inglés, la cara que ponía, con unos ojos como huevos, al verme hecho un *responsable* obrero,[98] nada menos que todo un señor anarquista, con carnet sindical en el bolsillo y pistola al cinto, mandoneando a mi gusto, y tratándole con insolencia delante de los demás. Palpaba con sus manos el muy bobo que con aquella farsa le estaba preservando, en lo que cabe, los intereses de la empresa, y no terminaba de entenderlo.[99] Claro que no había mucho a preservar: una firma exportadora —y, más aún, extranjera—

---

[93] **Dio lugar ... sí!:** He gave them reason, because of some foolishness or other, for detaining him, and of course they did!

[94] **yo que ... adelante:** I who had had to make so many fine adjustments to stay ahead.

[95] **dejándolo ... para:** leaving him on his own, were doing so well on the other side as to.

[96] **por la ... recado:** by the same means by which his message had reached me.

[97] **De perlas ... casa:** It suited the manager of the firm very well that I, at the head of the shipping department, should suddenly appear directing the workers' committee that had seized the business.

[98] **un responsable obrero:** a worker's representative (acting on behalf of the Socialists).

[99] **Palpaba ... entenderlo:** It was obvious to the big fool that with that farce I was preserving for him, as much as possible, the interests of the business, and he didn't fully understand.

poco podía sufrir, aparte el quebranto producido por la paralización de
los negocios (que luego compensaría con creces[100]). Los locales, incau-
tados; pero, ¡como no los iban a arrancar del suelo! . . . Incluso se recu-
peraron los almacenes mejorados con las reformas que en ellos habían
5 hecho para acondicionarlos como depósito de guerra. Las mercaderías
que teníamos almacenadas al comenzar la guerra, volaron, por supuesto;
los vinos y licores finos se bebían como agua. Y además, hubo que seguir
pagando los sueldos a todo el mundo . . . Resultado: que tuve habilidad;
habilidad y — ¿por qué negarlo?— bastante suerte. Si en vez de ser una
10 casa exportadora cuyo personal estaba formado en su mayoría por
oficinistas, se hubiera tratado de alguna industria, dificilillo[101] me habría
resultado a mí, que era uno de los jefes, camuflarme y asumir el control
de la empresa incautada, e impedir así los peores desmanes. Sólo yo sé
los equilibrios que tuve que hacer. Pero, en fin, la cosa me salió bastante
15 bien;[102] a decir verdad, muy bien. Pude bandearme hasta el último momento, y nada me costó después, llegada la oportunidad, exagerar los
riesgos corridos y los servicios prestados: todo el mundo exageraba y
mentía, todo el mundo se quería hacer valer como casi héroe y casi mártir,
girando a beneficio propio sobre el efectivo de las víctimas que había
20 habido; pero no todos podían presentar, como yo, un tío carnal —¡pobre
tío Jesús!— asesinado por las hordas rojas. De otra parte, ahí estaba el
gerente: él me había visto actuar, no sin inquietud al comienzo, luego ya
tranquilo; y ahora, al verme cómo brujuleaba en la nueva situación, viene
y me pide consejo y se pone en mis manos para que yo condujese las cosas
25 en los primeros instantes, apenas las fuerzas italianas liberaron Málaga.
Fue un momento glorioso; y sólo me lo amargó un tanto el ver cómo
cogían uno tras otro a varios de los empleados de la casa —los pocos que
no habían huido carretera adelante— para ponerlos contra el paredón.
Los pobres diablos no sabían qué hacerse ni qué pensar viendo al *camarada*
30 *responsable,* con quien hasta el día antes habían bebido mano a mano el
jerez y el coñac de la empresa, ahora otra vez a partir un piñón con la
gerencia,[103] y me echaban unas miradas de angustia . . . Pero ¿qué iba
a hacerle yo? ¡Buenos eran aquellos momentos para salir en defensa de
nadie![104] No, nada podía hacer por ellos; ni siquiera —pues hubiese resul-

---

[100] **que luego . . . creces:** which it would later amply make up.
[101] **dificilillo = deficilísimo**
[102] **me salió bastante bien:** turned out quite well for me.
[103] **a partir . . . gerencia:** on the good side of the management.
[104] **¡Buenos . . . nadie!:** That was a bad time for going to the defense of anyone!

tado imprudente— decirles la media palabrita que se me quería salir de
los labios para advertir a los muy pazguatos que corrieran a esconderse . . .
Esto sí, esto me amargó las horas del triunfo. Esto, y luego la brutalidad
de mis primos, empeñados en cargar sobre mis espaldas la responsabilidad
por la desgracia ocurrida a su padre: como si yo tuviera culpa de las in- 5
temperancias suicidas del viejo, y de que ellos mismos, ansiosos de hacer
carrera, se hubiesen pasado a la otra zona, dejándolo abandonado a su
humor en medio del fregado. ¿Cómo iba yo a prever que los acontecimientos se precipitarían, sin darme tiempo siquiera a pensar el modo
de echarle una mano? Le había recomendado calma y silencio; era lo 10
mejor que podía recomendarle. Sólo que ese silencio . . . se hizo defini-
tivo. Que me digan a mí qué hubiera podido intentar para impedirlo.[105]
¿Qué se hallaba de vituperable en mi conducta? ¿Qué otra cosa podía
haber hecho, dada mi situación, en circunstancias tan difíciles, tan peculiares? Quien lo analice fríamente y no sea un perfecto animal compren- 15
derá y justificará mi manera de proceder. A mí, la conciencia nada tiene
que reprocharme a la luz de la razón.

Lo malo es que, por la noche, cuando uno ha tenido la mala pata de
desvelarse, la razón se oscurece, se turba el juicio, y todo se confunde,
se corrompe, se tuerce y malea. Entonces, aun las cuestiones más simples 20
adquieren otro aspecto, un aspecto falso; vienen deformadas por el aura
de la pesadilla, y no hay quien soporte . . . Eso fue lo que a mí me pasó
aquella noche: no lograba expulsar de la imaginación la mueca de mi tío
Jesús, asesinado junto a unos desmontes; por más que hiciera, no conseguía librarme de ella. Entre tanto, me revolvía en la cama, cada vez 25
más nervioso: ya las sábanas estaban arrugadas, me molestaban, y era
inútil que procurase alisarlas pasando y repasando la pierna a lo ancho:
sus pliegues se multiplicaban incansablemente. Y yo, cambia que te cambia de postura,[106] boca arriba, boca abajo, de medio lado al borde la cama[107] con un malestar creciente . . . ¿Qué demonios me pasaba? ¿Qué 30
era aquello? Tenía la boca llena de saliva, y sentía en el estómago un peso
terrible. La comida . . . Varias veces me había negado al recuerdo de la
comida, que pretendía insinuarse en mí; a cada solapado asalto, me cerraba, pensaba en otra cosa. Pero ahora, de pronto, se me coló de rondón
la ridícula idea. Una idea absurda. Me pregunto yo de qué valen las luces 35
de la inteligencia si es suficiente un simple empacho para que tomen cuerpo

---

[105] **Que me . . . impedirlo:** Let them tell me what I could have done to prevent it.
[106] **cambia . . . postura:** however much I might change my posture.
[107] **de medio . . . cama:** on one side along the edge of the bed.

en uno las más disparatadas impresiones y, con increíble testarudez, se
afirmen contra toda razón. Véase cuál fue la estúpida ocurrencia: que aquel
peso insoportable, aquí, en el estómago, era nada menos que la cabeza
del cordero, la cabeza, sí, con sus dentecillos blancos y el ojo vaciado.

5 No hacía falta que nadie me dijera cuán disparatado era eso: ¿acaso no
sabía muy bien que la cabeza no se había tocado? Allá se quedó, en medio
de la fuente, entre pegotes de grasa fría. Si por un instante había temido
yo que me la ofrecieran como el bocado más exquisito, es lo cierto que
ninguno llegó a tocarla: para la cocina volvió, tal cual, en el centro de la

10 fuente. Y sin embargo —incongruencias del empacho— la sensación de
tener el estómago ocupado con su indominable volumen resultaba tan
obvia, tan convincente, que ¡ya podía yo decirme: la cabeza volvió a la
cocina sin que la tocara nadie!; no por eso dejaba de sentir su asquerosa
y pesada masa oprimiéndome desde abajo la boca del estómago.

15   Pues, Señor: la comida me había caído como una piedra; tenía indigestión, eso era todo. Ello, y no el café, es lo que me había despertado y lo
que, evidentemente, me había traído pensamientos tan negros. "¡Si, al
menos, consiguiera devolver!", pensé. No lo creía; sentía repugnancia,
pero no creía poder vomitar. Me observé, con mis cinco sentidos alerta:

20 ¡No, no iba a conseguirlo! Bueno, ya se pasaría: era cuestión de distraerse.
A tales horas, no me resolvía a pedir una taza de té, que es lo que me apete-
cía y lo que me hubiera aliviado. Me volví, pues, hacia abajo y, así, acurrucado y con la cara puesta de medio lado sobre la almohada, pareció
atenuárseme la molestia.

25   Maldecía ahora de haberme dejado llevar por la tonta aventura de los
nuevos parientes moros hasta el extremo de aceptar aquella bárbara cena
que tan mal me había sentado. Y ¡qué insistencia la de la bendita gente!
Por ellos, hubiera tenido que engullirme yo solo todo el cordero. ¡Qué
insistencia!... De pronto, me pareció que aquello iría a pasarse. Me

30 invadía un dolorido bienestar, y hasta comencé a sentir que me adormilaba
...Me veía parado en el quicio de una puerta, y a *mi tía* mora haciéndome prolijas recomendaciones; percibía su emoción, su resistencia a
soltarme la mano, esa afectuosa jovialidad que tanto me comprometía
y me hacía tener vergüenza de mí mismo. Y todo ello me transportaba

35 a otros tiempos, a las tardes soleadas de mi infancia, allá todavía, en Almuñecar, cuando, alguna vez, convidado a comer en casa de mi tío Manolo,
cuyas salidas chuscas tanto me divertían, doña Anita, su mujer, con
Gabrielillo de la mano o colgado de sus faldas, me entregaba al despedir-

me, entre mil encarecimientos, una torta de aceite[108] "para que mi madre
la probara", a la vez que me abrumaba de recados, de saludos ... Ya la
buena de doña Anita estaba debajo de tierra desde hacía años, y muerto
estaba también —trágicamente— aquel Gabrielillo que —como ella solía
protestar— siempre se le andaba enredando entre las piernas.[109] ¿Viviría
el tío Manuel? Mucho tuvo que sufrir el infeliz, no sólo por los malos
tratos de la cárcel, donde lo tuvieron más de dos años, sino también por
la muerte del niño y, sobre todo, por las ignominias que entre tanto pade-
cieron sus hijas. Puede ser que ahora les vaya bien en América —pensaba
yo—. Les había perdido el rastro por completo; quizás les fuera bien.

¡Ay, ay! Otra vez mi estómago. No, no se me pasaba el malestar; al
contrario, cada vez me sentía peor. La cabeza del cordero me pesaba ya
insoportablemente; me arañaba con sus dientes en las paredes del estómago, y me producía náuseas. Me tiré de la cama, y me fui de prisa para
el cuarto de baño, haciendo bascas.[110] ¡Corre, corre, que pierdes el tren!
¡Ay, apenas si alcanzo!: se había puesto a dar topetazos,[111] se me subía
a la boca, estaba rabioso, quería escapar. ¡Bueno, anda, lárgate! ¡Afuera!
... ¡Gracias a Dios! ... Me brotaban lágrimas y gotas de sudor frío;
creí morirme. Y ¡qué cara tenía, Padre Eterno; qué cara! Me enjuagué
bien la boca en el lavabo, descargué agua en el inodoro,[112] cerré la puerta,
me volví tambaleándome a la cama, y pronto me quedé dormido.

Cuando, a la mañana siguiente, abrí los postigos del balcón, el sol
avanzó hasta mitad de la pieza. Me había despertado tarde, pero muy
despejado. Con un despejo alegre, que me sostenía y me mostraba las
cosas a una luz nueva. Todas las musarañas de la noche se habían dis-
persado; y ¡qué bien que me sentía ahora, libre de ellas! Sí, tenía una
lucidez sorprendente: no era sólo que hubiese superado todos esos ín-
cubos, fruto de una estúpida indigestión; era también que el plan de mi
viaje de negocios, algo borroso hasta ese momento, se me presentaba de
pronto coherente, razonable, perfilado, y más prometedor que nunca.
Veía, claro como el agua, todo cuanto convenía para la mejor organización
de la Radio M. L. Rowner en Marruecos, sin las dudas que antes me habían hecho vacilar acerca de ciertos detalles, dejándolos en el aire, y —lo

---

[108] **torta de aceite**: a loaf of bread made with flour and olive oil (a common gift among the peasants of this part of Andalusia).

[109] **siempre ... piernas**: was always becoming tangled up in her legs.

[110] **haciendo bascas**: on the verge of throwing up.

[111] **se había ... topetazos**: it had begun to butt.

[112] **descargué agua en el inodoro**: I flushed the toilet.

que es más— sin esa vaguedad de perfiles en que todo había permanecido
hasta entonces por obra de una especie de pereza mental que falazmente
me aconsejaba confiar en improvisaciones sobre el terreno. Ahora, nada de
eso; en esta mañana luminosa, cuya atmósfera no se sentía, y donde el
cuerpo parecía moverse con feliz ingravidez, la iniciativa había pasado a
mis manos. Diríase que aspectos y reflexiones asimilados en el sopor del
viaje y cien veces retomados al descuido entre providencias y menudas
preocupaciones prácticas, se organizaron de golpe en aquella mañana
lúcida, y que ahora, ya, podría marchar con seguridad completa en mis
gestiones.

Por lo pronto ¿en qué había estado pensando cuando se me ocurrió
tomar el pasaje de avión para Fez? Pues . . . ¡en nada!; no había pensado
en nada, la verdad sea dicha. Mecánicamente, se me había ocurrido diri-
girme a la capital de Marruecos, y hasta instalar en ella la sede de la repre-
sentación, sin darme cuenta de que para tales asuntos poco y nada tienen
que hacer las autoridades, sean indígenas, sean del Protectorado.[113] Conforme reflexionaba en esto, más necia me parecía mi inconsulta decisión,
y más me asombraba de haber obrado así. ¿Qué demonio tenía yo que
hacer en Fez, y qué se me había perdido por acá? La verdadera capital
comercial de la zona es Marraquex, no Fez. Allí era donde hubiera debido
encaminarme. Y allí me encaminaría. Total, no se había perdido gran
cosa . . .

Pensé llamar al conserje para informarme; mas, como ya estaba casi
terminado mi aseo, me pareció preferible bajar al vestíbulo, donde encontré, como siempre, al uniforme de los grandes botones dorados. Por
él supe que el tren para Marraquex salía a las 19 y 25; pero que había una
buena línea de ómnibus con coche cada dos horas. ¿El próximo? El próximo (echó una mirada al reloj: eran las nueve y cuarto; otra, al horario,
fijado en la pared, junto a varios cartelitos, detrás del mostrador), el próximo salía a las 10 y 30: dentro de una hora y cuarto.

Sin extrañeza, recibió el encargo de reservarme por teléfono, para ese
primer ómnibus, un buen asiento ("del lado de la sombra lo deseará el
señor, ¿verdad?"); y entre tanto tuve tiempo holgado de cerrar mi equipaje —lo que para mí es cuestión de nada—, hacerlo bajar a la portería,
abonar mi cuenta, desayunar tranquilamente, e irme sin prisa hacia la
estación de la línea.

Iba contento. Una vez en la estación, y después de las habituales dili-

---

[113] **El Protectorado:** The French Protectorate of this part of Morroco from 1912 to
1956.

gencias, tomé posesión de mi sitio en el interior del ómnibus, sólo a medias
ocupado[114] todavía, y saqué una libreta de notas y un lápiz para entre-
35 tenerme en echar mis cuentas:[115] la factura del hotel, lo gastado el día antes
en el restaurante, luego en el café (el joven Yusuf Torres no había pagado
sino el tranvía del cementerio), algunas propinas, el billete de ómnibus 5
hasta Marraquex —aunque esto quizás no correspondiera incluirlo ahí—;
en fin, convertí la suma de francos a dólares: 12,30 exactos. No era mucho.
Y, en cuanto al tiempo perdido, poco menos que nada.

Ya se acomodaba el chofer en su puesto y ponía en marcha el motor[116]
cuando me pareció distinguir, en un grupo de moros que por allí andaba, 10
al individuo que veinticuatro horas antes me había llevado el mensaje
de mis estrafalarios parientes —el criado de *mi tía,* jardinero, mozo, o lo
que fuere—.[117] Tuve un sobresalto y (¡qué tontería!) miré para otro lado;
a punto de volver a levantar la vista para cerciorarme de que, en efecto,
era él, advertí que, por su parte, me había descubierto y parecía dispuesto 15
a acercarse. No lo hizo; por el contrario, salió corriendo, y ya se alejaba
con la cara vuelta cuando arrancó el dichoso ómnibus . . . A poco, doblá-
bamos la esquina, y transponíamos.

*Tema - dolorosa y violenta
separación de los Torres cuando
fueron expulsados de España*

EJERCICIOS

A. Conteste en español a las siguientes preguntas:

1. *¿Dónde tiene lugar la acción del cuento?*
2. *¿De qué parte de España es el protagonista? ¿Para qué fue a Fez?*
3. *¿Por qué quiere verle Yusuf?*
4. *¿Con qué espíritu acepta José la invitación?*
5. *¿Cuántos años tiene él?*
6. *¿Qué le convence de que es pariente de Yusuf?*
7. *¿Cómo se siente al darse cuenta de esto?*
8. *¿Quién es Gabriel Torres?*
9. *¿Qué opinión tiene José de las costumbres hogareñas de Yusuf?*

---

[114] **a medias ocupado:** half-full.
[115] **en echar mis cuentas:** in adding up my bills.
[116] **ponía en marcha el motor:** was starting the motor.
[117] **lo que fuere:** whatever he might be.

10. ¿Cómo sirven el cordero?

11. ¿Qué dice Yusuf de la rama marroquí de su familia?

12. ¿Qué efecto han tenido las querellas civiles entre los marroquíes?

13. ¿Habla José Torres de buena gana acerca de los efectos que ha tenido la Guerra Civil española en su familia?

14. ¿Qué trata de hacer José cuando vuelve al hotel?

15. ¿Cambia ahora su actitud hacia la comida?

16. ¿Qué parte de la comida recuerda especialmente?

17. ¿Qué causa la angustia de que sufre José?

18. ¿Qué revela José ahora acerca de la Guerra Civil?

19. ¿Quién ve a José cuando éste se marcha de Fez?

20. ¿Por qué decide marcharse de Fez?

B. Conteste en español a las siguientes preguntas. Cuando le parezca apropiado amplíe su contestación:

1. ¿Cuál es el recurso técnico usado por el autor para referirse a la Guerra Civil?

2. Comente las reacciones inconstantes del narrador a lo largo del cuento.

3. ¿Cómo muestra el autor el estado en que la guerra ha dejado al narrador?

4. En el lenguaje del diálogo, ¿cómo muestra Ayala la diferencia que existe entre Yusuf y José?

5. ¿Cómo indica el autor que los dos son, por otra parte, similares?

6. ¿Es justificado el tono que usa el narrador en la descripción de sus relaciones con Yusuf?

7. ¿Contribuye esencialmente al efecto total del cuento el uso del narrador en primera persona?

8. Escriba unos párrafos sobre la ironía en el cuento.

9. ¿Se interesa mucho Ayala por los detalles de la acción guerrera en este y en los otros cuentos de La cabeza del cordero? ¿Qué aspecto de la guerra le interesa más?

10. ¿Cuáles son los recursos que usa el autor para hacer de su cuento y de todos los cuentos que comprenden el libro un comentario sobre la escisión en la sociedad humana?

C. Forme Ud. frases de cada una de estas expresiones y traduzca las frases al inglés:

por el estilo	de improviso
a pesar de	echar una ojeada
tener que	pendientes de
a duras penas	de vez en cuando
dar una vuelta	ni siquiera

D. Traduzca al español:

1. The narrator doesn't know anyone who lives in Fez.
2. It is impossible for us to discuss the style without reading the story carefully.
3. It is important for you to realize that the attitudes expressed are the narrator's, not the author's.
4. Does it seem incredible to you that such things happened during the Civil War?
5. It can't be denied that verisimilitude is present in all these works.
6. What an enormous period of time is covered in this story!
7. Technical devices, such as flashbacks, have to be skilfully used to achieve such coherence.
8. The use of limited point-of-view plays an important part in contemporary fiction.

E. Busque un antónimo para cada una de las siguientes palabras:

	página	*renglón*		*página*	*renglón*
rápidos	111	3	carecer de	128	20
desharrapado	111	6	echar la culpa	130	22
despertar	112	28	ignorar	132	21
siguiente	113	12	acceder	134	20
dueño	113	37	oscurecer	136	20
modernos	114	32	fruición	138	30
animadamente	116	11	elogiar	141	8
obligatorio	116	31	ágil	141	28
sobrinos	118	8	ternura	142	27
duro	119	35	atenuado	144	12
grueso	120	9	todo el mundo	146	18
alegre	122	10	asqueroso	148	14
altanero	127	17			

Vocabulary

The following types of words are in most cases excluded:

    a very common words and easily recognizable cognates;

    b articles and personal, demonstrative, and possessive pronouns;

    c cardinal numbers;

    d names of months and days of the week;

    e adverbs ending in *mente* when the corresponding adjective appears;

    f common augmentatives, diminutives, and superlatives.

When it is clear from the context that the English cognate is not the appropriate translation of the Spanish word, students are advised to refer to the vocabulary.

The following abbreviations are used:

adj.	adjective	*inf.*	infinitive
adv.	adverb	*m.*	masculine noun
Am.	Spanish-Americanism	*mil.*	military
And.	Andalusian expression	*mus.*	music
Arg.	Argentinism	*n.*	noun
coll.	colloquial	*p.p.*	past participle
conj.	conjunction	*pl.*	plural
dim.	diminutive	*prep.*	preposition
f.	feminine noun	*pron.*	pronoun
fig.	figurative	*theat.*	theatrical
Fr.	French	*v.*	verb

A

abajo downstairs; down

abastecimiento provisioning, supplying

abatido dejected, discouraged

abatir to shoot down, knock down

abigarrado variegated, motley

abismado dejected, depressed

abnegar (ie) to renounce, deny oneself

abollar to bruise, dent

abombar to swell; to confuse

abonar to guarantee; to pay

abordar to approach; to board (a ship)

aborrecimiento dislike, abhorrence

abrazar to embrace

abrazo embrace

abreviar to abridge, shorten; to be brief

abrigo shelter; overcoat

abrir to open, unlock

abrumar to overwhelm, crush; to weigh
    down

absorber to absorb, engross

abstenerse to abstain, forbear

absuelto acquitted, absolved

abuelo grandfather

abultar to enlarge; to exaggerate

aburrido bored, weary; boring

aburrimiento boredom

aburrirse to get bored

acabar to finish, end, conclude
    — **de** (+ *inf.*) to have just (+ *p.p*)

acariciar to caress; to cherish

acarrear to carry; to cause
    —**se** to bring upon oneself, to incur

acaso *adv.* perhaps; *n.* chance

acceder to agree, accede

accionar to gesticulate

acechar to spy, waylay, watch

aceitar to oil, rub with oil

aceite *m.* oil
    — **de mesa** cooking oil

aceitero *adj.* oil

acelerar to accelerate, hasten

acentuar to accentuate

aceptar to accept

acequia ditch, canal

acera sidewalk, pavement

acercarse to approach

acertar (ie) to hit the mark, guess cor-
    rectly; to manage

aclarar to clarify; to explain

acodar to elbow; to lean on the elbow

acoger to welcome

acomodo employment; lodgings

acompañante companion

acondicionar to prepare, condition

aconsejar to advise

acontecer to happen

acontecimiento event, occurrence

acoquinado terrified

acordarse (ue) (*prep,* **de**) to remember

acorralar to corral

acosar to harass

acoso pursuit; persecution

acostar (ue) to lay down, put to bed
—**se** to go to bed

acostumbrar to accustom

acrecer to increase, enlarge

actuar to act, behave; to operate

acudir to come up, come to the rescue;
to come

acuitado aggrieved, afflicted

acullá yonder

acurrucado curled up

acusar to accuse; to acknowledge
—**se** to confess

achicar to make small, reduce; *coll.* to
humble

adelantar to advance
—**se a** to go on to

adelante ahead, forward; in the opposite
direction

ademán *m.* gesture, manner

además moreover, besides

adentro: para mis —s to myself

adeudar to owe

adiós good bye; hello

adivinar to guess

adjudicar to adjudge, adjudicate

adobar to prepare, cook up

adormecido sleepy, drowsy

adormilarse to doze, drowse

adosado placed back to back

adquirir (ie) to acquire

aducir to adduce

adusto austere

advenedizo newcomer, stranger

advertir (ie, i) to warn; to notice

aeródromo airport

afán *m.* eagerness, anxiety, worry; hard
work

afanar to strive, press
—**se por** (*or* **en**) to strive for or to

afecto affection, fondness

afectuoso affectionate

afeitar(se) to shave

afilar to sharpen, put a point on

afinar to assess; to refine

afirmar to strengthen, secure; to affirm
—**se** to be fastened

aflictivo painful, distressing

afligido grieved, afflicted

afligir to afflict

aflojar to loosen, relax

afluir to flow

afuera outside

agacharse *coll.* to squat; to crouch; to
take cover

agarrar to seize

agarrotado stuck; garroted; choked

agasajar to regale, entertain

agazapar *coll.* to nab someone; to hide,
take cover

agitado agitated; stormy

agitar to agitate; to shake
—**se** to be agitated

agonizar to annoy

agotado exhausted, worn out

agotamiento exhaustion

agotar to exhaust

agradar to please

agradecer to acknowledge; to thank

agraviar to offend, wrong

agravio offence, insult

agregar to add; to collate

agrícola agriculture

agrio sour; sharp

aguantar to bear, put up with
—**se** to forbear

aguardar to await, to wait

aguardiente brandy; liquor

aguijonazo sting

águila eagle

agujerear to pierce, prick

agujero hole

ahí there
por — over there, somewhere

ahijado godchild; protégé

ahijar to adopt

ahora now

ahorrar to save

airado angry

aire air
darse —s to put on airs

airoso windy; lively; graceful

aislar to isolate

ajeno another's; foreign, strange; *coll.*
unaware

ajetreado weary, fatigued

ajetreo bustle, agitation

ajimez *m.* arched window

alabar to praise

alambre *m.* wire

alarde *m.* ostentation, boasting

alardear to boast, show off

alargar to lengthen, extend; to hand

alarido outcry, shout, howl
albergar to lodge; to shelter
alboroto uproar; disturbance
alborozo merriment
alcance reach
  al — de within reach of
alcanzar to catch; to reach; to attain
  — a to manage to
alcoba bedroom
aldaba door knocker; latch
aldea village
aldeano villager
alegar to allege
alegrar to gladden
  —se (de) to rejoice, be glad
alegre happy
alegría joy
alejar(se) to move away; to keep at a
  distance
alelar to bewilder, stupefy
alemán German
alentar (ie) to encourage
alevoso treacherous
algazara hurrah; shout from a crowd
algo *pron.* something; *adv.* somewhat
algún (alguno) some
alhajar to adorn
alharaca fuss
aliciente *m.* inducement, attraction
aliento breath
alifafe *m.* tumor
alimaña animal, varmint
alimentar to feed, nourish
alinear to line up
alisar to smooth
aliviar to alleviate
alivio alleviation, relief
alma soul
almacén store; warehouse; *Arg.* grocery
  store
almacenado bonded, stored
almocafre *m.* hoe; trowel
almohada pillow
almorzar (ue) to have lunch
almuerzo luncheon, lunch
alojamiento lodging
alojar(se) to lodge
alrededor around, about
  a su — around him
  n., pl. **—es** environs, surroundings
alta : dar de — to declare cured
altanero haughty, arrogant

alterarse to become angry
alto tall; high
altura height, elevation; hill
aludir to allude
alzar to raise, hoist
allanar to smooth; to remove difficulties
allegado attached
ama mistress
  — de llaves housekeeper
amainar to subside, lessen
amanecer to dawn; to start the day
amaneramiento affectation; mannerism
amargar to make bitter; to exasperate
amargo bitter
amargura bitterness
amarillento yellow
amasijo dough
ambicionar to strive for, to be ambitious
  for
ambiente *adj.* atmospheric; *m.* atmosphere, environment
ambos both
amenaza threat
amenazar to threaten
ameno pleasant, agreeable
ametralladora machine gun
amigote *coll.* buddy
amistad friendship
  trabar — to strike up friendship
amistoso friendly
amodorrado drowsy
amonestar to advise, admonish
amor love
  — propio personal pride
ampliación amplification, enlargement
ampliar to broaden, extend
amplio ample, large, roomy
ampuloso sonorous; pompous
anciano old man
ancho broad
  a lo — in a broad sweep
andar to be; to walk
  —se en to indulge in, be engaged in
andrajoso ragged, tattered
anegar to drown
ángulo corner
angustia anguish
angustiar to distress
anhelante longing, yearning; gasping
anhelar to desire eagerly
anhelo longing
animado lively, animated

animar to cheer up, encourage; to enliven

ánimo spirit; mind

aniñado childish

anoche last night

anochecer to grow dark

anonadar to annihilate, destroy, overwhelm

ansia yearning; anxiety

ansioso eager, anxious; troubled

ante in the face of, before

antemano: de — beforehand

antepasados ancestors, forefathers

antes before

— **que** rather than

antesala anteroom

antigualla old story; antique

antiguo ancient

antipatía antipathy

antipático disagreeable

antojarse to fancy, desire greatly; to seem

anuario yearbook; trade directory

anudar to join, attach; to knot, fasten

añadir to add

añejo old; *coll.* stale (news)

año year

apacible peaceful

apaciguador pacifying, calming

apaciguar to pacify

apagar to extinguish, put out; to fade

apalear to beat

aparatoso pompous

aparecer to appear

aparición appearance; apparition

apartar to separate, turn aside

— **se** to withdraw

aparte *adj.* alone

apasionamiento passion

apearse to step down

apellido surname

apenas *adv.* hardly, scarcely; *conj.* as soon as

— **si** *adv.* scarcely, barely

apestar to turn putrid; to stink

apetecer to long for, hanker after

aplacar to placate

aplastar to crush

aplazar to postpone

aplomo serenity; self-assurance

apoderarse (de) to seize

apodo nickname

apostar (ue) to post, station; to bet

apostilla marginal note

apoyar(se) to lean, rest, support

apreciación appraisal

apremiante insistent, urgent

aprender to learn

aprensión apprehension

aprensivo apprehensive

apresar to seize, grasp

aprestar to prepare, get ready

apresurado hurried

apresurarse to hurry, make haste

apretar (ie) to compress, squeeze; to beset; to harass; to tighten

aprisa quickly, fast

aprobar (ue) to approve

aprontar to deliver hastily; to prepare quickly

aprovechar to profit by, make good use of, take advantage of

apuntar to note; to aim

— **se** to inscribe oneself

apurar to purify; to finish, drain; to clarify

apuro straits, fix

aquél *pron.* that, the former; *m.* attractiveness, appeal

aquí here

aquilatar to examine closely

ara altar

en —s de in honor of

árabe *n.* Arab; *adj.* Arabic

arañar to scratch, claw, gnaw

arcaizante archaizing; archaic

archisabido well-known

arder to burn

ardiente ardent, hot

argüir to argue; to reveal

argumento argument, subject matter

armar to set up, assemble; to arm; to prepare

— **una bronca** to start a row

árnica arnica

aro hoop

arquear to arch

arramblar *fig.* to sweep away, take off

arrancar to pull out; to pluck

arrastrar to drag

arrebatar to carry off, snatch; to be in a fit

arrebato rapture; fit, fury

arreglar to adjust, arrange, fix, get ready

arreglo arrangement

arrellanar to sprawl, be at ease
arrepentido repentant, penitent
arrepentimiento repentance
arriate *m*. path
arriba upstairs, above
— **de** more than
de — **abajo** from head to foot; from top to bottom
arribar to arrive
arriesgar to risk
arrimarse (a) to approach, draw near; to lean against; to be against
arrodillarse to kneel
arruga wrinkle
arrugar to wrinkle
arruinar to ruin
arrumbar to cast aside; to neglect
asado roast
asalto assault
asco nausea, revulsion
asediar to besiege
asedio siege
asegurar to assure; to secure; to assert
asemejar(se) to be like, resemble
asentir (ie, i) to agree; to concede
aseo cleanliness, neatness; grooming
asesinar to assassinate
asesinato murder
asiduo assiduous
asiento seat
asignar to assign
asociar to take as partner
asomar to show; to stick out; to begin to appear
asombrar to frighten
asombro dread; astonishment
aspaviento fuss
aspereza asperity; roughness, rudeness
áspero rugged, rough; rude
asquerosidad foulness
asqueroso filthy; loathsome, disgusting
astucia astuteness, cunning
asunto matter, business
asustar to terrify
atacar to button; to attack
atajar to overtake; to intercept; to arrest
atar to tie
atender (ie) (*prep.* **a**) to attend to
ateneo athenaeum
atenerse(a) to abide by
atento polite, courteous
atenuar to diminish

aterrar (ie) to terrify; to destroy
atestar (ie) to cram, stuff
atiborrar to stuff
— **de estopa** to fill with worthless activity
atinado keen; careful
atinar to find; to guess right
— **a** to manage to
atisbar to pry, examine closely
atolondrar to stun, stupefy
atónito astonished
atorrante *m*. vagabond, tramp
atrancar to bar a door
atrapar to trap
atrás backwards; ago
atravesado crossed; annoyed
atravesar (ie) to cross
atreverse (a) to dare to; to dare to do
atropellado roughshod, recklessly
atroz atrocious, awful
atuendo pomp, ostentation
aturdir to stun
atusado well-groomed
aumentar to increase; to grow
aun even; still
—**cuando** although
aún still, yet
aunque although
auscultar to listen; to examine
ausencia absence
ausente absent
aval guarantee, surety, voucher
avatar incarnation; manifestation; vicissitudes
avejentado old-looking
avellana hazelnut
avenida avenue
aventurar(se) to venture, hazard
avergonzado embarrassed, ashamed
averiguación investigation
averiguar to investigate; to ascertain; to find out, figure out
avezar to accustom, get used to
avidez *f*. greediness, avidity
avieso perverse
avión airplane
avisar to inform, give notice
aviso notice, announcement
avispa wasp
avivar to enliven, brighten
¡ay de mí! Woe is me!
ayuda help

ayuntamiento town hall
azabache *m.* jet (a black mineral used for ornaments)
azacaneado toiling
azadón hoe
azar chance, hazard
azaroso unlucky; hazardous
azorado uneasy; distrustful
azorante disturbing; exciting
azúcar sugar
azucena white lily
azulear to have a bluish shade

B

babucha slipper, heelless slipper
bacía barber's basin
bachillerato baccalaureate
baja casualty
bajada descent
bajar to descend; to get off or out of; to fall
bajo low; under; short
bajo relieve bas-relief
bala bullet
baladí *adj.* trivial
baladronada boast, bragging
balazo gunshot; bullet wound
balbuceo stammer, stutter
balbucir to stutter
baldado paralysed
balumba bulk; heap
bambalina *theat.* backdrop (of painted scenes)
bambolla ostentation; humbug
bandear to shift for oneself
bandeja tray
bandera banner
bandería band, faction; gang
banderola: en — slung over the shoulder
bañarse to bathe
baraja card game; cards
barajar to shuffle (cards); to quarrel over
barbaridad outrage, cruelty, brutality
barbilla point of the chin
barbotar to mumble
barco boat
barriga belly, abdomen
barro clay, mud
barruntar to foresee; *coll.* to smell

barullo *coll.* confusion; tumult
basca nausea
    hacer —s to be on the verge of throwing up
basilisco basilisk
bastar to suffice
bastón cane, stick
batahola battle, fight
batir to beat
beato religious devotee
befar to mock
beligerante belligerent
belleza beauty
bendición blessing
bendito blessed
beneficio: a — de for the benefit of
benévolo benevolent
beodo drunk
bicho bug, beast; "bird"
bien well
    más — rather
    no — hardly, scarcely
    o —... o — either ... or
    si — although
    — que although
    —es *n., pl.* possessions
bienestar well-being
bigote *m.* mustache
billete *m.* ticket; bill
birlonga *adv.* carefree
bisabuelo great-grandfather
blanco pale
blancuzco whitish
blando soft, easy
bledo pigweed
    no importar un — not to matter
bobada silly speech or act
bobo *adj.* foolish; *m.* fool
boca mouth
    — abajo face downwards
    — del estómago pit of the stomach
bocacalle *f.* street intersection
bocado mouthful, portion
bocanada puff of smoke; sudden blast of wind
bocinazo toot (of horn)
bochorno heat; shame, embarrassment
boda wedding
boina beret
bolondrón piece of dung
bolsillo pocket
bombardear to bombard

bondadoso good, kind
borbotones: a — impetuously; tumultuously
bordar to embroider
borde *m.* edge
borla tassel
borrachín drunk
borracho drunk
borrador rough copy, draft
borrar to erase
borrego young lamb
borrico ass
borroso badly written; blurred
bosta dung
bostezar to yawn
bostezo yawn
botas boots
boticario druggist
botín booty, spoils
botón sprout; button
bozo down, fine growth of hair preceding a beard
brazada armful
brazo arm
bregar to struggle
brete *m.* tight spot
brillar to shine
brillo brightness, brilliance
brindar to offer; to drink to someone's health
brío strength; vigour
brocal curbstone (of a well)
broma joke, jest
bronca *coll.* pleasantry, practical joke; row
brotar to sprout; to gush
bruces: de — headlong
brujulear to know one's way around
bruto brute (person); ignoramus
buchón *coll.* baggy, wrinkled; pouting (of a bird)
buenazo good-natured person
bufo comical, farcical
bufón clown
bulto bulk, mass
bullir to boil, teem
burdel brothel
burdo coarse, common
burla joke
burlar to ridicule
  —se de to laugh at, to mock
burlesco jocular, comical

burlón joking
buscar to look for
butaca armchair
butaquita *dim.* of **butaca**

C

cabal exact; perfect, complete
cabecear to nod
cabello hair
caber to be possible; to hold;
  no cabe duda there is no doubt
cabeza head
cabezota large head
cabila tribe of Berbers in Morocco
cabildeo lobbying; intrigue
cabo end; corporal
  al — de at the end of, after
  — suelto loose end
cada each
  — cual each (one)
cadáver corpse
cadena chain
cadera hip
caer to fall; to go down
  — bien to suit; to please
  — en la cuenta to catch on, come to realize
cafetera coffee pot, kettle
caído fallen, drooping
cajón drawer; large box
calabozo dungeon, jail
calar to soak through, permeate, penetrate
calcañar heel
calcetín sock
cálculo calculation, conjecture
calentar (ie) to heat, warm
calificar to qualify, characterize
caligrafía calligraphy
calor heat
  hacer — to be hot
calurosamente warmly, enthusiastically
calzado footwear
callado silent, noiseless
callar to be silent
calle *f.* street
  — abajo down the street
calleja alley
callejón narrow lane
callejuela alley, lane

cama bed
cámara hall; chamber
camarada *m.* comrade
camaradería comradeship, camaraderie
camarero waiter, steward, valet
camastro rickety old bed; barracks, bunk
cambiante changing
cambiar to change
   — de conversación to change the subject
cambio change
   a — de in exchange for
   en — on the other hand
camión *m.* truck
camisa de fuerza strait jacket
campanilla doorbell
campaña campaign, action
campestre rural, rustic
campo field, country
camuflar to disguise, camouflage
cana grey hair
canalla *m.* scoundrel
cancela iron grating, iron door *or* gate
canijo sickly person
canoso grey-haired
cansado tired
cansancio fatigue
cántaro jug
canturrear to hum
capaz capable
capcioso artful, cunning
capear to challenge; *coll.* to face
capilar capillary
   arreglo — hair style
capitanía general captain generalcy
capítulo chapter
   llamar a — to take to task
capote *m.* cloak
   dije para mi — I said to myself
capricho whim, caprice
capullo (rose) bud
cara face
¡caramba! darn it!; good gracious!
carcajada guffaw, burst of laughter
carcamal decrepit, old person
cárcel *f.* prison
carecer (de) to lack
carga charge; load
cargante *coll.* boring
cargar to load; to place

cargo load
   hacer — a uno to accuse, to hold one responsible
   hacerse — de to take into consideration, to take upon oneself
cariño affection
cariz *m. coll.* aspect (of an affair)
carmín carmine
carnal related by blood
carne *f.* meat, preserves
   —de membrillo quince preserve
carnero sheep; mutton; family vault
carnet membership card (of party, trade union, etc.)
carrera career, profession
carretera highway
carrillo cheek
carro cart
carta card; letter
cartel poster
cartelera billboard
cartera wallet
cartón cardboard
cartulina fine cardboard (of photograph)
casa business establishment
casado married
casarón large tumble-down house
casi almost
caso case; chance
castaño *n.* chestnut, *adj.* reddish-brown
castigo punishment
casualidad chance
casucha hut
casuista casuistic
catálogo catalogue
catar to sample, taste
cátedra professorship
catre *m.* cot
   — de tijera camp-cot
cauce *m.* ditch; channel
cautela caution, care
cauterio cauterization
cautivo captive
cauto cautious
cavar to dig
cavernícola *m.* or *f.* cave dweller
cavilar to think deeply; find fault; to ponder over
cayado hook; handle
cazar to hunt
cebar to bait, excite

ceca mint
ceder to yield, give way
cédula certificate
cegar (ie) to blind
ceja eyebrow
cejar to slacken, relax
celador warden, caretaker; monitor
celaje *m.* cloud effect; skylight
célebre famous
celeste sky-blue
celo zeal
celoso zealous; jealous
cementerio cemetery
cena supper
cenar to have supper
ceniza ash
censo census
centellear to sparkle
ceño frown
cepa vine stalk
cepillo brush
cepo trap, snare
cerca wall; fence
cercanía proximity
cerciorar to assure, inform
cerdo hog, pig
cerería chandler's shop
cerezo cherry tree
cerrado closed
   noche cerrada dark night
cerradura lock
cerrar (ie) to close
cerrojo bolt, latch
certidumbre *f.* certainty
certificar to register (letter); to certify
cerveza beer
cesar (de) to stop
cicatero miser
cicatriz scar
cicerone guide who shows old monuments to tourists
ciego blind
ciencia knowledge, certainty
   a — cierta knowingly, with certainty
cierto certain
cifra cipher, code, number
cifrar to cipher
cigarral orchard and picnic grounds
cine *m.* cinema, movies
cinto belt; waist

ciprés cypress
circunloquio circumlocution
cita appointment; date
citar to quote; make an appointment with
ciudad *f.* city
   Ciudad del Cabo Capetown
claro clear, light-colored
   — que of course
cláusula clause; sentence
clausurar to close
clavar to nail; to stick
clave *f.* key
clavo doorknob
cobarde coward
cobardía cowardice
cobertura cover, wrapping
cobijar to cover, shelter
cobranza recovery; collection of money
cobrar to recover, collect
cobre *m.* copper
coces *pl.* of coz
cocina kitchen
cochino pig
código code
codo elbow
cofrecillo small trunk
coger to pick up; to gather; to pick
cogote *m.* back of the neck
cohibir to prohibit, restrain
cojín cushion
cojo lame; crippled
colación comparison
colar (ue) to strain, filter
   — una mirada to steal a glance
   —se de rondón to enter suddenly and unexpectedly
colegir to collect; to gather
colegio school
cólera anger
coleto jacket
colgado hanging
   quedarse — to be disappointed
colgar (ue) to attribute; to hang
   — el hábito *coll.* to leave the seminary or convent
colmo peak (quantitatively and qualitatively)
   para — to crown it all
colocar to place

colorado red
colorete *m.* rouge
coma comma
comandante commander
combatividad combativeness
combinación scheme, plan
combinar to work out; to combine
comedimiento civility, politeness
comedor dining room
comentario. comment
comeúvas grape-eater
comida meal, food
comienzo beginning
comisaría comissariat
comisariato commissariat
comisión: viajante a — traveling salesman
comisionista salesman
comisura corner
comité *m.* committee
cómo what?; why?; how?; how!
cómoda chest of drawers, bureau
comodidad convenience; comfort
cómodo comfortable; convenient
compadecer to pity
compañero companion
— de escuela schoolmate
comparación comparison
comparecer to appear
comparsa (theatre) extras
compartir to share
complacer to please
—se con (*or* en) to be pleased with; to take pleasure in
complemento complement
teniente de — (lieutenant from the reserve officer training corps
complicar to involve
cómplice *m.* or *f.* accomplice
comprar to buy
comprender to understand
comprobar (ue) to verify, prove
comprometer to compromise
—se to commit oneself
compromiso engagement; commitment
compungido remorseful, sad
con with
— ello because of that
— todo nevertheless, still
conato effort

concebir to conceive
conceder to give; to concede
concertarse (ie) to be arranged
conciencia: a — deliberately, conscientiously
concreto: en — to sum up; finally
concupiscencia greed
concurrir to be present; to come together
concurso crowd; exhibition, show; competition
conchavo work
—s odd jobs
condenación condemnation
conducir to lead; to manage, direct
conejo rabbit
confianza spontaneity, informality; confidence, trust
de — trustworthy
confiar to confide
— en to rely on, trust in
conforme conforming, consistent; *conj.* as
confundirse to become confused
congoja anguish, dismay
conjetura conjecture
conjunto whole
en — as a whole
conllevar to aid, support; to bear
conmovedor moving, touching
conmutador electric switch
conocer to know
conocido acquaintance
conque so, so then; now then
consabido well-known, aformentioned
conseguir (i) to get, obtain; to succeed in
consejo advice
conserje *m.* janitor, caretaker
considerado esteemed; considered
consiguiente consequent
por — therefore
consistencia solidarity, consistency
constar to be clear
consternar to consternate
consulta consultation
consultar to examine; to consult
consumir to consume
contagiar to infect
contar (ue) to count; to relate, tell

contención restraint
contener (ie) to contain, restrain
contestación answer
contestar to answer
continente *m.* countenance, bearing
continuación: a — right after
contorno outline
contrario: al — on the contrary
contrarrestar to resist, check
contribución tax; contribution
convencer to convince
convencimiento conviction
convenir (ie, i) to suit; to be suitable
convertir (ie, i) to convert
convidar to invite
convite *m.* invitation
convivir to cohabit
copa drink; glass, cup
corazón heart
cordero lamb
cordón edge; rope
cornisa cornice
coronilla crown (of the head)
corral yard, enclosure
correaje *m.* leather straps
corredor runner
— de comercio agent, broker
corregir (i) to correct
correo mail; post office
empleado de — postal employee
correr to run; to outride (a storm); to
flow; to draw
— mundo to travel
correría excursion
corresponder to correspond; to concern
corrido abashed, ashamed
corriente usual, ordinary; *f.* current
corroborar to corroborate
corromper to corrupt
cortar to cut off
corte *m.* cut, cutting; dart
— de pelo haircut
cortedad bashfulness; smallness
cortés courteous
cortina curtain
corto short
Coruña, La A Galician city, capital of the
province of La Coruña
coser to sew
costa cost
costado side
costra scab
cota coat of arms; hill

cotidiano daily, everyday
coyunda yoke
coz *f.* kick
a coces by kicks
crecer to grow
creces *f.* increase
crecido increased, swollen; large
creciente growing
crecimiento increase
creer to believe; to think
cremoso creamy
crespo curly
cretino idiotic
criada maid
criar to create; to breed; to rear, raise
criarse to grow up
criatura creature; little child
crispado irritated, angry
crisparse to twitch, contract convul-
sively
cristal crystal, glass
cristiano Christian; Spanish (language)
criticar to criticize
cruzar to cross
cuaderno notebook
cuadrarse to stand at attention
cuadro picture
cual like, as, such as
tal — just as (something was)
cualquier(a) *adj.* any; anyone; whoever
cuán how
cuanto whatever; how much, how many
en — as soon as
en — a as for
— más ... más the more ... the
more
cuarentona a woman of forty
cuartelero barrack
cuarto room; fourth; quarter
— de baño bathroom
cuclillas: en — squatting
ponerse en — to squat
cucharilla teaspoon
cuchillo knife
cuello neck
cuenta bead; account
al final de —s after all
caer en la — to come to realize
darse — (de) to realize
en resumidas —s *coll.* in a word
ir a —s to attend to a matter
llevar — de to observe
rendir — to give account

cuerda string, rope;
  dar — a to wind (watch)
cuero hide, leather; *fig.* skin
cuerpo body
cuesco stone (of fruit); *coll.* loud noise, wind, flatus
cuesta hill, slope
cuestión matter, problem
cuidado care
  de — dangerous
cuidadoso careful
cuidar to take care
cuita care, grief
cuitado anxious, wretched
culpa blame
  echar la — to blame
culpable guilty
cumplido accomplished; full; courteous; *m.* courtesy
cumplir to execute; to fulfill; to keep; to perform one's duty
cundido *p.p.* spread
cundir to expand, propagate
cuñado brother-in-law
cura *m.* parish priest
curiosear to inquire; to pry into
curioseo prying
curioso *adj.* inquisitive, curious; *m.* curious person
cursar to take (a course in)
curso course
  dar — a to process
cutis skin (of face)
cuyo whose

CH

chacota ridicule
cháchara chatter
chaleco vest, waistcoat
chamizo hut; *coll.* gambling den
chanza jest, joke
chapado a la antigua old-fashioned
chapotear to be damp
chapucero bungler
chaqueta jacket
charco pond, small lake
  pasar el — to cross the seas
charla *coll.* chatter, chat
charlar *coll.* to prattle, chat
charol patent leather
  darse —es to put on airs
chasco trick; disappointment

chasquido crack (of gun, whip, wood)
chau *Am.* so long!
chaveta forelock
chavola hut
chico *adj.* small; *n.* small boy
chícharo pea
chiflado *coll.* nutty
chifladura hissing; *coll.* crazy idea
chillar to howl
chiquillada childish speech or action
chirigota joke
chirrido chirping, squeak, creak
chispa spark
chispeante sparkling, witty
chispear to sparkle, emit sparks
chiste *m.* joke
chistoso gay, witty
chocar to clash; to shock
chocho dotish, doddering
chofer *Am.* chauffeur
choque shock, clash
chucho *coll.* dog
chupada suck, puff
chusco pleasant, funny
chusma mob

D

dado que as long as
dañar to harm; to hurt
daño harm, damage
dar to give
  — con to meet
  — cuerda to wind; to give free rein
  — curso a to process
  — de alta to set free; to declare cured
  — en to persist in
  — la cara to show one's face
  — lugar a to give rise to
  — por to consider as; to begin, start, get in the habit of
  — por sentado to take for granted
  — razón to give information
  — una vuelta to take a stroll, a walk
  — vueltas to keep going over
  —se aires to put on airs
  —se cuenta to realize
  —se por enterado to mention, call attention to
dato information
deber *v.* to owe; *m.* duty
decaer to decay; to sink
decaimiento decay, decline

decencia propriety
decidido determined
decidirse to be determined
décima tenth
decir (i) *v.* to say, tell; *m.* language, saying
decoro decorum
decoroso respectful
dechado example, model
dedo finger
deferente deferential
definitiva: en — in short, definitively
defraudar to defraud, disappoint
degollar (ue) to behead
dejar to leave
— de to stop
dejo accent
delación denunciation
delantal apron
delatar to denounce, inform against
deletrear to spell
delgado thin, slim
delito crime
demás other, rest
lo — the rest
por — too
por lo — furthermore
demasiado too, too much, too many
demente *m.* lunatic
demonio devil
qué —s what the devil
demora delay
demorar(se) to delay
dentecillo small tooth
dentellada bite
dentro within, inside
denuncia denunciation
denunciador denunciator, denouncer
denunciante denunciator
depilar to pull out hair
depositario trustee, depository
depósito depot, warehouse
depuración purification
derecho *n.* right; *adj.* right; straight
a la derecha on the right
derivación repercussion
derivar to turn
derredor: en — round about, around
derribar to knock down
derroche *m.* squandering; a lot of, a great amount of
desabrido tasteless, insipid

desafiar to defy
desagradable unpleasant
desagradar to displease
desagrado displeasure
desahogado comfortable
desahogarse to unburden oneself
desahogo pastime, ease
desahuciar to take away all hope from, despair
desairar to disrespect snub
desalmado *adj.* heartless, *m.* heartless person
desamparar to forsake, abandon
desamparo lack of protection
desanimar to discourage
desánimo discouragement
desanublar to clear up
desaparición disappearance
desapercibido careless, unprepared
desarreglado unruly, untidy
desarrollar to develop
desasosiego restlessness
desayuno breakfast
desbordamiento overflowing
descabalar to impair, damage
descabellado absurd
descansar to rest
descanso rest; intermission
descargar to discharge, unload
— agua to flush
descarnar to bare, strip of flesh; to corrode
descastado ungrateful
descifrar to decipher, decode
descolgar (ue) to take down
descolorido discoloured
descomponer to distort
descompuesto impudent; out of order
descomunal extraordinary
desconcertado disconcerted
desconcierto discomposure
desconfiado distrustful
desconocido *adj.* unknown; *m.* stranger
descorrer to draw (a curtain)
descubierto uncovered
al — openly
a pecho — defenselessly
descubrimiento discovery
descuidar to neglect; not to worry
descuido carelessness, lack of care
al — with studied carelessness; carelessly

desdichado unfortunate, distressed
desear to wish, want
desechar to reject
desembocar to end; to flow
desempeñar to carry out
  —se to get out of a jam
desenfadado unembarrassed
desengañar to undeceive
desenlace *m.* conclusion
desentendido unmindful
desentrañar to disembowel; to figure out
desesperado desperate; hopeless, forlorn
desesperar to despair
desganar to be reluctant
desgano reluctance
desgracia misfortune
  por — unfortunately
desgraciado unfortunate
deshacer to undo, unravel; to break
desharrapado ragged
deshecho broken up; melted, voilent
deshojar to tear out (pages)
deshonra discredit
desistir to desist
desligar to untie; to excuse, exempt
deslizar to slide; to slip in
  —se to slip
deslomar to break the back
deslucido inelegant, unadorned
desmadejado enervated, languid
desmadejamiento languidness
desmán misfortune
desmantelado unfurnished, dilapidated
desmayo depression; faltering; faint
desmentir (ie, i) to give the lie to, belie
desmonte *m.* clearing; *pl.* felled trees
desmovilizar to demobilize
desnudo naked, bare
desolador desolate
despacio slowly
despachar to dispatch; to relieve oneself
desparramar to spread, scatter
despectivo depreciatory
despechar to enrage
despedida parting, farewell
despedir (i) to discharge
despedirse (i) (*prep.* **de**) to say good-bye to
despejado bright; sprightly
despejar to clear up
despejo sprightliness
desperezarse to stretch one's limbs

despertar (ie) to awaken
despierto awake
desplazar to displace
desplegar (ie) to spread out; to display, unfold
despliegue *m.* display
desplomarse to collapse
despotricar *coll.* to rave
desprecio scorn
desprenderse to loosen, to free oneself
despreocupación open-mindedness
desprevenido unprepared; off one's guard
desprovisto devoid
destacamento detachment
destacar to stand out
destartalado huddled; poorly furnished, shabby
destello flash, sparkle
destemplado intemperate; inharmonious
destino destiny; destination
destrozo destruction
desvanecer to disappear
desvanecido faint
desvelar to keep awake
  —se to stay awake
desvelo wakefulness
desventajoso unprofitable, disadvantageous
desvío deviation
desvivirse to be dying to; to outdo oneself, go out of one's way
detener (ie) to stop; to detain
detenido careful, thorough
devanar to spin a tale
devocionario prayer-book
devolver (ue) to return, give back; to throw up
diablo devil
  para qué — why the devil
diáfano transparent
dialéctico *adj.* dialectic; *m.* dialectician; *f.* dialectics
¡diantre! *coll.* the dickens!, hell!
diario daily
dibujar to draw, sketch
dibujo drawing
dictado dictation
dichoso happy, fortunate; *coll.* annoying, blessed
diferencia difference
  a — de unlike

difunto deceased, late
digerir to digest
dignar to condescend
digno worthy
dilatado extensive
dilatar to expand, widen
diligencia *coll.* errand
dilucidar to elucidate
dinero money
dirección address
directriz *f.* directive
dirigir to direct; to address
   —se a to set out for
discernir (ie) to discern
disculpa excuse, apology
discurrir to conjecture; to invent; to occur, take place; to ramble
discutir to discuss
diseñar to draw, sketch
diseño design, sketch, outline
disfraz *m.* disguise
disfrazar to disguise
disfrutar to enjoy
disfrute *m.* enjoyment
disgusto displeasure
disimuladamente dissemblingly
disimular to dissemble, pretend not to
disimulo pretence
disipar to dissipate; to disappear
disonar (ue) to disagree; to be inharmonious
disparar to fire
disparatado absurd
disparate *m.* nonsense
disparo shot
displicencia disagreeableness; displeasure
displicente displeasing; cross, disapproving
disponer to arrange, dispose
disponerse to prepare oneself; to get ready
disputar to fight for
distender (ie) to distend, unwind
distensión distension; let down
distingo objection; observation
distraer to distract
distraído distracted, absent-minded
ditirambo dithyramb; eulogy
divagar to wander, digress
divagatorio digressing, rambling
diván *m.* divan, sofa

diversión amusement
diverso diverse
divertido amusing; amused
divertir (ie, i) to amuse
   —se to enjoy oneself
divisar to glimpse, to make out; to notice
doblar to fold; to bend; to turn
docilidad gentleness, meekness
dolamas complaint, illness
doler (ue) to grieve, to hurt
doliente suffering
dolor pain; sorrow
dolorido sore, aching; grieving
domar to tame
domicilio residence, abode
dominio control, mastery
donde where
dorado gilt, golden
dormilón sleepyhead
dormir (ue) to sleep
   — a pierna suelta to sleep soundly
dote. *f.* talent; endowment
dudar to doubt
dudoso doubtful
dueño master, owner
dulce *m.* candy, sweetmeat, preserve
   — de membrillo quince preserve
   —s sweets
durante during
duro hard

E

eclipse disappearance
echar to throw
   — la culpa to blame
   — la vista encima to lay eyes on
   — mano a to seize
   — mano de to resort to
   — suertes to draw lots
   — una mano to lend a hand
   —se a to burst out; to begin to, start to
   —selas de to pose as; to pretend, have in mind (deceptively)
edad age
efectivo *adj.* real, effective; *m.* cash; possessions. belongings
   —s *mil.* effectives, troops
eficacia efficacy, effectiveness

efigie *f*. effigy

eje *m*. axle

ejecutar to execute, perform

ejemplo example

— **por** — for example

ejercer to practice

ejército army

elegir (i) to choose

élitro wing

elogiar to eulogize, praise

eludir to evade, elude

embajada embassy

embalado stout

embarazadamente perplexedly

embarazo embarrassment

embarazoso intricate, cumbersome, vexatious

embargar to suspend

embestir (i) to attack

emboscado *mil*. dodger

emboscar *mil*. to be a shirker

embotar to blunt

embriagar to intoxicate

embrollar to entangle, embroil

embuchado subterfuge, concealed idea

embuste *m*. trick, fraud

emocionante thrilling; moving

empacho bashfulness; indigestion

empantanar to submerge

empañar to darken, blur

empaque *m*. look, mien

emparrado vine, arbor

empecinado obstinate

empedernido stubborn

empedrar to pave

empeñado persistent

empeñar(se) to persist

empeño insistence

empeorar to worsen, get worse

empleado employee

emplear to use

empleo employment

emprender to undertake

— **la con** to attack

empresa undertaking; company, firm

empujar to push

empujón push, shove

empuñar to grasp, clutch

enajenación alienation

enamoriscar to be slightly in love

enano *adj*. dwarfish; *m*. dwarf

encalar to whitewash

encaminarse to set out, head for

encanecer to become gray or gray-haired

encanto enchantment

encañonar to fire, shoot

encarar to face, confront

encarecimiento extolling, endearment

encargar to entrust; to put in charge

encargo commission, order, job

encender (ie) to light

encendido inflamed

encerrar to lock up; to confine

encierro confinement

encima above

— **de** on, upon; above, over

por — **de** over

encocorar *coll*. to annoy

encoger to contract, shrink; to be dejected

—**se de hombros** to shrug one's shoulders

encogido withdrawn, timid; shrunk

encogimiento contraction, shrinkage; bashfulness

enconado bitter; inflamed

encono rancor, ill will

encontrar (ue) to meet, find

encorvar to bend, curve

endiablado diabolical, wicked

endosar to endorse

endurecido hardened, obstinate

enemistado estranged

energúmeno crazy person, wild one

enésimo nth

enfadoso annoying

enfermedad illness

enfrentar to confront

enfrente opposing, opposite

enfurecer to enrage

—**se** to become enraged

engancharse to get caught

engaño deceit, trick; misunderstanding, mistake

engañoso deceptive

engarce *m*. linking, stringing together

engordar to put on weight

engranaje *m*. machination; gear

engrasar to polish

engreído conceited, haughty

enguantado gloved

engullir to gorge

enhebrar to prolong

enhiesto erect
enjabonar to soap
enjuagarse to rinse out
enlace *m.* connection
enojar to anger, make angry
enojo annoyance
enojoso annoying
enredarse to become entangled
enrejar to put grating on
enrevesado obscure, difficult
enrojecer to redden, blush
enrojecido red, reddened; blushing
enrollar to roll up
ensartar to string together
enseñar to teach, show, train
   — **la oreja** to give oneself away
ensimismamiento absent-mindedness
entablar to begin; to board up; to form
entendederas *coll.* brains, understanding
entender (ie) to understand
   —**se** to get by, get along, manage
enterado informed
enterarse to find out
enternecer to move to pity
entero whole
enterrar (ie) to bury
entierro burial, funeral
entonación intonation, intoning
entonces then
   aquel — that time
   por — at that time
entontecer to make foolish or silly
entornado half open; ajar
entornar to upset; to half-close
entorpecer to benumb, stupefy; to obstruct
entrañas entrails; *fig.* heart, will, feeling
entrar to enter
   — **en materia** to get down to business
entreabierto ajar
entrega delivery
entregar to deliver, give up, hand over
entretanto in the meantime
entretener (ie) to entertain
   —**se** to amuse oneself
entretenimiento entertainment
entrever to catch a glimpse of
entrevista interview
entronque relationship
enunciar to enunciate
envarado stiff, benumbed
envejecer to grow old

envenenar to poison
enviar to send
envidiar to envy
envidieja envy
envío consignment
envuelto wrapped
equipaje *m.* lugagge
equipar to fit, equip
equipo trappings, equipment; team
equivocación mistake
equivocar to mistake, be mistaken
erguirse to straighten up, stand erect
escabullirse to slip away
escaldar to burn, scald
escalera stair
   —**s abajo** down the stairs
escalón step, grade
escalonado graded
escaparate *m.* show window
escapatoria escape, evasion
escarbar to scrape, scratch
escarcela game-bag
escarmiento warning, chastisement
escarpado steep; rugged
escaso sparing, scanty, scarce
escayola scagliola, stucco
escena stage, scene
escisión schism, division
esclavo slave
escoltar to escort
esconder(se) to hide
   a escondidas secretly, on the sly
escribir to write
escritorio office; desk
escritura writing, handwriting
escrutar to scrutinize
escuchar to listen
escudo shield
   — **de armas** coat of arms
escuela school
escueto plain, unadorned
escupir to spit
escurrir to drip, slide
esforzarse (ue) to exert oneself
   — **por** to strive to
esfuerzo effort
esfumar to vanish
espaciar to space
espalda back; *pl.* shoulders
   de — **a** with his back to
   de —**s** from behind
espantoso dreadful, horrible
esparcido scattered

especie *f.* species, kind
espejo mirror
espera expectation, waiting
esperanza hope
esperanzado hopeful
esperar to wait; to hope; to expect
espeso thick
espesura thickness
espiar to spy
espina thorn
espingarda Moorish musket
espinoso thorny, arduous
espionaje *m.* espionage
espolear to spur
esponjado proud, puffed up
esquina corner
estallar to break out
estallido outbreak
estampía: de — suddenly
estancia dwelling
estanco cigar store
estar to be
 — a tono to be proper
 — al tanto de to be aware of
estertor noisy breathing
estilo style
 por el — of the sort
estimar to think
 — en poco to value little
estímulo stimulus
estirpe *f.* stock, origin
esto this
 en — at this point
estoico stoical
estopa tow, burlap
estorbar to hinder, obstruct
estrafalario *coll.* slovenly dressed; eccentric, odd
estragar to corrupt, spoil, ruin
estrago ravage, ruin
estraperlo blackmarket
estrechar to press; to narrow, tighten
 — la mano to shake hands
estrechez austerity
estrecho narrow
estremecerse to shudder
estremecimiento shiver
estrenar to put on for the first time; to reveal
estropear to spoil, ruin
estrujar to squeeze
estupefaciente stupefying; *m.* narcotic
estupefacto stupefied

estupor stupor
etiqueta formality; tag
etiquetar to tag, label
evacuado *m.* evacuated person
evadido escapee, fugitive
evadir to escape, evade
evasiva evasion
evitar to avoid
exhalar to exhale, let out
exhibir to exhibit
exigencia demand
exigir to demand
expectativa expectation
expedición urge, impulse
expedir (i) to dispatch, send off
explotar to explode
expoliar to despoil; to usurp
exponer to expose, show
exportador exporting
extasiado enraptured
extraer to extract
extranjero *adj.* foreign, abroad; *n.* foreigner
 por el — abroad
extranjis: por — abroad
extrañar to banish; to ignore; to surprise
 —se de to be surprised at
extrañeza strangeness; wonder, surprise
extraño *adj.* strange; *m.* foreigner
extremadamente extremely
extremar to go to the limit, become extreme

F

facción feature
facilidades comforts
factura bill
facundia eloquence
fachada façade
faena task, job
falangista Falangist, belonging to the Fascist party
falazmente deceitfully
falda skirt
falta lack, shortage
 a — de for want of
 hacer — to be needed
faltar to lack, be lacking
falleba bolt
familiar *n.* relative; *adj.* familiar; pertaining to the family

fanal bell-glass (to protect a statue)
fantasioso *coll.* conceited
fantasma phantom, ghost
fantasmal conceited
fantasmón *coll.* very conceited
farmacéutico druggist
farragoso confused
fastidiar to annoy, disgust
fastidio loathing
fastuoso pompous, ostentatious
fatigar to fatigue; to harass
faz *f.* face
fe *f.* faith
fecha date
  a la — at the present time, to date
feo ugly
feria market, fair
festín entertainment, feast
ficha filing card
  — de policía police dossier
fiel faithful
figura appearance; figure
figurarse to imagine
fijar to fix
  —se en to notice, pay attention to; to
    imagine
fijo fixed
filiación personal description; *mil* regimental register
fin end
  al — y al cabo finally
  en — in short
  por — at last
finalidad purpose, end
fingir to pretend, feign
finura courtesy, good manners
firme: de — hard
flaco thin
flema coolness
flojedad weakness, laxity
flojo lazy, apathetic
florero flower pot
fogosidad dash, fire, spirit
fogoso impetuous
folleto booklet, pamphlet
fonda inn, tavern
fondista *m.* tavern-keeper
fondo back; depth, bottom
  a — thoroughly
  en cuyo — at the back of which
  en el — deep down, at the bottom
forastero stranger

forro lining
fortaleza strength, fortitude; fortress
forzar (ue) to force
fotógrafo photographer
francófilo Francophile
franchute *m.* Francophile (said with contempt), Frenchy
franquear to clear
franqueza frankness
frasco flask
frase hecha cliché
fregado *coll.* fracas, row
frenesí *m.* frenzy
frente *m.* front; *f.* face; forehead
  —a with respect to, in the face of
fresco cool
frialdad coldness, indifference
frío cold
  hacer — to be cold
frito fried
frotar to rub
fruición enjoyment
fruncir to purse
frutal fruit-tree
fuente *f.* fountain; dish
fuera outside
fuero interno heart of hearts, deep down
fuerza strength; force
  a — de by dint of
  por — perforce
fuga flight
fugaz fleeting
Fulano so and so
  — y Mengano Tom, Dick, and Harry
función performance
fundamento grounds, basis
fundir to mix
furibundo furious
furtivo furtive, clandestine
fusil rifle
fusilamiento firing squad; the act of shooting
fusilar to shoot
fútbol soccer

G

gacho bent downward; drooping
gafas glasses, spectacles
gaje *m.* pledge
  —s perquisites, fees; salary
gajo section (of an orange)

galimatías *m. coll.* gibberish
galones stripes
gallego Galician
gallo cock, rooster
  canto de — crowing
gana: darle a uno la — to feel like
ganas desire
  tener —s to feel like
garabatos hand gestures
  — enrevesados intricate script
garbo elegance, gracefulness
garfio iron hook, gaff
garganta throat
garra claw
garrote *m.* club, cudgel
gastar to spend; to wear out; to play
gasto expense; bill
gato cat
gaveta drawer
gazapo young rabbit
general: por lo — generally
género kind
genio temperament, spirit, temper
gente *f.* people
gentil courteous, genteel
gerencia management
gerente *m.* manager
germanófilo Germanophile
gesticulación face, grimace
gestión *f.* step, measure; management;
  negotiation
gesto appearance; gesture; grimace
girar to turn, revolve; to draw
girasol sunflower
giro turn of phrase
gitano gypsy
gobernador governor
golpe stroke; blow
  de — all at once
golpear to beat; to knock
gordezuelo big
gordo fat
gorra cap
gota drop
gozo joy, pleasure
grabado engraved
gracia charm, grace
gracieta little joke
gracioso graceful
grada step
granado *adj.* large; select, choice; *m.*
  pomegranate tree

grandeza grandeur
grandote *coll.* bulky
grandullón *coll.* overgrown boy
graneado: fuego — *mil.* firing done by
  soldiers individually
grasa fat, grease
grasiento greasy
greda clay
greñudo dishevelled
grieta crack, crevice
gringo foreign language, gibberish;
  Arg. nickname for Italians
gripe *f.* grip, influenza
grisura monotony, dullness
gritar to shout
grito shout
grosería vulgarity, coarseness
grosero crude
grueso thick, bulky, gross
guante *m.* glove
guardar to keep, guard
guarra sow
guerra war
guía *m.* or *f.* guide
guijo gravel
guiño wink
guiso cooked dish
gumía dagger used by Moors
gustazo *coll.* great pleasure
gusto liking; pleasure

H

haber de to be to, must
habilidad ability
habitación room
habla speech
hacer to do, to make
  — caso a to notice
  — falta to be necessary
  — pendant to match
  —se to become
  —sele a uno to strike one as
halago flattery
hallar to find
hallazgo discovery, find
hambre *f.* hunger
hambriento hungry
harapiento tattered, ragged
harto *adv.* very much; *adj.* fed up; *n.*
  excess
  — de satiated with, sick of

hasta until; even
hastiar to annoy, bore
hazaña deed
hebra thread, fibre
hecho *adj.* perfect, finished; ready-made; accustomed; *m.* fact; deed; act
hedor stench
helado *adj.* frozen; *m.* ice-cream
henchir (i) to fill, stuff
hender (ie) to split
heredar to inherit
heredero heir
herencia inheritance
herido *n.* wound; *adj.* wounded
herir (ie) to wound, hurt; *fig.* to stagger
heroicidad heroic deed
herramienta tool
hervidero swarm, mass
hervir (ie, i) to boil
¡hete aquí! behold!
hierbecilla little grass
hilera row, line
hilo thread, string
    con el alma (corazón) en un — with my heart in my mouth
historieta short tale
hocico snout, muzzle
    meter por los —s to stuff down one's throat
hogar hearth, home
hojilla small sheet of paper
holgado free
holgazán lazy
holgura merry-making, spree; ease, comfort
hombro shoulder
homenaje *m.* homage, respect
hondón bottom; lowland
hondonada ravine
honrado honest
horario time table
horca gallows
horda horde
hormiga ant
horquilla hairpin
hospedaje *m.* lodging, bill for lodging
hospedero host
¡hostia! *coll.* My God!
hostigar to harass
hotelero hotel proprietor
hotelucho shabby hotel
hoz *f.* sickle

hueco *adj.* empty; hollow; *n.* opening
huella mark
huérfano orphan
huero empty
huerta garden
huerto orchard
hueso bone
huésped *m.* or *f.* guest; host
huevo egg
huida flight
huidizo receding; evasive
huir to flee
hule *m.* oilcloth
humedad humidity
humo smoke
    —s fumes, airs
humor temper, disposition
humorada pleasant joke
hundir to submerge; to pull down; to sink
hurgar to poke
hurtadillas: a — stealthily
hurto theft

I

ida departure, going
idioma *m.* language
iglesia church
ignorar not to know, to be ignorant of
igual equal; the same; even
imborrable indelible
impasible impassive
impedir (i) to prevent
impertérrito dauntless, undaunted
impertinente pushy; obnoxious
imponer to impose
imprecatorio imprecatory
imprescindible indispensable
impresionar to impress
impreso printed
imprevisible unforeseeable
imprevistos incidentals
improcedente not right; improper, untimely
improperios abusive language
impropio unworthy; unsuited, improper
improviso: de — all of a sudden
inabordable unapproachable
inagotable inexhaustible
inaguantable intolerable
incansable tireless

incautarse (de) to seize
inclinar to incline; to bow, bend
inclusive including, even
incluso including, even
incólume safe, unharmed
incomodado inconvenient
incomodar to inconvenience
incomodidad inconvenience
incómodo uncomfortable
inconexo unconnected
inconfesable unspeakable
inconsistente unsubstantial
inconsulto unthoughtful
inconveniente *m.* obstacle, obstruction, objection
incorporar to conscript
—**se** to sit up; to join, enlist
increíble incredible
increpar to reproach
íncubo nightmare
inculto uncivilized; uncultivated
incurrir (en) to incur
indagación investigation, inquiry
indebidamente unduly
indecible inexpressible
indefectible unfailing, indefectible
indeleble indelible
indemne unhurt, unharmed
indignar to anger
indirecta cue, hint
índole *f.* disposition; kind, nature
indolencia indolence
indomable indomitable
ineludible inevitable
inerme unarmed, defenseless
inesperadamente unexpectedly
inexactitud *f.* inaccuracy
inexcusable inevitable
infamante defaming
infamar to defame
infamia wickedness, infamy
infancia childhood
infante infant; infante (prince)
infeliz *adj.* unhappy; *m.* or *f.* poor devil
inferir (ie, i) to infer; to inflict
infligir to inflict
informarse to inquire, find out
informe *m.* report
infructuoso unproductive
infundio lie, deceit
infundir to infuse, imbue
ingeniarse to try, to find means to

ingenuidad ingenuousness
ingenuo ingenuous
ingle *f.* groin
ingravidez lightness
ingresar to enter
inhumar to bury
injuria offense, insult
inmerecido undeserved
inmundicia filth
inmundo filthy
innegable undeniable
inocentón naive
inodoro deodorizer; toilet
inquietud restlessness, disquiet
inquilino tenant
inscribirse to enroll, enlist
inseguro insecure, uncertain
insensatez nonsense
insensato nonsensical
insignia decoration, badge
insinuar to run; to work one's way; to insinuate
insólito unusual
insoportable unbearable
instalarse to install oneself, to settle
instancia *law* instance; entreaty
instar to press, urge
instituto institute; high school
instruir to instruct; to make aware
insufrible unbearable
intemperancia intemperance, rashness
intendencia administration; intendancy
intentar to try
intento attempt
—**na** rash attempt
interlocutor speaker
internar to enter
interpelar to appeal to
interpolar to interpolate
interponerse to interpose, stand between
interrumpir to interrupt
intrigar to plot, intrigue
inundar to inundate, flood
inverosímil unlikely
invierno winter
ira anger
iracundo angry
ironizar to speak ironically
irrefrenable uncontrollable
irrespirable unbreathable
irrisoriamente laughingly, derisively
irrumpir to burst into, invade suddenly

izquierda: a la — on the left

J

jacinto hyacinth
jactarse to boast
jalea jelly
jaleo *coll.* uproar, fighting
jamás never
jaranear *coll.* to jest
jaranero jolly
jardinero gardener
jarro jug
jefe chief, boss
jerárquico hierarchical
jerez *m.* sherry
jerigonza jargon
jeta face
jícara cup
jocoso comical
jornada a day's work
jornal day's wages
jota jot; the letter "j"
joven young
joya jewel
jubilar to pension off, retire
júbilo glee
juego game
   estar en — to be at stake
juez *m.* judge
jugar (ue) to play
   —se *fig.* to risk oneself
jugarreta mean trick
juicio judgment
juntar to join
junto together
   — a near
justo just; exact, precise
juventud youth
juzgar to judge

L

laberinto labyrinth
labio lip
labrado wrought; furrowed
laconismo reticence
ladear to tilt, bend
lado side
   de medio — on one side
   mirar de medio — to look askance
ladrido barking
ladrillo brick
lagar wine-press

lágrima tear
lamentar(se) to be sorry for (oneself)
lamparilla small lamp
lana wool
lance *m.* episode, incident
lancha launch, boat
lanzar to launch; to fling, throw
lápida tablet
   — mortuoria gravestone
largar to shed; to expel; to let out; to
   extend; *coll.* to utter
   —se to sneak away, take off
largo long
   a lo — de throughout
   pasar de — to pass by without
   stopping
lástima pity
lastimero mournful
lastimoso sad
lastrar to fill up
lateral side
latín *coll.* Latin word or phrase
lavabo wash-basin
lavandera laundress
lavar to wash, bathe
lavativa enema
lectura reading
lechuga lettuce
lejanía distance
lejano distant
lejos far
lente *m.* lens; *pl.* nose glasses
lentitud slowness
lento slow
leonado tawny
lerdo slow, dull
letanía litany
letra handwriting; letter
   —s humanities
levantarse to get up
leve light, trifling, slight
levita frock coat
leyenda legend
liar to tie; *coll.* to involve
librar to rid, free
libresco bookish
libreta notebook
licencia permission; *mil.* leave
lienzo canvass, linen
ligar to bind
ligereza indiscretion
ligero light
limosna alms

limpiar to clean
limpieza cleaning; cleanness; cleaning up
limpio clean
   sacar en — to deduce, understand
linaje *m.* lineage
línea line
lineal long and thin
lío intrigue
liquidar to liquidate, kill
lisiado crippled
liso smooth
loa praise
lobo wolf
local premises
localizar to locate
loco mad
lodo mud
lograr to gain; to succeed (in doing)
logrero usurer
loma hill
losa flagstone
lucidez *f.* lucidity
lucido brilliant, shining magnificent
lucha struggle
luego then, later
   desde — naturally, of course
lugar place
   en — de instead of
luna moonlight
lustroso bright
luz light

LL

llamada call
llamar to call
   — la atención to attract attention
llano plain; even, smooth
llanto tears, weeping
llave *f.* key
llegada arrival
llegar to arrive
   — a to come to
   — a ser to become
llenar to fill
lleno full
   de — fully
llevar to wear; to carry
   — a cabo to carry out
   — cuenta de to observe
   — la contraria *coll.* to disagree
   —se to take away
llorera prolonged weeping

llover (ue) to rain
lluvia rain

M

macabro macabre
macerar to soak
maceta flowerpot
macetero flowerpot; stand
macilento pale, thin
macizo *adj.* massive; *n.* (flower)bed
machacar to crush
machaconería tiresomeness
machucho mature
madrugada early morning
madrugar to rise early
magia magic
magín fancy, imagination
magulladura bruise
majadería folly
majadero bore
   el muy — the great bore
maldecir to curse
maldito wretched, confounded
malear to spoil, damage
malestar malaise
maleta suitcase
maletín, maletita small suitcase
malévolo malevolent
maliciar to suspect
maligno unkind, malign
malignidad malice
maloliente foul-smelling
malquerencia ill-will, dislike
maltratar to illtreat
malva mallow
malla mesh
mamarracho grotesque ornament; ill-drawn figure
manaza large hand
mancha stain, spot
manchar to stain
mandar to order, command; to send
   —a decir to send word
mando command
mandonear to have authority; to give orders
manejo management
manera manner
   de — que so that
   de todas —s anyway
manga sleeve
maní *m.* peanut

manía mania, whim
manipular to meddle around; manipulate
mano hand
—s a la obra! on with it! get to work
de —s a boca suddenly, unexpectedly
echar —s de to lay hands on
manoteo gesticulation
mansalva: a — without running any risk
mansamente calmly, gently
mansedumbre *f.* meekness, gentleness
manso gentle
mantel tablecloth
mantenerse (ie) to remain
manto large mantilla
manuscrito *adj.* hand-written; n. manuscript
maña skill
máquina machine
— de pelar clippers, shears
maquinar to scheme, plot
maquinaria machinery
marca brand; mark
marco frame
— de la puerta doorway
marcha operation; running; motion
mareado nauseated, airsick
margen *f.* margin, fringe
marica: a lo — in an effeminate way
marido husband
mármol marble
marroquí Moroccan
Marruecos Morocco
martillo hammer
martirio martyrdom
mas but
más more
por — que however much, even though
masa dough; mass
masticar to chew; to meditate
matadero slaughter-house
matar to kill
mate *m.* maté (tea); checkmate; *adj.* listless
matinal morning
matiz *m.* shade; tint
matutino *adj.* morning
mayor geater, larger; major; older
mayoría majority
mayormente chiefly, mainly

mayúscula capital letter
mazazo blow with a club
mazmorra dungeon
mecanógrafa typist
medallón medallion
mediano average, moderate
mediante *adv.* making use of; by means of
medida measure; measurement; moderation
medio half
de — lado on one side
media voz moderate voice
mediodía *m.* midday, noon
medir (i) to measure
medrar to thrive, to grow
mejilla cheek
mejor better
a lo — like as not, probably
— dicho rather
mejorar to improve
melón *coll.* head
mellar to nick; to injure
membrillo quince
dulce de — quince preserve
memo *adj.* simple, foolish; n. simpleton
mendigo beggar
menear to shake; to wiggle
meneo wiggling; shaking
menester *adj.* necessary
—es *m., pl.* needs
Mengano *see* **Fulano**
menor younger
menos less; except
cuando — at least
ni mucho — far from it
por lo — at least
mensaje *m.* message
mensajero messenger
mentar to mention
mente *f.* mind
mentidero *coll.* gossip corner
mentir (ie, i) to lie
mentira lie
mentiroso lying
mentón chin
menudo trifling, petty
meollo marrow
mercadería merchandise
merced *f.* mercy
mérito merit, value
hacer — de to make mention of
mermelada jam

mero mere
mes month
mesica, mesita small table
metal tone (of voice)
meter to put; to get into
— **por los hocicos** *fig.* to stuff down one's throat
—**se hasta los codos** to get deeply involved in
—**se a** to set oneself up as
mezclar to mix
miedo fear
tener — to be afraid
mientes *f. pl.* mind, thought
mientras while, meanwhile
milagro miracle
miliciano *n.* militiaman; *adj.* military
militar *v.* to militate; to fight; *m.* soldier; *adj.* military
mimbre wicker
minucia trifle
minúscula small letter
mirada glance, look
echar una — to glance, look
miseria misery, wretchedness
misericordia mercy
misionero missionary
mismo same
mitad *f.* half
mitigar to mitigate
moblaje *m.* furniture
mocoso snivelly; *n.* brat
moda fashion
modales *m. pl.* manners
modo manner
de — **que** so that
modorra drowsiness
modoso well-behaved
moflete chubby-cheeked
moho moss, mold
mohoso mossy, moldy
mojar to wet
moldura moulding
mole *f.* bulk, massiveness
molestar to annoy
molestia annoyance
molesto annoyed, disgusted
molido worn-out
molino mill
mollera intelligence
duro de — hard-headed
momento: de — right now
moneda coin

monja nun
monserga *coll.* gibberish
montañés *m.* mountaineer
montar to mount
montículo mound
montón heap, pile; crowd, mass
gente del — people from the masses
moño topknot (of hair)
mordacidad sharpness
mordaz biting
moreno dark brown, dark
morir (ue, u) to die
morisqueta *Am.* face, grimace
moro Moor
moroso slow
mortificar to vex, mortify
morral knapsack
morriña homesickness
moruno Moorish
mosca fly
mostrador counter
mostrar (ue) to show
mota mote, speck
mote *m.* motto; nickname
motejar to nickname
movidito shaky, bumpy
movilizar to mobilize
mozo waiter, servant; young man
mozuelo *dim.* of **mozo** lad
muchachil boyish
mucho *adj.* much; *adv.* much
por — **que** however much
mudar to change; to move
mudo silent, mute
mueble *m.* piece of furniture
mueca grimace
muerto dead
muestra sign; sample
mujer woman; wife
mujerona large woman
muleta crutch
mundo world
muro wall
musaraña cobweb
musitar to mumble

N

nacer to be born
nacimiento birth
nada nothing; by no means
nadie nobody
naipe *m.* playing card

napia *coll.* nose
naranjo orange-tree
nariz *f.* nose
natural native
necio stupid, ignorant
negar to deny
   —se a to refuse
   —se a (+ *inf.*) to refuse to
negocio business
negrura blackness
negruzco blackish
nenita infant
nervioso sinewy
neto pure, clean
ni not even; nor
nicho niche
nieto grandson
nieve *f.* snow
nimiedad triviality; frugality
nimio excessive; trifling
niñez childhood
nítido bright, clear, sharp
nobiliario nobiliary
nobleza nobility
noche cerrada dark night
noticiario newsreel
noticias news
notificar to inform, tell
novato novice
novedad novelty, newness
novelesco novelesque
novelón big novel
noviazgo engagement
novio sweetheart
nube *f.* cloud
nuca nape of the neck
nudillo knuckle
nudo knot; lump
nuestro our
nuevo new; other
   de — again
nunca never

O

obcecación obduracy, stubbornness
obcecadamente blindly
obcecar to blind, obfuscate
objetivo objective; lens
obligar to oblige
obrar to proceed; to act
obrero worker; working

obsecuente submissive, obedient
obsequiar to present; to pay attention
   to; to woo
obsequio gift
obsequioso obliging
obstante: no — nevertheless; despite
obstinarse to be obstinate
obvio obvious
ocasión occasion
   en — de que on account of which
ocasionar to cause
ocio leisure, idleness
ocioso *adj.* useless; idle; n. idler
ocultar to hide
oculto hidden
ocurrencia occurence; bright idea
ocurrir(se) to occur
odioso hateful
oficial officer
oficina de correos post office
oficinista office worker
oficio occupation
ofrecimiento offering
oir to hear
ojeada glance
ojera ring under the eye
ojo eye
   — de la cerradura keyhole
oleada surge
oler (hue) to smell
olor odor, smell
olvidar to forget
opaco opaque
opinar to argue
oportunidad opportunity, occasion
oposición competitive examinations
   (for teaching position)
oprimir to oppress
oquedad hollow
orden *m.* order, arrangement; *f.* order,
   command
ordenanza rule, ordinance, regulation
ordenar to arrange; to order
oreja ear
   enseñar la — to give oneself away
orgullo pride
oro gold
orondo showy, pompous
orza jar
oscuras: a — in the dark
oscurecer to grow dark
oscuridad darkness

oscuro dark

otorgar to grant; to give

otro another, different

otrora at some other time, another time

P

pábulo food; *fig.* encouragement, fuel

pacato pacific, peaceful

pachorra: con — indolently

padecer to suffer; to endure

padrino godfather; second (duel)

padrón voters' list

pagar to pay

paisanaje peasantry

paisano compatriot

pajarero bird man, bird breeder

pájaro bird

paladar palate, taste

paladín champion; paladin

paliar to palliate

palidecer to turn pale

palidez paleness

pálido pale

paliza whipping

palmada clap; slap

palmear to slap

palmera date palm

palo stick

—s blows

paloma pigeon, dove

palpar to touch, feel, grope

palurdo country bumpkin

pámpano vine-branch

pamplina *coll.* trifle, nonsense; silly remark

pan bread

pantuflas slippers

panzón large; big-bellied

paño drapery, cloth

pañuelo handkerchief

papada double chin

papel paper

papelucho old paper

par *adj.* equal; *m.* couple; *f.* par

paradero address, whereabouts

paraje *m.* place

parapeto parapet

parar to stop

ir a — to become, end in, end up

parecer to seem, appear

—se a to look like

parecido *adj.* resembling; *m.* resemblance; appearance, looks

pared *f.* wall

paredón thick wall

pareja pair

parejo *adj.* even, smooth

parentela relations, relatives

parentesco relationship

paréntesis : entre — by the way

pariente *m.* relative

parpadear to blink

parpadeo blinking

párpado eyelid

parra grapevine

parrafada argument, conversation

parte: por otra — on the other hand

participar to inform

particular peculiar, particular

partida game; departure; item

partido game; party; advantage

sacar — de to derive profit from

partir to part; to share, divide; to leave

a — de beginning with

pasada: de — in passing; cursorily

pasaje *m.* passage

pasajero *adj.* transient; *n.* traveller

pasar to pass, go through; to come in; to spend

— de largo to pass by without stopping

— en limpio to copy cleanly

— por alto to disregard

pase *m.* thrust

pasear to pass over; to walk, stroll

— la vista to gaze

paseo walk

pasmado stunned

pasmarote *m. coll.* stunned person

paso step

al — without delay

de — in passing, on the way; in the process

abrirse — to make one's way

pasta paste, mixture

pastar to graze

pasto food

pata foot; duck

mala — bad luck

patetismo compassion

patiecillo small patio

patinillo small patio
patochada nonsense
patraña *coll.* hoax, story
patria fatherland
patrona landlady, hostess
patulea mob
pava *f.* turkey-hen
pavo *adj. coll.* dull, colorless
payasesco clownish
payaso clown
paz *f.* peace
pazguato fool
pecado sin
pecamimoso sinful
pecho breast; chest
pechuga *coll.* bosom
pedazo piece
pedido order
pedir (i) to ask for; to order
pedrada blow with a stone
pegar to beat; to fasten
pegote *coll.* misfit; sticky mess
peinado hair style
peinar to comb
pelar to peel; trim
　—se to get one's hair cut
　máquina de — clippers, shears
peldaño step
pelea fight
peligro danger
pelo hair
peluche *m.* plush
peluquería barber shop
peluquero barber
pellejo hide, skin
pellizco pinch
pena grief
　a duras —s with great difficulty
pendant *Fr.* match
　hacer — to match
pender to hang
pendiente hanging; pending
　—s de hanging on
pendona *coll.* slattern, untidy woman
penoso difficult, arduous
pensar (ie) to think
pensión boarding house, small hotel
penumbra penumbra, half-light
penuria poverty; misery
peña rock; group, circle
pequeñez smallness
percatarse de to notice

percibir to perceive
percha hatrack
perder (ie) to lose; to miss
peregrinación pilgrimage, journey
peregrinar to journey through, to wander
perentorio peremptory
pereza laziness; languor
perezoso lazy
perfeccionar to perfect
perfil outline
perfilado outlined; well-formed
pergamino parchment
periódico newspaper
periodista newspaperman
peripecia accident, sudden change of circumstances
perjudicar to harm, impair
perjuicio damage, harm; prejudice
permanecer to remain, stay
perra dog
perruno canine
personaje *m.* character; personage
personal personnel, staff
perspicacia perspicacity
pertenecer to belong
pertinacia stubborness
pertrechar to equip, supply
pesadez *f.* troublesomeness, annoyance
pesadilla nightmare
pesado heavy; tiresome
pesar *m.* grief; *v.* to weigh
　a — de in spite of
pesaroso sorrowful
pescuezo neck
pese a in spite of
pesebre *m.* crib, manger
peseta Spanish coin worth approximately two cents
peseteja *dim.* of **peseta**
peso weight
pestaña eyelash
peto bosom (of dress)
piadoso pious
picar to sting
picardía roguery
pícaro knave, rascal
pie *m.* foot
　a — on foot
　dar con el — to kick
　en — pending; in effect
piel *f.* skin

pierna leg;
  a — suelta at ease
piernota *m.* big leg
pieza room; piece; play
pifia *f.* blunder
pileta water basin
pillaje *m.* plunder
pillar to plunder; *coll.* to catch
pintado painted
pintar to paint; *coll.* to turn out
pintoresco picturesque
pinzar to pinch
piñón pine-nut
pique *m.* pique, resentment
pisada footstep; tread
pisar to tread
piso floor
pistola pistol
pito whistle
  no me importa un — I don't care
  a straw
placidez placidity
plano *adj.* level, even; *n.* level, plane
planta floor; sole (of foot)
plantar *And.* to place; *coll.* to jilt; to leave
  in the lurch
  —se to stand
plantear to state, pose (a problem etc.)
plata silver
platicar to chat, converse
plato dish
  — fuerte main course
plaza square
plegar to fold; to fold over; to pleat
plegaria public prayer
pleito dispute; lawsuit
pleno clear, plain
pliego sheet of paper
pliegue fold, crease
pluma pen; feather
  —s *fig.* breaking wind
plumero plume
poblacho shabby town
poco little
  a — (de) shortly after
poder (ue) *v.* to be able; *m.* power
podrido rotten, putrid
podrir (u) to rot
polen pollen
polvo dust
ponderación exaggeration
ponderar to ponder

poner to put; to send (a telegram)
  — al corriente(de) to acquaint (with)
  — al tanto to bring up to date
  — en claro to clarify
  — la vista encima to lay eyes on
  —se a to begin to
poniente *m.* setting sun; west
por eso, por ello therefore, for that
  reason
porfía: a — in competition
porfiar to persist
pormenor detail
porque *m.* reason
porquería filth; dirty trick
portado: bien — well-dressed
portador bearer
portal lobby, doorway, entrance
portarse to behave, comport oneself
portazo slam (of door)
portería porter's lodge
portillo aperture, wicket
portón large door
posadero innkeeper
poso dregs
postergar to postpone
postigo shutter
postre: a la — in the long run; at
  last, finally
postrer(o) last
pozo well
preciado valued
precipitado hasty
precipitar to rush; to hasten
precisar to state precisely, specify
preciso necessary; precise
predicar to preach; to preach to
predilecto favorite
predispuesto predisposed
prejuicio prejudice
preludiar to preface
premura haste
prenda gift, talent; pledge; article of
  clothing; quality
prender to seize; to pin
preocupar to worry
presa piece, bit; prey
prescindir (de) to dispense with
presenciar to witness
presentar to introduce
preso prisoner
prestar to lend
  — atención to pay attention

presteza quickness
presto quick, ready
presumido presumptuous
presunto presumed
presuntuosamente presumptuously
presuroso hurried
pretender to claim; to try to
pretensión claim
pretérito past
prevención: a — just in case
prevenir (ie, i) to prevent; to prejudice
prever to foresee
previo previous
primo cousin
 —s hermanos first cousins
primogénito first-born
principio beginning
 al — at first
 en un — at first
 por — on principle
pringoso greasy
pringue *m.* grease
prisa hurry, haste
 de — in a hurry
privado deprived; private
probar (ue) to taste; to try
procedencia origin; point of departure
proceder to be proper; to proceed; to be fitting; to originate
procurar to try to; to procure
proferir (ie, i) to utter
prófugo fugitive
profundizar to penetrate
prolijo careful, painstaking; tiresome, too long
prometedor promising
prometer to promise
promover (ue) to promote
pronto soon
 de — suddenly
 por lo — for the present
 tan — ... tan — no sooner ... than
propalar to divulge
propasar to go too far
propiciar to propitiate
propina tip
propinar to give, to prescribe
propio same; himself; proper; one's own
 amor — personal pride
proponer to propose
proporcionar to provide

propósito purpose
 a — by the way
 a — de concerning, on behalf of
 a — para fit for
 a — suyo concerning him
 de — on purpose
propuesta proposal
prórroga respite, extension
proseguir (i) to pursue; to continue
prosopopeya *coll.* pompousness
prosternarse to prostrate oneself
prostibulario pertaining to a brothel
prostíbulo brothel
provechoso advantageous, profitable
proveer to provide
próximo next
proyectar to plan, project
proyecto plan
prueba proof; attempt
publicitario *adj.* publicity
pueblerino rustic
pueblo town; people
puerilidad puerility
puesto post; booth; place; stall
 — de mando command post
 — que since
pugna struggle
pugnar to fight
pulido neat; polished
pulmón lung
pulla cutting remark
punta tip, end
puntada careless word
puntapié *m.* kick
puntillas: en (or de) on tiptoe, softly
punto period; point
 a — fijo precisely
 de todo — completely
 estar a — de to be about to
puntos suspensivos leaders, dots
puntual punctual; exact, to the point
puntualizar to fix in one's memory; to say precisely
punzada prick, pang
punzante pointed, pricking
puñado handful
puñetazo blow with the fist, punch
puño fist; cuff
pupila boarder
pupitre *m.* desk
purgante *m.* purgative
puridad: en — frankly

púrpura purple
pus pus

Q

quebradero de cabeza worry, headache
quebrantar to break
quebranto break
quebrar to break
quedar(se) to stay, remain, to be left
quehacer business, duty
queja complaint
quejarse to complain
quejumbroso complaining
quemante burning
querella quarrel
quicio hinge; doorway
quídam *coll.* a nobody
quien who
  quién ... quién one ... another
quimera whim, fancy; quarrel; fantasy
quinta columna fifth column
quitar to remove, take away
  — la vista de encima to take one's
    eyes off
quizás perhaps

R

rabia rage
  dar — to make angry
rabieteo *coll.* tantrum
rabioso rabid, mad
rabo end, tail
racimo bunch (of grapes)
racionamiento rationing
ráfaga gust of wind
raíz root
  a — de right after
ralear to diminish, decrease
rama branch
ramito stem
ramplón coarse, crude
rancio rancid
rapado shaved
rapar to shave
rapaz *m.* boy
rapsoda rhapsodist
rapto rapture; swoon; abduction, kidnap-
    ping
rareza rarity
raro rare, strange
rascacielos skyscraper

rascar to scratch
rasgo trace
  —s features
rasguño scratch
raso smooth; flat; *n.* satin
rastras: a — dragging
rastro trace, scent
rata rat
rato short time
  a —s from time to time
ratonera mouse-trap
raya part (in hair); streak, stripe
  a —s striped
razón reason
  en — de because of
reacio obstinate
realizar to carry out; to fulfill
reanudar to renew
rebaja reduction; discount
rebaño flock
rebosar to overflow, abound
rebotar to rebound
rebotica room behind druggist's shop
rebullir to stir
rebuscado recondite, farfetched
rebuscar to search out
recadero messenger
recado message
recalar to reach land
recanalla great scoundrel
recargado heavy, overdecorated
recargar to reload; to overload; over-
    decorate
recelo suspicion
receloso suspicious
receptor radio set
recetar to prescribe
recién llegado recent arrival
recio strong; coarse; stiff
reclamar to claim
recluir to shut up, seclude
recluta *m.* recruit
reclutar to recruit
recodo bend
recoger to confine; to gather
  —se to go to bed
recogido retired, withdrawn
reconvención accusation
recorrer to travel; to go over; to look over
recortar to cut
recostar (ue) to recline
recoveco bend, twist

recrearse to delight, amuse oneself
rectificar to rectify
recuerdo memory
reculones : a — backing up
recuperar to recover, recuperate
recurrir (*prep.* a) to have recourse to
recurso resource; recourse, resort; device
rechazar to reject
rechistar to be about to speak; to mumble
rechoncho *coll.* chubby
redacción newspaper office
redactor editor
redondeado rounded
redondear to round off
reducto redoubt; refuge
referir (**ie, i**) to report, relate
　—se to refer
reflejar to reflect
reflejo reflection
reflexionar to reflect
refocilo healthy pleasure
reforzar (**ue**) to reinforce
refrenar to restrain
refresco refreshment
refriega skirmish
refuerzo reinforcement
refugiarse to take refuge
regalar to give, present
regaño reprimand
regar to sprinkle
regatear to haggle
regazo lap
registrar to search
registro record; *mus.* register
reglamento regulations
regocijo pleasure, merriment
regodear(se) to joke, take delight in
regodeo merriment
regordete chubby
regresar to return
regreso return
rehacerse to recover oneself
rehén hostage
rehusar to decline; to refuse
reincidir to reiterate
reírse (**i**) to laugh
reja grating
relampaguear to lighten, flash
relativo(a) concerning
relato report, account
reliquia relic
reloj de pulsera wristwatch

relucir to shine
relleno filling
　unidad de — reinforcement unit
remachar to rivet, confirm; to affirm
remate *m.* conclusion
remedar to imitate
remedio : tan sin — so irremediably
remedo mockery
rememorar to remember, recall
remiso remiss
remolino whirl, whirlpool
remontar to frighten away; to go up
remordimiento remorse
rencor rancor; hatred; grudge
rendido exhausted
rendija crack
　— de luz ray of light
rendir (**i**) to give
renglón line
renovar to renew
renquear to limp
renuente reluctant
renuevo bristle
renunciar to renounce
reñir (**i**) to quarrel; to scold
reojo : de — askance, out of the corner of one's eyes
reparar (*prep.* en) to notice
repasar to revise; to look over
repeluzno shiver
repente : de — suddenly
repentino sudden
repercutir to reverberate
repertorio repertory
repicar to beat (of the heart)
repleto full, replete
réplica reply
replicar to reply
reponerse to recover
reposar to rest
representar to represent; to show
　—se to imagine
repullo start, shock
requete— *coll, prefix* very, great, excessive, long
requeteolvidado long forgotten
resbaladizo slippery
resbalar to slip, slide
rescatar to ransom, redeem; to rescue
reseco too dry, very dry
resentido resentful
resentimiento resentment
reseña review

resfriarse to catch a cold
resobar to overwork, overuse
resollar to breathe heavily
resonar to resound, echo
respaldo back
respecto: al — regarding the matter
respirar to breathe
respiro respite, breathing space
resplandecer to gleam, shine, glitter
respuesta reply
resquemor grief, sorrow
restallido crack (of a whip)
restar to remain
restituir to return
restregar to rub
resultado result
resultar to turn out; to be
retaguardia rearguard
retahila tirade
retazos remnants; snatches
retener withold; detain, hold back
reticencia half-truth
reticente deceptive
retintín jingle; sarcastic tone
retinto dark-chestnut
retirada withdrawal
retirar to take away
—se to withdraw, retire
retornar to return, to come back
retraso delay
con mucho — very late
retratar to portray, photograph
retrato portrait
retrepado leaning backward
retrucar to reply
reunir(se) to join; to meet; to get
together; to collect
revenir (ie,i) to return
reventar to burst, explode; smash; annoy
reverencia bow
revolcón upset, tumble
revolver to revolve; to stir; to mess up
revuelta revolt
revuelto in disarray
rezagar to leave behind
rezago residue, remainder; leavings
rezar to pray; to read; to say
rezongar to grumble
rezumante juicy
ribete *m.* pretense; trimming
riesgo risk
rigidez rigidity
rincón corner

riña quarrel
riñón kidney
risa laughter
risotada horselaugh
ristra string of onions, garlic; string
ristre *m.* lance-rest
risueño smiling
rito rite
rizar to curl, frizzle
rizada fancy, ornamented
rociada volley; sprinkling
rodar (ue) to roll; to wander
rodear to go around
rodeo winding; circumlocution, detour
rodilla knee
romper *p.p.* roto to break
— en to burst into
— la cabaza to puzzle, worry over
roncar to snore
rondar to go around; to hound
ropa clothes
—s menores underwear
rosal rosebush
rositas: de — free, scot-free
rostro face
roto *p.p.* of romper broken
rubio blond
rubor blush
con — blushingly
ruborizarse to blush
ruido noise
ruin run-down
rumbo a toward
rumiar to ruminate, meditate upon
ruso Russian
rutina routine
rutinario routine

S

sábana sheet
saber to know, to taste
a — namely; who knows
¡Qué sé yo! how should I know
que yo sepa as far as I know
un no sé qué a certain; somewhat
y qué sé yo and so forth
sabor taste, flavor
saborear to taste; to savor
sabotear to sabotage
sacar to take out; to get
— adelante to take care of
— en limpio to deduce

saciar to satiate
sacudir to shake, to shake up
sagrado sacred
sala living room
salacidad salacity
saldo balance
saleta small living room
salida departure; exit, way out; *coll.*
  witticism
salir to leave
  — **a** to take after, look like
  — **a relucir** to appear
  — **al paso** to oppose; to run into
  ¡**salí**! *Arg.* go away!
saltar to jump
salto leap
  a —**s** by leaps
  de un — at one jump
saludar to greet
saludo greeting
salvar to save
salvo *adv.* except for; *adj.* safe
sandez folly
sangrar to bleed
sangre *f.* blood
sangriento bloody
sano healthy
  — **y salvo** safe and sound
Santanderino of Santander, capital city
  of the province of Santander
santo *adj.* holy; *n.* saint
saqueo plunder
sarmiento vine-shoot
sarracina scuffle, free-for-all
satisfacer to satisfy
seco dry; harsh
secuestrar to kidnap
secundar to second
sed *f.* thirst
sede *f.* seat; main office
segregar to bring forth
seguida: en — at once
seguido successive
seguimiento following
  en — **de** behind
seguir to follow
  — **adelante** to go on
según according to
seguro sure
  de — assuredly
semana week
semblante face, aspect

semejante *n.* fellow man; *adj.* such a;
  similar
  nada — nothing of the sort
semejanza resemblance, similarity
sencillo simple
sendos one to each
sensatez good sense
sensato sensible
sentar (ie) to agree with; to settle down;
  to settle; to suit
  —**se** to sit down
sentenciar to sentence; to declare
sentido sense
sentir(se) (ie, i) to feel; to hear
  sin — inadvertently
  —**se en el caso de** to feel it necessary
  to
seña sign, feature
  —**s** address
  dar — **de** to show signs of; to describe
señal *f.* signal
señalar to point out
señoritingo lordling
señorito young gentleman
sepelio burial
sepultar to bury
sepultura tomb
sequedad dryness
ser *m.* being; *v.* to be
  — **de** to become of
  sea que ... sea que whether ... or
  ya fuera ... ya ... ya whether ... or
  ... or
seriedad seriousness
serrallo seraglio, harem
servicio duty, service
servidor suitor; servant
  un — yours truly
servilleta napkin
sesgo trend; slope
  al — obliquely
seso brain
sestear to nap
siempre surely; always
  — **que** whenever; provided
sien *f.* temple
significado *n.* meaning
siguiente following
silbar to whistle
silbotear to whistle
silla chair
sillón armchair

sima abyss
simiente *f.* germ, seed
simpático pleasant, nice, agreeable
simplista simple
simplón great simpleton
sin ton ni son without rhyme or reason
sindical of a trade union
siniestro sinister
sino but
   no — only, no more than
   — que except that
siquier(a) at least
   siquiera *conj.* even though
   ni — not even
sitiar to besiege
sitio place
so under
sobaco armpit
soberbio proud, haughty
soborno bribe, inducement
sobrante left-over, extra
sobrar to remain over
sobrecoger to surprise; to overtake
sobreentender to understand
sobreentendido familiar allusion, hint
sobremesa after dinner conversation
   de — after dinner
sobreponerse(a) to overcome
sobresaltar to startle
sobresalto sudden fear; sudden start, surprise
sobrevenir (ie, i) to overcome
sobrino nephew
   —s nieces and nephews
socarrón cunning
socarronería artfulness; slyness
sociedad anónima stock company
socorro help
   casa de — emergency hospital
soflama jibe; deceit; shame; hypocritical look
sofocado out of breath
sofocar to stifle
sol sun
   puesta de — sunset
solanera hot sunshine
solapado artful
solas: a — alone
solazar to comfort
soldado soldier
   — raso private
soleado tanned; sunny

soledad solitude
soler to be used to
solicitud application
soltar (ue) to release; to let go
soltero bachelor
solterón old bachelor
   solterona old maid
sollozo sob
sombra shade, shadow
sombrear to shade
someter to submit
somormujo sly
son sound
sonar (ue) to sound
sondear to sound
sonreírse (i) to smile
sonriente smiling
sonrisa smile
soñar (ue) (*prep.* **con**) to dream
sopa soup
soponcio swoon, faint
sopor drowsiness, sleepiness
soportable bearable
soportar to endure, withstand, bear
sorbete *m.* sherbet
sorbo, sorbito sip
sordo deaf; dull
sorna malice; sluggishness
sorprendente surprising
sorprender to surprise, to catch by surprise
sorpresa surprise
sortear to elude, evade; to raffle, draw lots
sorteo raffle, casting lots
sortija ring
sosiego calmness; rest
soso dull, tasteless
sospecha suspicion
sospechar to suspect
sospechoso suspicious
sostener (ie) to support, sustain
sotana cassock
suavón suave
subir to ascend; to get on *or* in (vehicle); to rise
súbito sudden
sublevación insurrection
sublevar to stir up
subrepticiamente surreptitiously
subsiguiente subsequent
subsistir to subsist
suceder to happen

suceso event
sucio dirty
sucursal *f.* subsidiary, branch
sud south
sudar to sweat
sudor sweat, toil
suegro father-in-law
sueldecillo *dim.* of **sueldo**
sueldo salary
suelo ground
sueño sleep
suerte *f.* sort, kind; luck; fate
   por — luckily
sufrir to suffer
sugerir (ie, i) to suggest
sugestivo striking; stimulating; suggestive
suicida *adj.* suicidal
sujeto subject; fellow
sumar to add
sumario summary
sumir to sink; to overwhelm
sumiso submissive
sumo: a lo — at most
superar to surpass
suponer to suppose
suprimir to suppress; to do away with
supuesto supposition
   por — of course
surgir to arise, come up, rise
susceptivo susceptible
suscitar to stir up, provoke
suspirar to long for
suspiro sigh
suspirón full of sighs
susto fright
sustraer to remove
   —se a to steal
susurrar to whisper
susurro whisper
sutil subtle

T

tabardo tabard
tabique *m.* partition
tabla board, plank (painting on a board)
tablero board; timber
taburete *m.* stool, taboret
tacha defect, flaw
tachar to find fault; to cross out
taimado crafty

tajada slice, cut
tajante cutting
tajo cut, incision
tal such, such a
   con — de provided
   el — that fellow
talante *m.* manner
talón heel
tallado carved
tallo stem
tambalearse to stagger
tampoco neither, not . . . either
tan sólo only
tantico: un — somewhat
tanto so much
   estar al — de to be aware of
   poner al — to bring up to date
   por lo — therefore
   un — somewhat
tapete runner
tapia mud wall
tapiz *m.* tapestry
tardanza delay
tardar to delay
   a más — at the latest
tarde *adj.* late; *f.* afternoon
   de — en — now and then, sometimes
tarea task
tarro jar
tasa rate; moderation
taza cup
té *m.* tea
tecla *mus.* key
   dar en la — to hit the mark
teclear to drum with one's fingers
techo roof; ceiling
tedio tedium
tejido tissue; texture
tema *m.* theme
temblar (ie) to tremble
temblor tremor, quivering
temer to fear
temeroso timid
temible frightful
temor fear
templado temperate
temple *m.* disposition, temperament
temporada period of time
temporal storm
temprano early
tender (ie) to stretch out; to spread; to spread out

tendón tendon
tenedor fork
tener to have
— **a punto** to have ready
— **calor** to be hot
— **en perspectiva** to have in mind
— **mala suerte** to be unlucky
— **por** to consider as
— **prisa** to be in a hurry
— **que ver con** to have to do with
teniente *m.* lieutenant
tentar (ie) to grope; to touch
teñir (i) to dye; to color
terciar to mediate
terciopelo velvet
terco stubborn
terminar to end up
término end; goal; term
en primer — chiefly
llevar a — to realize; to bring to a conclusion
terne bullyish
ternura tenderness
terquedad stubbornness
terraza terrace
terreno ground
tersura smoothness
tertulia gathering; social gathering
tesoro treasure
testarudez stubbornness
testero front; head-piece
testigo witness
tibio lukewarm; indifferent
tiempo time
al — que while
un — for a while
tienda shop, store
tierno tender
tierra land
por esas —s in those parts
tieso rigid
tijeras scissors
tilde *f.* tilde; jot
timbre *m.* bell; timbre
timorato timid
tintero inkwell
tío uncle
tipo fellow, guy
tira strip, band
tirabuzón corkscrew
tirada speech; throw

tirar to pull; to throw; to shoot; to give; to thorw away
— **de** to pull on
tiro shot
titular headline
toalla towel
tocar to touch: to play (musical instrument)
—**le a uno** to fall to one's lot
todavía yet, still
todo: en un — all at once; completely
tomar to take
— **en serio** to take seriously
—**se** to have
tono tone
estar al — to be proper
tontaina *coll.* fool
tontería nonsense
tonto silly, foolish
topar(se) con to meet by chance, stumble upon
topetazo collision
torbellino whirlwind
torcer (ue) to twist
torcido twisted, crooked
tormenta storm
torneo contest
torno: en — around
torpe dull; awkward
torpeza sluggishness; rudeness
torpón dull
torta cake
total in short; after all
trabajado weary
trabajosamente laboriously
trabar to strike up
trabucaire blustering
traducir to translate
traer to bring
tráfago drudgery, toil
tragar to swallow
no poder — *coll.* not to be able to stomach
trago: de un — at a gulp, at one draught
traición treason; treachery
traje suit
trajinar to fidget
trama plot, entanglement
tramar to plot, scheme
trámite *m.* procedure; business
transcurso lapse of time

transido overcome
transigir to settle, compromise
transitar to travel
translucir to become evident
transponer to pass through; to go around; to disappear
transporte *m.* fit (of anger, passion, etc.)
tranvía streetcar, trolley
trapicheo *coll.* contriving
traqueteo shaking, jolting
tras behind; after
—**de** behind
trasiego upheaval
trasladar(se) to move
traslado resemblance; copy; transfer
traslucido translucent
trasnochado haggard
traspapelarse to be mislaid among other papers
trasponer *see* **transponer**
trastornar to upset
trastorno upheaval, disturbance
tratar to deal with; to treat
— **de** to try to
—**se de** to have to do with
trato treatment
través: a — de through
travesía crossing; sea voyage
travesura prank
travieso mischievous
trazar to trace; to outline
trazo trace, outline
trecho lapse of time; distance
tregua truce
trenza braid, plait
trepar to climb
treta trick
trifulca *coll.* squabble
trilladora threshing machine
trinchar to carve
triste sad
tristeza sadness
tristón melancholy
trizadura strip of paper
tropel throng; bustle
en — in a mad rush
tropezar to stumble
— **con** to stumble upon, run into
trote *m. coll.* chore
trozo piece

truco play (of cards); trick
truculencia insistence
trueque *m.* exchange
tufo hair lock
tullido paralyzed
tumba tomb
tundir *coll* to flog, beat
turbante *m.* turban
turbar to disturb
turbio confused
tute *m.* card game
tutear to address familiarly
tuteo familiar address; *use of* "tú"

U

ufanarse con to boast of; to pride oneself on
ufanía pride
ufano proud
ultimar to finish
últimamente lately
último last
por — finally
ultraje *m.* outrage, insult
único only, one
unidad unit, one
— **de choque** combat unit
— **de relleno** reinforcement unit
uno one, someone
—**s y otros** both
uña fingernail
urdir to weave, concoct
uso use; custom, habit
usurpador usurper
utensilio utensil
uva grape

V

vaciar to empty
vacilar to hesitate; to be unsteady
vacío empty
vagar to roam, wander
vago vague
valer to be worth; to favor
¡Dios me valga! So help me God!
valor value; courage
variante *f.* variant

varón male
vecindad neighborhood
vecino neighbor
vejación vexation, annoyance
vejar to annoy, vex
vejatorio vexatious
vejez *f.* old age
vela candle; wakefulness
  en — awake
velado veiled, muted
velar to stay awake; to watch
  — por to keep watch over
venal venal; mercenary
vencer to conquer
vencido conquered; drooped
vender to sell
vengativo vengeful
venia pardon
venida *f.* coming
venir(se) (ie, i) to come
ventaja advantage
ventanal large window
ventolera *coll.* turmoil
ver to see
  de buen — good-looking
verano summer
veras: de — really, truthfully
verborrea verbosity
verdad truth
verdadero true
verdibilioso sickly green
vergajazo whipping
vergüenza shame
vericueto rough, uneven ground
verja grating; iron railing
vernáculo vernacular
verosímil likely
vertiginoso dizzy
vestíbulo vestibule, lobby
vestimenta garments
vestir (i) to dress
  — santos to be an old maid
vez time
  a su — in turn
  alguna — sometime
  cada — más more and more
  cada — menos less and less
  de una — once and for all
  de — en cuando from time to time
  a veces at times

vía road, route, channel
viajante *m.* traveler
  — a comisión traveling salesman
viajar to travel
viaje *m.* trip
viajero traveler
vibrar to vibrate
vidrio glass
viejo old
viento wind
vientre *m.* belly, stomach
vigilar to keep watch
vileza meanness
vinculación bond
vínculo vinculum, link
vindicativo vindictive
vino wine
viña vineyard
viñedo vineyard
visera visor
viso gleam; appearance
víspera eve, evening before
  en —s de on the eve of
vista view; sight; eyes; look
vistazo glance
visto evident
  — bueno O. K., approval
  por lo — evidently
vituperable blameworthy
viudo widower
vivir to live
vivo alive
vocablo word, diction
volar (ue) to fly; *fig.* to disappear
volcar (ue) to overturn
volubilidad volubility, fickleness
voluntarioso determined
volver (ue) to return
  —se to return; to turn
  — a (+ *inf.*) again
  — en sí to come to
voto vow
voz voice; word
vuelco tumble, overturning
vuelo flight
vuelta other side; turn
  dar —s to keep going over (the same subject); to circle
vuelto turned

Y

ya already; now
— **no** no longer
— **que** since
ya . . . ya whether . . . or not
yacer to lie
yantar to dine
yelmo helmet
yema del dedo fingertip
yergue *see* **erguir**
yerno son-in-law
yesón chunk of plaster

Z

zafar to free, disentangle
zaga: a la — de behind

zaguán hall, vestibule
zalagarda snare; sudden attack
zalema salaam, bow
zancadilla trick
zanguango *coll.* loafer
zanjar to settle a matter
zapatería shoemaker's shop; shoe store
zapato shoe
zas bang!
zipizape *m. coll.* noisy scuffle
zócalo socle, base of a pedestal
zonzo dull, insipid
zumba jest, joke
— **maligna** malicious jesting
zumbar to hum; buzz
zumbido hum; buzz